Forschung zur Bibel Band 51

herausgegeben von
Rudolf Schnackenburg
Josef Schreiner
in den Verlagen Echter und Katholisches Bibelwerk

forschung zur bibel

Otto Wahl

Der Proverbien- und Kohelet-Text der Sacra Parallela

Echter Verlag

Druck und buchbinderische Verarbeitung: Echter Würzburg
Fränkische Gesellschaftsdruckerei und Verlag GmbH
ISBN 3 429 00936 7

V o r w o r t

Nach jahrelangen Vorarbeiten kann diese Ausgabe des Proverbien- und Kohelet-Textes der Sacra Parallela (=SP) vorgelegt werden. Nachdem meine bisherigen Veröffentlichungen auf diesem Gebiet - Prophetenzitate 1965, Sirach-Text 1974, Sapientia-Text 1980 - den entsprechenden Bänden der Göttinger LXX nachgearbeitet haben, soll dieses Buch als eine Vorarbeit für die noch zu erstellenden Bände der genannten LXX-Ausgabe dienen. Bezüglich der wichtigsten Fragen der SP kann auf vorausgehende Publikationen verwiesen werden. So beschränkt sich dieses Buch darauf, nur die für sein Verständnis wichtigsten Angaben vorauszustellen.

An dieser Stelle habe ich die angenehme Pflicht, allen zu danken, welche die Veröffentlichung dieses Buchs ermöglicht haben. Besten Dank dem Institut de Recherche et d'Histoire des Textes vom Centre National de la Recherche scientifique Paris sowie dem Byzantinischen Institut der Abtei Scheyern mit seinem Leiter, P. Dr. Bonifaz Kotter OSB, dem Herausgeber der kritischen Damascenus-Ausgabe, für die Zurverfügungstellung von Handschriftenfilmen und fotografischen Abzügen der Textzeugen. Besonderen Dank auch den Herausgebern der wissenschaftlichen Reihe Forschung zur Bibel, den Herren Professoren Dr. Josef Schreiner, Würzburg, und Dr. Rudolf Schnackenburg, Würzburg, für die Aufnahme dieser Ausgabe in die genannte Reihe. Zu Dank verpflichtet bin ich der Leitung und den Mitarbeitern des Echter Verlags Würzburg für die Drucklegung dieses Buchs. Dank auch meinen Mitbrüdern von der Süddeutschen Provinz der Salesianer Don Boscos München für den geleisteten Druckkostenzuschuß.

Benediktbeuern, den 15.August 1984 P. Otto Wahl SDB

INHALTSVERZEICHNIS

Literaturverzeichnis

Bei Werken, die in diesem Buch in abgekürzter Form zitiert werden, ist die verwendete Abkürzung in Klammern hinter dem betreffenden Werk angegeben. Weitere Literatur zu den SP findet sich in Wahl, Prophetenzitate S.1-9.

Biblia Sacra iuxta Latinam Vulgatam versionem, T.XI: Libri Salomonis id est Proverbia Ecclesiastes Canticum Canticorum, Romae 1957

Field, F. (ed.), Originis Hexaplorum quae supersunt, T.I.II, Oxonii 1875

Gesnerus, C. (ed.), Sententiarum sive capitum theologicorum praecipue ex sacris et profanis libris tomi tres per Antonium et Maximum monachos olim collecti, T.II, Tiguri 1546; Antonii loci Melissa inscripti, p.V-IX.1-162 (=Ant.^{Ge})

Hatch, F. - Redpath, H. A., A Concordance to the Septuagint and other Greek Versions of the Old Testament, Volume I.II.Supplementum, Oxford 1897 (Graz 1954)

Migne, J.-P. (reeditor), Patrologiae cursus completus, Series Graeca (=PG)

\- - PG 95, Lutetiae Parisiorum 1860: Sancti Ioannis Damasceni De Sacris Parallelis (ed. M. Lequien 1712), Pars prima: p.1039-1588 (=V^{Mi})

\-- PG 96, Lutetiae Parisiorum 1860: Sancti Ioannis Damasceni De Sacris Parallelis (ed. M. Lequien 1712), Pars altera: p.9-442 (=V^{Mi})

\- - PG 136, Lutetiae Parisiorum 1865: Antonii monachi cognomento Melissae Sententiae sive Loci communes ex sacris et profanis auctoribus collecti (ed. C. Gesnerus 1546): p.765-1244 (=Ant.^{Mi})

Novae Concordantiae Bibliorum Sacrorum iuxta Vulgatam versionem critice editam quas digessit Bonifatius Fischer OSB, T.I-V, Stuttgart-Bad Cannstatt 1977

S w e t e , H. B., The Old Testament in Greek according to the Septuagint, Volume II, Cambridge 1907[3] (=Swete)

W a h l , Otto, Die Prophetenzitate der Sacra Parallela in ihrem Verhältnis zur Septuaginta-Textüberlieferung, Band I.II (Studien zum Alten und Neuen Testament 13), München 1965 (=Wahl, Prophetenzitate)

- - Der Sirach-Text der Sacra Parallela, (Forschung zur Bibel 16), Würzburg 1974 (=Wahl, Sirach-Text)

Abkürzungen und Zeichen

1. Abkürzungen

a	= (hochgestellt) recto-Seite
add.	= addit
'al.'	= alia lectio
apd.	= appendix, Kapitelanhang
b	= verso-Seite
Bibl.	= Biblioteca, Bibliotheca, Bibliothek, Bibliothèque
c	= (hochgestellt) corrector
ed.	= edidit
f.	= folia
fin.	= finalis
gr.	= graecus
homoiar.	= homoiarcton
homoiot.	= homoioteleuton

Jh.	= Jahrhundert
init.	= initialis
LXX	= Septuaginta, Vetus Testamentum Graecum
mg	= (hochgestellt) marginalis
om.	= omittit
p.	= pagina
PG	= Migne, Patrologia Series Graeca
pr.	= praemittit
praec.	= praecedens
seq.	= sequens
SP	= Sacra Parallela
T.	= Tomus, Tome
tr.	= transponit
txt	= (hochgestellt) Textlesart
v.	= versiculus
vid.	= ut videtur

2. Zeichen

] = Lemmazeichen

⌒ = Textausfall durch homoiar. oder homoiot.

+ = addit

/ = Textumstellung

* = (hochgestellt) ursprüngliche Lesart

Abgekürzt zitierte Bücher sind im Literaturverzeichnis angegeben.

Die Abkürzungen der benützten Textzeugen sind in § 2 der Einleitung aufgeführt.

E i n l e i t u n g

Bei der Erstellung der kritischen Gesamtausgabe der LXX geht es darum, die vorhandenen Textzeugen möglichst vollständig zu berücksichtigen und sie in angemessener Weise für die Rekonstruktion des ursprünglichen Textes zu verwenden, bzw. in den Apparat einzuarbeiten. Neben den zahlreichen griechischen Textzeugen (Papyri, Majuskel- und Minuskelhandschriften), den alten Übersetzungen sowie den alten Druckausgaben, deren handschriftlichen Vorlagen zumeist verlorengegangen sind, kommt dabei der sogenannten indirekten Überlieferung durch griechische und lateinische Väter und Kirchenschriftsteller eine bemerkenswerte Bedeutung zu. Der Umfang der Verwendung der Väterzitate für die Erstellung einer kritischen LXX-Ausgabe hängt aber sehr davon ab, wie gute Ausgaben für die betreffenden Väterschriften vorhanden sind. Wenngleich die patristische Wissenschaft der vergangenen zwei Jahrhunderte in diesem Bereich der kritischen Väterausgaben Großes geleistet hat, so gibt es doch noch eine ansehliche Anzahl von Väterschriften, die auf eine solche Edition warten,welche aufgrund der besten vorhandenen Textzeugen zu erstellen wäre. Solange aber dieser Schatz der indirekten Überlieferung nicht vollständig gehoben ist, kann er auch nicht voll zur Erstellung der kritischen LXX-Ausgabe verwendet werden. Für eine umfangreiche Schrift der späten Väterzeit, die sogenannten Sacra Parallela, die gewöhnlich Johannes von Damaskus zugeschrieben wird, steht eine kritische Ausgabe noch aus. Für einige alttestamentliche Bücher konnte ich den Text der SP in den vergangenen Jahren zur Darstellung bringen. In chronologischer Ordnung waren dies folgende Publikationen:

- Die Prophetenzitate der Sacra Parallela in ihrem Verhältnis zur Septuaginta-Textüberlieferung, (Studien zum Alten und Neuen Testament 13), München 1965 (2 Bände);

- Der Sirach-Text der Sacra Parallela, (Forschung zur Bibel 16), Würzburg 1974;
- Zum Sapientia-Text der Sacra Parallela, Salesianum 42 (1980)559-566;
- Der Codex Rupefucaldinus - ein bedeutsamer Textzeuge des Ijob-Textes der Sacra Parallela, in: Theologie und Leben, (Festgabe für Georg Söll), hrg. von Anton Bodem und Alois M. Kothgasser, Rom 1983, S.25-29.

Einige Handschriften der Vatikanischen Rezension der SP wurden von mir für den von Joseph Ziegler 1982 herausgegebenen Ijob-Band der Göttinger LXX, Vol.XI,4, kollationiert und mit ihren wichtigsten Lesarten eingearbeitet; vgl. dort S.37.

Auf einige Varianten der SP zum Judit-Text verwies eine Rezension von mir über den von Robert Hanhart 1975 veröffentlichten Judit-Band der Göttinger LXX: Theologische Revue 76 (1980)451.

Während für die Prophetenbücher, für Sirach und Sapientia, zum Teil auch für Ijob und Judit, diese Beiträge der SP für die Erstellung des LXX-Textes jeweils erst nach dem Erscheinen der betreffenden Bände der Göttinger LXX publiziert wurden, will das vorliegende Buch nun für die noch zu erstellenden Bände Proverbien und Kohelet das gesamte SP-Material als eine bescheidene Vorarbeit vorlegen. Daß dieser Beitrag, der nur einen der vielen LXX-Textzeugen untersucht, seine Berechtigung hat, wird schon aus dem Quantum des auf 24 handschriftlichen Textzeugen beruhenden SP-Textes zu Proverbien und Kohelet ersichtlich: Bei Proverbien mit ihren über 900 Versen sind in den SP mehr als 680 Verse, bei Kohelet von den insgesamt 222 Versen 154 belegt, also jeweils mehr als zwei Drittel des Textbestands. Eine angemessene Auswertung des hier vorgestellten Proverbien- und Kohelet-Textes der SP wird aber erst dann möglich sein, wenn einmal im Rahmen der Göttinger LXX-Ausgabe die entsprechenden Bände Proverbien und Kohelet vorliegen. Vielleicht können dann auch die im Anhang gebotenen nicht verifizierten Zitate wenigstens zum Teil verifiziert werden.

§ 1. Die Sacra Parallela und ihre Textüberlieferung

1. Aufbau und Inhalt der Sacra Parallela

Im 8.Jahrhundert entstand ein drei Bücher umfassendes moralisch-aszetisches Florileg mit dem Namen Τὰ ἱερά, das seit der Ausgabe von M. Lequien von 1712 den Namen Sacra Parallela trägt. Die meisten Textzeugen nennen als Verfasser einen der letzten Vertreter der Väterzeit, Johannes von Damaskus, gestorben um 749. Das erste Buch der SP handelt von Gott, das zweite von den menschlichen Dingen;das dritte stellt in parallel angeordneten Kapiteln Tugenden und Laster einander gegenüber. Das umfangreiche Werk liegt uns heute nur noch in verkürzenden und den Stoff umstellenden Rezensionen vor, die zum Teil auch noch Stoff aus anderen Schriften, religiöser und profaner Art, einfügen. Allen drei Büchern geht ein Prolog voraus; alle haben innerhalb ihrer Kapitel grundsätzlich den gleichen Aufbau. Die beiden ersten Bücher ordnen ihre Kapitel alphabetisch in sogenannten Stoicheien an, ausgehend vom wichtigsten Stichwort der Kapitelsüberschrift. Das dritte Buch dagegen hat eine inhaltlich ausgerichtete Ordnung, die Gegenüberstellung von Tugenden und Lastern. In allen SP-Kapiteln werden nach der Art der damals beliebten Florilegien zu einem bestimmten Thema , allerdings in sehr unterschiedlichem Umfang, Zitate aus dem Alten und Neuen Testament aufgeführt, woran sich mehr oder weniger lange Zitate aus den Schriften der bedeutendsten Kirchenväter und -schriftstellern anschließen; nicht selten stehen am Schluß auch Zitate aus Philo und Flavius Josephus. Zitate von profanen Schriftstellern wurden in manchen SP-Rezensionen eingefügt und erweitern diese dann zu sogenannten sakroprofanen Florilegien. Weitere Angaben zum Aufbau der SP sowie zur Geschichte ihrer Erforschung finden sich bei Wahl, Prophetenzitate S.29-61.

2. Zur Textüberlieferung der Sacra Parallela

Die verschiedenen Rezensionen, in denen uns heute die SP begegnen, bieten entweder Kapitel aus nur einem der drei Bücher, zum Teil auch erweitert durch andere Texte, oder sie bieten Kapitel aus allen drei Büchern vermischt, wobei ebenfalls Zusätze religiöser oder profaner Art aus anderen Schriften möglich sind.

Das erste Buch ist in einer verkürzten Form vertreten durch die Handschrift Paris, Nat.Bibl.,Coisl.276 (=C) aus dem 10. Jahrhundert, und es findet sich auszugsweise auch in anderen Rezensionen. Der ursprüngliche Textbestand dürfte sich aber auch durch Zusammenstellung aller vorhandenen Teile des ersten Buchs nicht mehr vollständig rekonstruieren lassen.

Das zweite Buch der SP ist, auch hier schon in einer verkürzten Gestalt, in der Handschrift Rom, Bibl.Vat.,Vat.gr. 1553 (=K) aus dem 10.Jahrhundert erhalten. Auch hier gilt, daß aus den Kapiteln des zweiten Buchs, die sich in K und in den anderen Rezensionen finden, dieses in seinem ursprünglichen Textumfang nicht mehr zusammengestellt werden kann.

Das dritte Buch der SP, bei dem sich eine Rezension von 60 Parallelkapiteln und eine von 70 Parallelkapiteln unterscheiden lassen, liegt auch nicht mehr in seiner ursprünglichen Gestalt vor. Die Rezension von 60 Parallelen ist z. B. vertreten durch die Handschrift Athos, Μονὴ ʼΙβήρων 392, f.171-197[a] (=Iv) aus dem 15.Jahrhundert, wozu auch noch die sogenannte Athenische Rezension und die Loci communes des Antonius Melissa kommen. Die andere Rezension des dritten Buchs mit 70 Parallelen läßt sich dagegen aus jenen Textzeugen ableiten, in denen Kapitel aller drei Bücher zusammengestellt sind. Wie beim ersten und zweiten Buch der SP ist eine völlige Rekonstruktion des ursprünglichen Textes des dritten Buchs nicht mehr möglich.

Von den Rezensionen, die Kapitel aus allen drei Büchern bieten und die diese alphabetisch geordnet zusammenstellen, ist am bekanntesten die sogenannte Vatikanische Rezension (=V), benannt nach der Handschrift Rom, Bibl.Vat.,Vat.gr. 1236 (=V^V) aus dem 15.Jahrhundert, die M. Lequien seiner Ausgabe von 1712 zugrundelegte und die in PG 95/96 nachgedruckt ist. Parallel dazu ist die vom Codex Rupefucaldinus, Berlin, Staatsbibl.,gr.46 (=R) aus dem 12.Jahrhundert, vertretene Rezension zu sehen; ihren 459 Kapiteln stehen nur 323 Kapitel von V gegenüber. Eine Mischrezension (=M), in welcher V- und R-Kapitel vermischt sind, ist durch den Textzeugen Paris,Bibl.Nat.gr.923 (=M^P) aus dem 9.Jahrhundert belegt. Eine Kombination von vier verschiedenen SP-Rezensionen bietet die Handschrift Jerusalem, Patr.Bibl.,Τάφου 15 (=H^a, H^b, H^c und H^d) aus dem 10.Jahrhundert. Daneben gibt es weitere Zusammenstellungen von SP-Kapiteln wie das Florilegium Thessalonicense Saloniki, Μονὴ Βλατέων 9, 10.Jahrhundert (=T) oder die beiden Sammlungen der Handschrift Florenz, Bibl.Laur.,Plut.VIII 22,f.1-45 (=L^a) und f.126-189.74-125 (=L^c) aus dem 14.Jahrhundert.

§ 2. Die benützten Textzeugen

Für die Erstellung des Proverbien- und Kohelet-Textes der SP wurden nur die wichtigeren Textzeugen herangezogen. Eine genaue Beschreibung derselben befindet sich bei Wahl, Prophetenzitate S.85-111, für T S.117f.

1. Zum ersten Buch

1) C = Paris, Bibl.Nat., Coisl.276, f.1-271; 10.Jh.

2. Zum zweiten Buch

2) K = Rom, Bibl.Vat., Vat.gr.1553,283 f.; 10.Jh.

3. Zum dritten Buch

3) Iv = Athos, Μονὴ Ἰβήρων 382, f.171.197^{a}; 15.Jh.
4) A^{K} = Athos, Μονὴ Καρακάλλου 255, f.1-28; 11.Jh.
5) A^{V} = Athos, Μονὴ Βατοπεδίου 35, f.1-138^{a}; 12.Jh.
6) A^{A} = Athen, Nat.Bibl.1070, f.84^{b}-158; 14.Jh.
   NB: A = A^{KVA} (Athenische Rezension)
7) Ant.^{Ge} = Conradus Gesnerus (ed.), Sententiarum sive capitum theologicorum tomi tres, per Antonium et Maximum monachos olim collecti, T.II, Tiguri 1546, p.1-162
8) Ant.^{Mi} = Migne PG 136, Lutetiae Parisiorum 1865, p.765-1244: Antonii Monachi cognomento Melissae Sententiae sive loci communes ex sacris et profanis auctoribus collecti (Nachdruck von Ant.^{Ge})
9) Ant.^{L} = Florenz, Bibl.Laur., Plut.IX 23, f.87^{b}-100^{a}; 12.Jh.
10) Ant.^{M} = Modena, Bibl.Estensis gr.111, f.1-80^{a}; 12.Jh.
11) Ant.^{A} = Athen, Nat.Bibl.1070, f.1-84^{b}; 14.Jh.

4. Zu allen drei Büchern

12) V^{W} = Wien, Nationalbibl.,Suppl.gr.178, 304 f.; 11.Jh.
13) V^{E} = Escorial, Real Bibl., Ω-III-9, f.7-243^{b}; 11.Jh.
14) V^{O} = Rom, Bibl.Vat., Ottob.gr.79;336 f.; 15.Jh.
15) V^{V} = Rom, Bibl.Vat., Vat.gr.1236, 432 f.; 15.Jh. (Vorlage der Ausgabe von M. Lequien 1712, deren Nachdruck in Migne PG 95/96 vorliegt).
16) V^{Mi} = Migne PG 95, p.1033-1588 und PG 96, p.9-442, Lu-

tetiae Parisiorum 1860: Sancti Ioannis Damasceni De Sacris Parallelis

NB: V = V^{WEOVMi}

17) R = Berlin, Staatsbibl.gr.46, 291 f.; 12.Jh. (Codex Rupefucaldinus)

18) M^{P} = Paris, Bibl.Nat.gr.923, 394 f.; 9.Jh.

19) M^{M} = Venedig, Bibl.Marc.gr.138, 295 f.; 10./11.Jh.

20) M^{L} = Florenz, Bibl.Laur.,Plut.VIII 22, f.46-73; 14.Jh.

NB: M = M^{PML} (Mischrezension)

21) H^{a}, H^{b} und H^{c} (H^{d} ist nicht benützt) = Jerusalem,Patr. Bibl., Τάφου 15, 346 f.; 10.Jh.

22) T = Saloniki, Μονὴ Βλατέων 9, 255 f.; 10.Jh. (Florilegium Thessalonicense)

23) L^{a} = Florenz, Bibl.Laur., Plut.VIII 22, f.1-45; 14.Jh.

24) L^{c} = Florenz, Bibl.Laur., Plut.VIII 22, f.126-189.74-125; 14.Jh.

Die nicht benützten Textzeugen sind bei Wahl, Sirach-Text S.24f aufgezählt und werden bei Wahl, Prophetenzitate S.112-120 genauer beschrieben.

§ 3. Zur Darstellung des Textes

Die vorliegende Ausgabe des Proverbien- und Kohelet-Textes der SP ist zusammengestellt aus den Zitaten der oben genann- Textzeugen. Manche Verse oder Versteile sind in den SP-Kapiteln nur einmal, andere auch mehrfach zitiert; manche Verse sind nur durch einen einzigen, andere durch mehrere Textzeugen belegt. Da eine umfassende Untersuchung der SP und ihrer Entstehung und vor allem eine genaue Festlegung der SP-Kapitel noch ausstehen, muß ich mich hier auf Vorarbeiten stützen, wobei für relativ wenige Stellen unsicher bleibt, ob gleiche Zitate demselben SP-Kapitel oder verschiedenen SP-Kapiteln entstammen. Für die Gesamtbewertung des Proverbien- und Kohelet-Textes der SP sind aber solche Unsicherheiten nur wenig erheblich.

1. Zur Zählung der SP-Kapitel

Die SP-Kapitel sind in den Textzeugen C, K, V, R, M, H^a, H^b, H^c, T, L^a und L^c alphabetisch in Stoicheien zusammengestellt, die hier mit großen griechischen Buchstaben angegeben werden; innerhalb der Stoicheien sind die Kapitel der Textzeugen mit kleinen griechischen Buchstaben gezählt, die aber hier um der leichteren Lesbarkeit willen durch arabische Ziffern ersetzt sind. Bei Ant. wird die Einteilung von PG 136 in zwei Bücher, I und II, übernommen; die Kapitel beider Bücher werden ebenfalls mit arabischen Ziffern gezählt. Nur mit arabischen Ziffern bezeichnet sind die Kapitel der Rezensionen Iv und A. Bei der Kapitelzählung der Textzeugen ist noch zu bemerken, daß oft Fehler und Differenzen auftreten, vor allem zwischen der Zählung im Pinax, der Kapiteltafel am Anfang des Textes, und der Zählung im Text selbst. Solche Defekte werden in dieser Ausgabe meist korrigiert und harmonisiert; wo eine Kapitelzählung aber doppelt, das heißt für zwei verschiedene Kapitel auf gleiche Weise vergeben wurde, wird zur Unterscheidung der Zählung 1° und 2° hinzugefügt. Daß bei manchen SP-Kapiteln sich Anhänge feststellen lassen, die aus anderen Kapiteln stammen, wird bei der Kapitelzählung mit dem Zusatz apd. gekennzeichnet; das gilt vor allem für den relativ umfangreichen und großteils nicht auf andere SP-Kapitel aufteilbaren Anhang der Handschrift Ant.^{M}: f.66^{b}-80^{a}(=Ant.^{M}(apd.)). Auf eine Zusammenschau und vorläufige Zählung aller SP-Kapitel mit Proverbien- und Kohelet-Zitaten, wie sie für den Sirach-Text vorgenommen wurde, - vgl. Wahl, Sirach-Text S. 32-43! - wird hier verzichtet.

2. Zu den Textzeugen der Sacra Parallela

Die Reihenfolge bei der Aufzählung der Textzeugen ist folgende: C, K, Iv, V, R, M, H^{a}, H^{b}, H^{c}, T, L^{a}, L^{c}, A, Ant. Bei V^{Mi} ist noch zu beachten: Wenn V^{Mi} nicht mit seiner (indirekten) Vorlage V^{V} zusammengeht, liegt ein Migne-Fehler oder eine Migne-Korrektur vor, die allerdings auch schon aus der Vorlage, der Ausgabe von M. Lequien, stammen könnte. Anders dagegen ist Ant.^{Mi} zu bewerten, ein Nachdruck von Ant.^{Ge}, dessen handschriftliche Vorlage verlorengegangen ist, weshalb es den Wert eines handschriftlichen Textzeugen besitzt. Ant.^{Ge} wird aber nur dann notiert, wo Ant.^{Mi} von seiner Vorlage Ant.^{Ge}, absichtlich oder versehentlich, abweicht.

3. Zur Kapitel- und Verszählung im Text

Die Kapitel- und Verszählung des Proverbien- und Kohelet-Textes richtet im folgenden ganz nach Swete; das gleiche gilt auch bezüglich der Setzung von Satzzeichen. Nach dem Beispiel von Joseph Ziegler in seiner Ijob-Ausgabe der Göttinger LXX von 1982 wird grundsätzlich jede Verszeile (nach Swete) mit kleinen lateinischen Buchstaben bezeichnet. Nur in ganz wenigen Fällen, wo eine Textzeile zur genauen Umschreibung des gebotenen Textes weiter untergeteilt werden muß, wird dazu α und ß verwendet. Da Swete bei Doppelzählung von Versen den zweiten Vers mit a bezeichnet, wird in unserer Ausgabe, um Verwechselungen zu vermeiden, ein solcher Vers mit A gekennzeichnet.

4. Zur Textgestaltung der einzelnen Verse

Der Proverbien- und Kohelet-Text ist aus den vorhandenen SP-Zitaten als kritischer Text erstellt worden, wobei verständlicherweise sehr oft auch anders hätte entschieden werden können, was im Text stehen und was in den Apparat verwiesen werden soll. Bei der Gestaltung des Textes werden rein orthographische Varianten grundsätzlich außer acht gelassen, es sei denn, daß sie auch als echte Varianten, z.B. Wechsel von Indikativ-Konjunktiv oder Präsens-Futur, angesehen werden könnten. Wo allerdings ein Vers oder Versteil nur von einem einzigen Textzeugen belegt ist, wird dessen Text so wiedergegeben, wie er vorliegt. Dies gilt auch bei Angabe von Varianten im Apparat, die nur von einem einzigen Textzeugen belegt sind.

Die Darstellung des Textes der einzelnen Verse geschieht folgendermaßen: Nach der Kapitel- und Verszählung links wird zuerst der kritische Text geboten, und zwar nach der Zeileneinteilung von Swete, wo es zur eindeutigen Angabe des Textumfangs der Textzeugen notwendig ist, auch mit der Unterteilung nach (a), (b) usw., bzw. von α und ß. Dann folgt an zweiter Stelle die Angabe der SP-Textzeugen zum betreffenden Vers, wobei die dem gleichen SP-Kapitel zugehörigen Textzeugen unter römischen Ziffern zusammengefaßt sind. Wo die Textzeugen zu einem Vers unterschiedlich viel Text bringen, wird dies auch genau angegeben. Falls ein Vers oder Versteil im gleichen Kapitel vom gleichen Textzeugen zweimal zitiert wird, werden diese Zitate durch 1° loco und 2° loco voneinander unterschieden. An dritter Stelle folgt dann der Apparat mit den Varianten zum betreffenden Vers. Dabei und auch sonst in der gesamten Ausgabe wird die bewährte Darstellungsweise der Göttinger LXX übernommen.

Π Α Ρ Ο Ι Μ Ι Α Ι

1,7 (a) Ἀρχὴ σοφίας φόβος κυρίου,
(c) εὐσέβεια εἰς θεὸν ἀρχὴ αἰσθήσεως,
(d) σοφίαν καὶ παιδείαν ἀσεβεῖς ἐξουθενήσουσιν.

I a: R(A49) II d: R(M3) III c: R(Π25)Ant.^{MiA} (I1)

εὐσέβεια]+δε Ant.^{A}

1,9 στέφανον γὰρ χαρίτων δέξῃ σῇ κορυφῇ,
καὶ κλοιὸν χρύσεον ἐπὶ σῷ τραχήλῳ.

I V(Π22)R(Π45)M^{P}(Π41)Ant.^{MiL}(II11)

ἐπί]περι Ant.^{MiL};+τω M^{P}

1,10 (a) υἱέ, μή σε πλανήσωσιν ἄνδρες ἀσεβεῖς,
(b) μηδὲ βουληθῇς.

I ab: R(Δ16)H^{C}(Δ13)T(Δ17) II a: Iv(14)V(Σ17) M^{P}(Σ27)A^{VA}(87)Ant.^{Mi}(II36) III ab: V^{EOVMi}(Σ22) IV a: Ant.^{Mi}(I7)

om. υἱέ IV | πλανήσωσιν]-σουσιν IvV^{WEOV}(II) V^{EOV}(III)M^{P}H^{C}A^{V}Ant.^{Ge}(IV) | ἄνδρες/ἀσεβεῖς]tr. III V^{W}M^{P}A^{V} | βουληθῇς]-θεις V^{OV}(III)T

1,11 (a) ἐὰν παρακαλέσωσί σε λέγοντες
(b) Ἐλθὲ μεθ᾽ ἡμῶν, κοινώνησον αἵματος,
(c) κρύψωμεν δὲ εἰς γῆν ἄνδρα δίκαιον ἀδίκως.

I ab: R(Δ16)H^{C}(Δ13) II a-c: V^{EOVMi}(Σ22)

om. ἐάν H^{C}

1,12 καταπίωμεν δὲ αὐτὸν ὥσπερ ᾅδης ζῶντα,
καὶ ἄρωμεν αὐτοῦ τὴν μνήμην ἐκ τῆς γῆς.

I V^{EOVMi}(Σ22)

1,13 τὴν κτῆσιν αὐτοῦ τὴν πολυτελῆ καταλαβώμεθα,
πλήσωμεν δὲ οἴκους ἡμετέρους σκύλων.

I V^{EOVMi}(Σ22)

1,14 τὸν δὲ σὸν κλῆρον βάλε ἐν ἡμῖν,
κοινὸν δὲ βαλάντιον κτησώμεθα πάντες
καὶ μαρσίππιον ἓν γενηθήτω ἡμῖν.

I V^{EOVMi}(Σ22)

1,15 (a) μηδὲ πορευθῇς ἐν ὁδῷ μετ' αὐτῶν,
(b) ἔκκλινον δὲ τὸν πόδα σου ἐκ τῶν τρίβων αὐτῶν.

I ab: R(Δ16)H^{C}(Δ13) II ab:Iv(14)V(Σ17)M^{P}(Σ27) A^{VA}(87)$Ant.^{Mi}$(II36) III ab: V^{EOVMi}(Σ22) IV a: $Ant.^{Mi}$(I7)

μηδέ]μητε $Ant.^{Mi}$(II); μη I; υιε μη III | ἐν ὁδῷ]οδους III | om. δέ $Ant.^{Mi}$(II) | ἐκ]απο Iv $A^{VA}$$Ant.^{Mi}$(II); εν M^{P}

1,16a οἱ γὰρ πόδες αὐτῶν εἰς κακίαν τρέχουσιν.

I Iv(14)V(Σ17)M^{P}(Σ27)A^{VA}(87)

1,17 οὐ γὰρ ἀδίκως ἐκτείνεται δίκτυα πτερωτοῖς.

I R(Δ16)H^{C}(Δ13) II H^{C}(E19)T(E36) III V^{EOVMi} (Σ22)

οὐ γάρ]ουκ II | ἐκτείνεται]εκλινεται H^{C}(I)

1,18 (a) αὐτοὶ οἱ φόνου μετέχοντες θησαυρίζουσιν ἑαυτοῖς κακά,
(b) ἡ καταστροφὴ τῶν παρανόμων κακή.

I ab:R(Δ16)H^{C}(Δ13) II a: K(Φ5)M^{PM}(Φ3) III b: A^{VA}(7)$Ant.^{MiA}$(I55) IV b: $Ant.^{MiM}$(II32) V b: $Ant.^{Mi}$(II94)

αὐτοί]om. II;+γαρ I | ἡ]+δε I | τῶν]ανδρων R

1,19 (a) αὗται αἱ ὁδοὶ πάντων τῶν συντελούντων τὰ ἄνομα·
(b) τῇ γὰρ ἀσεβείᾳ τὴν ἑαυτῶν ψυχὴν ἀφαιροῦνται.

I ab: R(Δ16)H^{C}(Δ13) II b: $Ant.^{MiA}$(I55)

1,20 Σοφία ἐν ἐξόδοις ὑμνεῖται,
ἐν δὲ πλατείαις παρρησίαν ἄγει.

I V(Σ18)M^{P}(Σ28)A^{VA}(17)

1,21 ἐπ' ἄκρων δὲ τειχέων κηρύσσεται ,
ἐπὶ δὲ πλατείαις δυναστῶν παρεδρεύει,
ἐν δὲ πύλαις πόλεως θαρροῦσα λέγει.

I V(Σ18)M^{P}(Σ28)A^{VA}(17)

1,22 (a) Ὅσον χρόνον ἔχονται ἄκακοι τῆς δικαιοσύνης, οὐκ αἰσχυνθήσονται·

(b) οἱ ἄφρονες, τῆς ὕβρεως ὄντες ἐπιθυμηταί,
(c) ἀσεβεῖς γενόμενοι ἐμίσησαν αἴσθησιν.

I bc: V^{OVMi}(A24)R(A63)M^{PM}(A52)H^{a}(A22)T(A74) II a: Iv(33)V^{WOVMi}(A25)R(A65)M^{PM}(A53)H^{a}(A23)T(A 75)A^{VA}(62)Ant.^{Mi}(II85)

ἔχονται/ἄκακοι]εχ. οι ακ. H^{a}(II); tr. IvM^{M}(II) A^{VA}

1,23a καὶ ὑπεύθυνοι ἐγένοντο ἐλέγχοις.

I R(A63)

1,28 (a) ἔσται ὅταν ἐπικαλέσησθέ με, ἐγὼ δὲ οὐκ εἰσακούσομαι ὑμῶν·
(b) ζητήσουσίν με κακοί, καὶ οὐχ εὑρήσουσιν.

I b: M^{M}(M12) II b: Iv(12)A^{VA}(50)Ant.^{MiM}(II32) III b: Ant.^{M}(apd.) IV a: Ant.^{M}(apd.)

1,29 (a) ἐμίσησαν γὰρ σοφίαν,
(b) τὸν δὲ φόβον κυρίου οὐ προείλαντο.

I b: R(A50) II ab: M^{M}(M12) III ab: Iv(12)A^{VA}(50); a: Ant.^{MiM}(II32) IV a: Ant.^{M}(apd.)

σοφίαν]σοφους Iv; αρετην Ant.^{M}(III) | om. δέ I | προείλαντο]προειλοντο Iv; προσηλαντο II

1,30 ἐπειδὴ οὐκ ἤθελον ἐμαῖς προσέχειν βουλαῖς,
ἐμυκτήρισαν δὲ ἐμοὺς ἐλέγχους.

I Iv(46)V(Π18)R(Π42)M^{PM}(Π38)A^{VA}(70)Ant.^{MiM}(II92)

οὐκ ἤθελον/ἐμαῖς]tr. A^{V}

1,31 τοιγαροῦν ἔδονται τῆς ἑαυτῶν ὁδοῦ τοὺς καρπούς,
καὶ τῆς ἑαυτῶν ἀσεβείας πλησθήσονται.

I V(E10)R(A21)M(A24)H^{a}(A52)H^{a}(E10)T(A48)L^{a}(A22 apd.) II Iv(46)V^{EOVMi}(Π18)R(Π42)M^{P}(Π38)A^{VA}(70) Ant.^{MiM}(II92)

τοιγαροῦν]τοιγαρ Iv; om. I | om. ἑαυτῶν 2° V^{Mi} (I) | ἀσεβείας]επιθυμιας II

1,32 (a) ἀνθ᾽ ὧν ἠδίκουν νηπίους φονευθήσονται,
(b) ἐξετασμὸς γὰρ ἀσεβεῖς ὀλεῖ.

I a: V(A12)M^{PM}(A44)H^{a}(A11)T(A66) II b: V(E10) R(A21)M^{ML}(A24)H^{a}(A52)H^{a}(E10)T(A48)L^{a}(A22apd.) III a: R(E45) IV a: K(O1)V(O2)R(O12)M^{P}(O8)L^{c} (O13)

νηπίους]νηπιων M^{M}(I) | ὀλεῖ]ολη V^{WEOV}(II)M^{M} (II)H^{a}(E10)T(II)

1,33 ὁ ἐμοῦ ἀκούων κατασκηνώσει ἐπ' ἐλπίδι,
καὶ ἡσυχάζει ἄφοβος ἀπὸ παντὸς κακοῦ.

I V^{EOVMi}(Σ21)

ἡσυχάζει]-σει V^{Mi}

2,6 (a) κύριος δώσει σοφίαν,
(b) καὶ ἀπὸ προσώπου αὐτοῦ γνῶσις καὶ σύνεσις.

I a: V(A4)R(A49)M(A39)T(A61)L^{c}(A6)$Ant.^{Mi}$(I3) II ab: R(Δ19)H^{c}(Δ15)T(Δ20) III ab: C(X1)

δώσει]διδωσιν II III

2,7 (a) θησαυρίζει κύριος τοῖς κατορθοῦσι σωτηρίαν,
(b) ὑπερασπιεῖ τὴν πορείαν αὐτῶν.

I ab:R(M16)$Ant.^{Mi}$(II43); a: V(M10)M^{P}(M16)

αὐτῶν]αυτου $Ant.^{Mi}$

2,8 (a) τοῦ φυλάξαι ὁδὸν δικαιωμάτων,
(b) καὶ ὁδὸν εὐλαβουμένων αὐτὸν διαφυλάξει.

I b: V(A4)R(A49)M(A39)T(A61)L^{c}(A6)$Ant.^{Mi}$(I3) II a: R(M16)$Ant.^{Mi}$(II43)

αὐτόν]αυτος $Ant.^{Mi (non Ge)}$

2,11 βουλὴ καλὴ φυλάξει σε,
ἔννοια δὲ ἀγαθὴ τηρήσει σε.

I V(B12)R(B13)M^{PM}(B15)H^{a}(B12)T(B13) II V(K12) M^{PM}(K11)A^{VA}(94)

βουλὴ καλή]βουληι καληι A^{V} | φυλάξει]-ξη M^{M}(I, II)A^{A} | om. δέ R | ἀγαθή]οσια V^{EOVMi}(I,II)H^{a} | τηρήσει]-ση M^{M}(II)A^{A}

2,12 ἵνα ῥύσηταί σε ἀπὸ ὁδοῦ κακῆς
καὶ ἀπὸ ἀνδρὸς λαλοῦντος μηδὲν πιστόν.

I V(K12)M^{PM}(K11)

om. ἀπό 2° M^{P}

2,13 ὧ οἱ ἐγκαταλιπόντες ὁδοὺς εὐθείας
τοῦ πορευθῆναι ἐν ὁδοῖς σκότους.

I R(Δ16)H^{C}(Δ13) II Iv(10)V^{EOVMi}(M7)A^{VA}(15) III K(O3)V^{W}(O3)L^{c}(O1)

om. ὧ L^{c} | ἐγκαταλιπόντες]-λειπ. V^{EOV}(II)V^{W} (III)A^{V}

2,14 ὧ οἱ εὐφραινόμενοι ἐπὶ κακοῖς
καὶ χαίροντες ἐπὶ διαστροφῇ κακῇ.

I R(Δ16)H^{C}(Δ13) II Iv(10)V^{EOVMi}(M7)A^{VA}(15) III L^{c}(O1apd.) IV Iv(8)V(X2)R(A64)M^{PM}(X5)A^{VA}(11) Ant.^{Mi}(II40)

om. ὧ III Iv(II)V^{Mi}(II)$M^{M}A^{VA}$(II) | κακοῖς]καλοις M^{M} | ἐπί 2°]εν V^{Mi}(II) | διαστροφῇ]διατροφη V^{OVMi}(IV) | κακῇ]κακων M^{M}

2,15 ὧν αἱ τρίβοι σκολιαὶ καὶ καμπύλαι αἱ τροχιαὶ
αὐτῶν.

I R(Δ16)H^{C}(Δ13) II Iv(10)A^{VA}(15) III L^{c}(O1 apd.) IV Iv(8)V(X2)R(A64)M^{PM}(X5)A^{VA}(11)Ant.^{Mi} (II40)

τροχιαί]τροχειαι H^{C} | αὐτῶν]εαυτων R(I)

2,16 (a) τοῦ μακρὰν σε ποιῆσαι ἀπὸ ὁδοῦ εὐθείας,
(b) καὶ ἀλλότριον τῆς δικαίας γνώμης·
(c) υἱέ, μή σε καταλάβῃ βουλὴ κακή.

I ab: R(Δ16)H^{C}(Δ13) II c: V(M11)M^{PM}(M2)M^{M}(M8) III ab: L^{c}(O1apd.) IV c: V^{EOVMi}(Σ22) V ab: Iv (8)V(X2)R(A64)M^{PM}(X5)A^{VA}(11)

μακράν]μακαριον III | ποιῆσαι]ποιη III; om. V^{OV}(V) | ἀλλότριον]-τριων M^{M}(II); -τριας III; -τριου A^{A} | βουλή/κακή]tr. M^{M}(M2,M8)

2,17a ἡ ἀπολείπουσα διδασκαλίαν νεότητος.

I V(M11)M^{PM}(M2)M^{M}(M8)

ἀπολείπουσα]-λιπ. V^{W}

2,20 εἰ ἐπορεύοντο τρίβους ἀγαθάς,

εὕροσαν ἂν τρίβους δικαιοσύνης λείους.

I K(O3)V(O4)M^{P}(O3)L^{c}(O1apd.)

εὕροσαν]ευρωσαν V^{WEOV} | δικαιοσύνης]τας των δικαιων V^{EOVMi} | λείους]λειας K

2,21 (a) χρηστοὶ ἔσονται οἰκήτορες γῆς,
(b) ἄκακοι δὲ ὑπολειφθήσονται ἐν αὐτῇ·
(c) ὅτι εὐθεῖς κατασκηνώσουσι γῆν·
(d) καὶ ὅσιοι ὑπολειφθήσονται ἐν αὐτῇ.

I a-c: V^{WOVMi}(A25)R(A65)M^{PM}(A53)H^{a}(A23)T(A75) $Ant.^{Mi}$(II85) II a-c: Iv(67)A^{VA}(83)$Ant.^{Mi}$(II93); ab: R(A72) III a-d: $Ant.^{Mi}$(II31); ab:V(Δ16)M^{PM} (Δ21)H^{a}(Δ16)T(Δ33)

κατασκηνώσουσι]κληρονομησουσιν $Ant.^{Mi}$(III) | γῆν]εν αυτη V^{OVMi}(I)

2,22a ὁδοὶ ἀσεβῶν ὀλοῦνται.

I V(A12)M^{PM}(A44)H^{a}(A11)T(A66)$Ant.^{Mi}$(I2)

ἀσεβῶν]+εκ γης $Ant.^{Mi}$ | ὀλοῦνται]ολλουνται T; ολλυνται $V^{W}M^{P}$; ωλλυνται M^{M}; απολουνται V^{OVMi}

3,1 Υἱέ, ἐμῶν νομίμων μὴ ἐπιλανθάνου,
τὰ δὲ ῥήματά μου τηρήτω σὴ καρδία.

I V^{EOVMi}(Σ21)

τηρήτω]τηρειτω V^{Mi}

3,2 μῆκος γὰρ βίου καὶ ἔτη ζωῆς καὶ εἰρήνην προσθήσουσίν σοι.

I V^{EOVMi}(Σ21)

ἔτη]ετι V^{OV}

3,3 (a) ἐλεημοσύναι καὶ πίστις μὴ ἐκλειπέτωσάν σε,
(b) ἄφαψαι δὲ αὐτὰς ἐπὶ σῷ τραχήλῳ καὶ εὑρήσεις χάριν.

I ab: V(E8)R(E44)M^{PM}(E18)H^{a}(E8)T(E19)$Ant.^{MiA}$ (I27); a: Iv(1)A^{VA}(2)

ἐλεημοσύναι]-συνη $Ant.^{A}$ | πίστις]πιστεις $V^{W}M^{PM}$ $H^{a}TA^{A}$; πισται Iv | ἐκλειπέτωσαν]-λιπ. $RM^{M}T$ | σε]σοι $V^{W}RT$ | ἄφαψαι]εφαψαι $V^{Mi}M^{M}$ | καὶ εὑρήσεις χάριν]και ευρησει χ. M^{P}; om. $Ant.^{A}$

3,4 προνοοῦ καλὰ ἐνώπιον θεοῦ καὶ ἀνθρώπων.

I V^{EOVMi}(Π17)

3,5 (a) ἴσθι πεποιθὼς ἐπὶ κύριον ἐν ὅλῃ τῇ καρδίᾳ σου,

(b) ἐπὶ τῇ σῇ σοφίᾳ μὴ ἐπαίρου.

I b: R(Γ8)T(Γ8) II a: V(E5)M^{PM}(E15)H^{a}(E5)T(E 16)$Ant.^{MiMA}$(I5) III b: V(K7)M^{PM}(K4)

om. ἐν $Ant.^{Mi}$ | om. τῇ 1° II | om. τῇ 2° I | om. σῇ V^{Mi}(III)

3,7 (a) μὴ ἴσθι φρόνιμος παρὰ σεαυτῷ,
(b) φοβοῦ τὸν Θεὸν καὶ ἔκκλινον ἀπὸ παντὸς κακοῦ.

I b: V^{EOVMi}(A4)R(A49)M^{PM}(A39)T(A61)L^{C}(A6)A^{VA} (12) II b: R(Δ12)H^{C}(Δ9)T(Δ13) III a: R(O13)M^{P} (O10)L^{C}(O2) IV a: V^{EOVMi}(Φ13)R(A22)M(A26)T(Φ3)

ἴσθι]ιση M^{M}(IV) | παντὸς/κακοῦ]tr. H^{C}

3,8 τότε ἴασις ἔσται τῷ σώματί σου,
καὶ ἐπιμέλεια τοῖς ὀστέοις σου.

I V^{EOVMi}(A4)M^{PM}(A39)T(A61)L^{C}(A6)A^{VA}(12) II R (Δ12)H^{C}(Δ9)T(Δ13)

3,9 τίμα τὸν κύριον ἀπὸ σῶν δικαίων πόνων,
καὶ ἀπάρχου αὐτῷ ἀπὸ σῶν καρπῶν δικαιοσύνης.

I V(A32)R(A69(2°))M^{PM}(A62)H^{a}(A30)T(A84) II C (Y1)

om. πόνων $V^{W}M^{P}$ | αὐτῷ]αυτων V^{OV}

3,10 ἵνα πίμπλαται τὰ ταμεῖά σου πλησμονῆς σίτου,
οἴνου δὲ αἱ ληνοί σου ἐκβλύζουσιν.

I V(A32)R(A69(2°))M^{PM}(A62)H^{a}(A30)T(A84) II C (Y1)

πίμπλαται]πιμπλανται $V^{E}RM^{M}$; πιμπληται V^{Mi} | ταμεῖα]ταμιεια II; ταμιας M^{M}; ταμια $V^{OV}T$ | om. σίτου $V^{W}M^{P}$ | οἴνου]οινω II RM^{M} | ἐκβλύζουσιν] -ζωσιν II V^{Mi}

3,11 Υἱέ, μὴ ὀλιγώρει παιδείας κυρίου,

μηδὲ ἐκλύου ὑπ' αὐτοῦ ἐλεγχόμενος.

I V(Π33) II Ant.^{MiMA}(I50)

Υἱέ]+μου Ant.^{MA}

3,12 (a) ὃν γὰρ ἀγαπᾷ κύριος παιδεύει,
(b) μαστιγοῖ δὲ πάντα υἱὸν ὃν παραδέχεται.

I ab: V(Π33) II ab: Ant.^{MiA}(I50) III a: Ant.^{M} (apd.)

om. γάρ III

3,13 (a) μακάριος ἀνὴρ ὃς εὗρεν σοφίαν,
(b) καὶ θνητὸς ὃς εὗρεν φρόνησιν.

I ab: L^{C}(A7); a: V(A31)R(A44)M(A33)H^{C}(A29)T(A55) II V(Σ18)A^{VA}(17)Ant.^{MiM}(I8)

ἀνήρ]ανθρωπος V(II)RM^{M}A^{VA}Ant.^{Mi}; om. Ant.^{M} | om. καί L^{C} | εὗρεν 2°]ειδεν V^{W}(II)Ant.^{MiM}; οιδεν L^{C}A^{VA}

3,14 κρεῖσσον γὰρ αὐτὴν ἐμπορεύεσθαι
ἢ χρυσίου καὶ ἀργυρίου θησαυρούς.

I V^{EOVMi}(Σ18)A^{VA}(17)Ant.^{MiM}(I8)

κρεῖσσον]κρειττον Ant.^{MiM} | αὐτήν]αυτης Ant.^{MiM}; αυτον A^{V}(vid.)

3,15 (a) τιμιωτέρα δέ ἐστιν λίθων πολυτελῶν·
(b) οὐκ ἀντιτάσσεται αὐτῇ οὐδὲν πονηρόν.
(c) εὔγνωστός ἐστιν πᾶσιν τοῖς ἐγγίζουσιν αὐτῇ,
(d) πᾶν δὲ τίμιον οὐκ ἄξιον αὐτῆς ἐστιν.

I a: V(A31)R(A44)M(A33)H^{a}(A29)T(A55)L^{C}(A7) II a.cd: Ant.^{Mi}(I8); ab.d: V^{EOVMi}(Σ18)A^{VA}(17)

δέ]γαρ I

3,16 μῆκος γὰρ βίου καὶ ἔτη ζωῆς ἐν τῇ δεξιᾷ αὐτῆς,
ἐν δὲ τῇ ἀριστερᾷ αὐτῆς πλοῦτος καὶ δόξα.

I Ant.^{Mi}(I8)

3,16A ἐκ τοῦ στόματος αὐτῆς ἐκπορεύεται δικαιοσύνη,
νόμον δὲ καὶ ἔλεον ἐπὶ γλώσσης φορεῖ.

I Ant.^{Mi}(I8)

3,17 αἱ ὁδοὶ αὐτῆς ὁδοὶ καλαί,

καὶ πᾶσαι αἱ τρίβοι αὐτῆς ἐν εἰρήνῃ.

I V^{EOVMi}(Σ18)Ant.^{Mi}(I8)

3,18a ξύλον ζωῆς ἐστι πᾶσι τοῖς ἀντεχομένοις αὐτῆς.

I V^{EOVMi}(Σ18)

3,19 ὁ θεὸς τῇ σοφίᾳ ἐθεμελίωσεν τὴν γῆν,
ἡτοίμασεν οὐρανοὺς ἐν φρονήσει.

I R(K1)

3,20 ἐν αἰσθήσει αὐτοῦ ἄβυσσοι ἐρράγησαν,
νέφη δὲ ἐρρύει δρόσου.

I R(K1)

3,21 Υἱέ, μὴ παραρυεῖς,
τήρησον δὲ ἐμὴν βουλὴν καὶ ἔννοιαν.

I V^{EOVMi}(Σ21)

παραρυεῖς]παραρρυης V^{Mi}

3,22 ἵνα ζῇ σὴ ψυχή, καὶ χάρις ᾖ περὶ σῷ τραχήλῳ.

I V^{EOVMi}(Σ21)

σῷ]pr. τω V^{Mi}

3,22A ἔσται δὲ ἴασις ταῖς σαρξί σου,
καὶ ἐπιμέλεια τοῖς ὀστέοις σου.

I V^{EOVMi}(Σ21)

3,23 ἵνα πορεύει πεποιθὼς ἐν εἰρήνῃ πάσας τὰς ὁδούς σου,
ὁ δὲ πούς σου οὐ μὴ προσκόπτῃ.

I V^{EOVMi}(Σ21)

πορεύει]πορευη V^{Mi}

3,24 ἐὰν γὰρ κάθῃ, ἄφοβος ἔσῃ,
ἐὰν δὲ καθεύδῃς, εἰδέως ὕπνωσις.

I V^{EOVMi}(Σ21)

εἰδέως]ηδεως V^{Mi} | ὕπνωσις]υπνωσεις V^{Mi}

3,25 καὶ οὐ φοβηθήσῃ πτόησιν ἐπελθοῦσαν
οὐδὲ ὁρμὰς ἀσεβῶν ἐπερχομένας.

I V^{EOVMi}(Σ21)

3,26 ὁ γὰρ κύριος ἔσται ἐπὶ πασῶν ὁδῶν σου,

καὶ ἐρίσει σὸν πόδα, ἵνα μὴ ἀγρευθῇς.
I V^{EOVMi}(Σ21)
ἐρίσει]ερεισει V^{Mi}

3,27 μὴ ἀπόσχῃ εὖ ποεῖν ἐνδεῆ,
ἡνίκα ἂν ἔχῃ ἡ χείρ σου βοηθεῖν.
I Iv(1)V(E8)R(E44)M^{PM}(E18)H^{a}(E8)T(E19)A^{A}(2) Ant.^{MiA}(I27)
ἀπόσχῃ]-σχει V^{EOV}; -σχου IvA^{A} | ἐνδεῆ]ενδεει V H^{a}A^{A} |ἔχῃ]εχει IvV^{EOV}M^{PM} | βοηθεῖν]βοηθησον V^{W}

3,28 (a) μὴ εἴπῃς Ἐπανελθὼν ἐπάνηκε, καὶ αὔριον δώσω,
(b) δυναστοῦ σου ὄντος εὖ ποιεῖν·
(c) οὐ γὰρ οἶδας τί τέξεται ἡ ἐπιοῦσα.
I a-c: V(E8)R(E44)M^{PM}(E18)H^{a}(E8)T(E19)Ant.^{MiA} (I27); ab: Iv(1)A^{A}(2)
Ἐπανελθὼν]απελθων VH^{a} | δώσω]+σοι Ant.^{A} | ὄντος]οντως Iv | εὖ]pr. το R

3,29 (a) μὴ τέκτενε ἐπὶ σὸν φίλον κακά,
(b) παροικοῦντα καὶ πεποιθότα ἐπὶ σοί.
I ab: V(Φ7)M^{PM}(Φ13)Ant.^{MiMA}(I25); a: Iv(51) A^{V}(74)
τέκτενε]-ναι M^{M}; τεκταινε V^{Mi}A^{V}Ant.^{MiMA} | om. κακά Ant.^{Mi} | παροικοῦντα]pr. και Ant.^{Mi} | ἐπὶ σοί]εις σε M^{PM}

3,30 μὴ φιλεχθρήσῃς πρὸς ἄνθρωπον μάτην,
μή τι εἰς σὲ ἐργάσηται κακόν.
I K(Φ7)V^{EOVMi}(Φ11)R(Φ6)M^{PM}(Φ6) II Ant.^{MiM}(II 68)
φιλεχθρήσῃς]-σεις Ant.^{Mi}; -θραυσης K | μή 2°] pr. ινα II RM^{M} | εἰς σὲ/ἐργάσηται]tr. M^{PM}

3,31 (a) μὴ κτήσῃ κακῶν ἀνδρῶν ὀνείδη,
(b) μηδὲ ζηλώσῃς τὰς ὁδοὺς αὐτῶν.
I ab: R(Z4)Ant.^{MiM}(II66) II a: R(O2)M^{P}(O2)
ζηλώσῃς]-σεις Ant.^{Ge}

3,32a ἀκάθαρτος ἔναντι κυρίου πᾶς παράνομος.

I K(A10)V(A12)M^{PM}(A44)H^{a}(A11)T(A66)A^{VA}(7)

ἔναντι]εναντιον M^{P}T

3,33 (a) κατάρα κυρίου ἐν οἴκοις ἀσεβῶν,
(b) ἐπαύλεις δικαίων εὐλογοῦνται.

I a: Iv(68)V(A12)M^{PM}(A44)H^{a}(A11)T(A66)A^{VA}(84) $Ant.^{MiM}$(I2)$Ant.^{MiM}$(II94) II b: V(Δ7)V^{W}(Δ7,2^{o} loco)H^{a}(Δ7) III b(1° loco): V(Δ16)M^{PM}(Δ21)H^{a} Δ16)T(Δ33)$Ant.^{MiM}$(II41) IV b(2° loco) : V(Δ16) M^{PM}(Δ21)H^{a}(Δ16)T(Δ33)$Ant.^{MiL}$(II31) V b:V^{EOVMi} (Δ28)M^{PM}(Δ10)H^{a}(Δ28)T(Δ22)

κατάρα]-αραν V^{OV}(I) | οἴκοις]οικω V^{W}(I) | ἐπαύλεις]οικοι IV | δικαίων]δικαιου V^{EOVMi}(III) H^{a}(III) | εὐλογοῦνται]ευλογηθησοτναι V^{W}(II(1° loco))V^{W}(IV)

3,34 (a)κύριος ὑπερηφάνοις ἀντιτάσσεται,
(b) ταπεινοῖς δὲ δίδωσιν χάριν.

I ab: V^{W}(Δ28)M^{PM}(Δ32)H^{c}(Δ4)$Ant.^{Mi}$(II74) II ab: M^{M}(M5); a: V(M2)M^{P}(M5) III ab: Iv(29)V^{E}(T 5)R(T7)M^{P}(T6)A^{VA}(26)A^{A}(100)$Ant.^{MiM}$(II73)

κύριος]ο θεος Iv

3,35 (a) δόξαν σοφοὶ κληρονομήσουσιν,
(b) οἱ δὲ ἀσεβεῖς ὕψώσουσιν ἀτιμίαν.

I a: V(Σ18)M^{P}(Σ28)A^{VA}(17) II ab: $Ant.^{Mi}$(I61); a: $Ant.^{A}$(I61)

δόξαν]pr. και A^{VA}

4,4c φύλασσε ἐντολάς.

I H^{c}(E1)T(E1)

4,5 (a) κτῆσαι σοφίαν, κτῆσαι σύνεσιν·
(b) μὴ ἐπιλάθῃ.

I b: H^{c}(E1)T(E1) II ab: V(M11)M^{PM}(M2)M^{M}(M8) III ab: V(Σ18)$Ant.^{MiM}$(I8)

κτῆσαι $1^{o}2^{o}$]κτισαι M^{M}(M2) | σοφίαν]+και $Ant.^{MiM}$

4,9 (a) ἵνα δῷ τῇ σῇ κεφαλῇ στέφανον χαρίτων,
(b) στεφάνῳ δὲ τρυφῆς ὑπερασπίσει σοί.

I ab: M^{M}(M8); a: V(M11)M^{PM}(M2) II a: V(Σ18) $Ant.^{MiM}$(I8)

4,10ab "Ακουε, υἱέ, καὶ δέξαι ἐμοὺς λόγους,
καὶ πληθυνθήσεταί σοι ἔτη ζωῆς.

I R(Δ2)

4,11 ὁδοὺς γὰρ σοφίας διδάσκω σε,
ἐμβιβάζω δέ δε τροχιαῖς ὀρθαῖς.

I R(Δ2)

4,14 (a) ὁδοὺς ἀσεβῶν μὴ ἐπέλθῃς,
(b) μηδὲ ζητήσῃς ὁδοὺς παρανόμων.

I ab: R(Δ16)H^{C}(Δ13) II b(1^{O} loco): R(Z4)$Ant.^{Mi}$ (II66) III ab(2^{O} loco): R(Z4)$Ant.^{MiM}$(II66) IV b(1^{O} loco): V(Σ17)M^{P}(Σ27)$Ant.^{Mi}$(II36) V ab(2^{O} loco): V(Σ17)M^{P}(Σ27)$Ant.^{Mi}$(II36)

ζητήσῃς]-σεις M^{P}(V)V^{OV}(V)$Ant.^{Ge}$(III); ζηλωσης I II IV(-σεις M^{P}) | μηδέ]υιε μη II |παρανόμων] ανομων $Ant.^{Mi}$(IV)

4,15 (a) ἐν ᾧ ἂν τόπῳ στρατοπεδεύσωσιν, μὴ ἐπέλθῃς ἐκεῖ,
(b) ἔκκλινον ἀπ' αὐτῶν καὶ παράλλαξον.

I ab: R(Δ16)H^{C}(Δ13) II ab: R(Z4)$Ant.^{Mi}$(II66) III ab: M^{P}(Σ27); a: V(Σ17)$Ant.^{Mi}$(II36)

ἐπέλθῃς]απελθης II($Ant.^{Ge}$'al.' επελθης)M^{P};+αυτων V^{O} | ἀπ' αὐτῶν]pr. δ H^{C}; τον ποδα σου II

4,16 (a) οὐ γὰρ μὴ ὑπνώσωσιν, ἐὰν μὴ κακοποιήσωσιν·
(b) ἀφῄρηται γὰρ ὁ ὕπνος ἀπ' αὐτῶν, καὶ οὐ κοιμῶνται.

I ab: R(Δ16)H^{C}(Δ13) II ab: R(Z4)$Ant.^{Mi}$(II66) III a: V(Σ17)M^{P}(Σ27)$Ant.^{Mi}$(II66;1^{O} et 2^{O} loco)

ὑπνώσωσιν]-σουσιν II $V^{WE}M^{P}$ $Ant.^{Mi}$(III 1^{O}et 2^{O} loco) | κακοποιήσωσιν]-σουσιν $V^{EOV}Ant.^{Ge}$(II) | ἀφήρηται]αφηηται H^{C} | om. γάρ 2^{O} II | om. ἀπ' $Ant.^{Mi}$(II)

4,17 οἶδε γὰρ σιτοῦνται σῖτα ἀσεβείας,
οἴνῳ δὲ παρανόμῳ μεθύσκονται.

I R(Z4)Ant.^{Mi}(II 66)

σιτοῦνται]σιτωνται R

4,18 (a) αἱ ὁδοὶ τῶν δικαίων ὁμοίως φωτὶ λάμπουσιν,
(b) προπορεύονται καὶ φωτίζουσιν ἕως κατορθώ-
σει ἡ ἡμέρα.

I ab: V(Δ16)M^{PM}(Δ21)H^{a}(Δ16)T(Δ33); a: Iv(11) A^{VA}(16)Ant.^{Mi}(II31) II ab: H^{c}(E14)T(E30) III ab: K(03)V(04)R(03)M^{P}(03)L^{c}(01)

προπορεύονται]+δε V(I)M^{PM}(I)H^{a}H^{c}T(I) | κατορθώσει ἡ ἡμέρα]κατορθωση η ημ.KV^{Mi}(I)V^{WMi}(III); om. ἡ M^{M}(I)M^{P}(III)L^{c}; ημερα διαυγηση II

4,19 αἱ ὁδοὶ τῶν ἀσεβῶν σκοτειναί.
καὶ οὐκ οἴδασιν πῶς προσκόπτουσιν.

I V^{WOVMi}(A12)R(Π26)M^{PM}(A44)H^{a}(A11)T(A66) Ant.^{Mi}(I2) II R(04)M^{P}(04)L^{c}(01)

αἱ]οι H^{a}; και V^{W} | σκοτειναί]σκοτιναι M^{P}(I,II) T

4,23 (a) πάσῃ φυλακῇ τήρει σὴν καρδίαν·
(b) ἐκ γὰρ ταύτης ἔξοδοι ζωῆς.

I ab: V(K12)R(K15)M^{PM}(K11)Ant.^{MiM}(II87); a: A^{VA}(94)

πάσῃ]πασα M^{P} | τήρει]τηρησης V^{EOVMi} | σὴν]την M^{M}Ant.^{Mi} | ἔξοδοι]-δον V^{OV}

4,24 περίελε σεαυτῷ σκολιὸν στόμα,
καὶ ἄδικα χείλη μακρὰν ἄπωσαι ἀπὸ σοῦ.

I Iv(49)V(Γ14)R(Φ8)M^{PM}(Γ14)H^{a}(Γ14)T(Γ18) II V (Γ15)M^{P}(Φ15)H^{a}(Γ15)T(Γ19)Ant.^{A}(I76)

σεαυτῷ]σεαυτου V^{Mi}(I)V(II)M^{M}(I)M^{P}(II)H^{a}(II)T (II); σεαυτον V^{OV}(I) | μακράν]om. IvV(I)M^{PM}(I)H^{a} (I)T(I)Ant.^{A}| ἄπωσαι/ἀπὸ σοῦ]tr. II(sine Ant.^{A})

4,25 οἱ ὀφθαλμοί σου ὀρθὰ βλεπέτωσαν,
τὰ δὲ βλέφαρά σου νευέτω δίκαια.

I K(O8)V(O8)R(O15)M^{P}(O12)L^{c}(O17) II Iv(45)V(Π 17)A^{VA}(69)$Ant.^{MiM}$(II91)

om. σου 1° V^{W}(II) | βλεπέτωσαν]βλεπετω K | om. δέ M^{P} | δίκαια]pr. τα A^{V}

4,26a ὀρθὰς τροχιὰς ποίει σοῖς ποσίν.

I K(O3)V(O4)M^{P}(O3)L^{c}(O1)

τροχιάς]τροχειας M^{P}

4,27 (a) μὴ ἐκκλίνῃς εἰς τὰ δεξιὰ μηδὲ εἰς τὰ ἀριστερά,
(b) ἀπόστρεψον σὸν πόδα ἀπὸ ὁδοῦ κακῆς.

I ab: K(O3)V^{W}(O4); a: V^{EOVMi}(O4)M^{P}(O3)L^{c}(O1)

om. τά 2° V^{W}

4,27A ὁδοὺς τὰς ἐκ δεξιῶν οἶδεν ὁ κύριος,
διεστραμμένναι δέ εἰσιν αἱ ἐξ ἀριστερῶν.

I K(O3)V(O4)

κύριος]θεος K

5,3 (a) μὴ πρόσεχε φαύλῃ γυναικί·
(b) μέλι γὰρ ἀποστάζει ἀπὸ χειλέων γυναικὸς πόρνης,
(c) ἣ πρὸς καιρὸν λιπαίνει σὸν φάρυγγα.

I a-c: Iv(54)V(Γ12)R(Γ18)M(Γ12)H^{a}(Γ12)T(Γ16) A^{V}(55)$Ant.^{MiLM}$(II34) II b: $Ant.^{MiA}$(I15)

om. γάρ II | ἀποστάζει]-σει $Ant.^{Mi}$(I;non ^{Ge}) | γυναικός/πόρνης]tr. A^{V} | λιπαίνει]-νη $M^{M}H^{a}$

5,4 ὕστερον μέντοι πικρότερον χολῆς εὑρήσεις
καὶ ἠκονημένον μᾶλλον μαχαίρας διστόμου.

I Iv(54)V(Γ12)R(Γ18)M^{PM}(Γ12)H^{a}(Γ12)T(Γ16)A^{V}(55)$Ant.^{MiLM}$(II34)

μέντοι πικρότερον]μεν τοις (τας V^{V*}) πικροτεροις V^{OV*} | πικρότερον/χολῆς]tr. IvA^{V}; π. σχολης $Ant.^{Mi}$(non ^{Ge}) | εὑρήσεις]-σης M^{M} | ἠκονημένον]-μελον $Ant.^{A}$(vid.); εικον. T

5,5 τῆς γὰρ ἀφροσύνης οἱ πόδες κατάγουσιν
τοὺς χρωμένους αὐτῇ μετὰ θάνατον εἰς τὸν ᾅδην,
τὰ δὲ ἴχνη αὐτῆς οὐκ ἐρείδεται.

I R(Γ18)

5,6 ὁδοὺς γὰρ ζωῆς οὐκ ἐπέρχεται,
σφαλεραὶ δὲ αἱ τροχιαὶ αὐτῆς καὶ οὐκ εὔγνωστοι.

I R(Γ18)

5,7 νῦν, υἱέ, ἄκουέ μου,
καὶ μὴ ἀκύρους ποιήσῃς τοὺς ἐμοὺς λόγους.

I R(Γ18) II M^M(M12)

νῦν]+ουν I | om. τούς I

5,8 μακρὰν ποίησον ἀπ' αὐτῆς σὴν ὁδόν,
μὴ ἐγγίσῃς πρὸς θύραις οἴκων αὐτῆς.

I R(Γ18)

5,9 ἵνα μὴ πρόῃ ἄλλοις ζωήν σου,
καὶ σὸν βίον ἀνελεήμοσιν.

I R(Γ18)

5,10 ἵνα μὴ πλησθῶσιν ἀλλότριοι σῆς ἰσχύος,
οἱ δὲ σοὶ πόνοι εἰς οἴκους ἀλλοτρίους εἰσέλθω-
σι.

I R(Γ18)

5,11a καὶ μεταμελεθῆς ἐπ' ἐσχάτων.

I R(Γ18)

5,12 καὶ ἐρεῖς Πῶς ἐμίσησαν (vid.) παιδείαν,
καὶ σοφίαν καὶ ἐλέγχους ἐξέκλινεν ἡ καρδία μου.

I M^M(M12)

5,13 οὐκ ἤκουσα φωνῆς παιδεύοντός με καὶ διδάσκον-
τός με,
οὐ παρέβαλον τὸ οὖς μου.

I M^M(M12)

5,15 υἱέ, πῖνε ὕδατα ἀπὸ σῶν ἀγγείων
καὶ ἀπὸ σῶν φρεάτων πηγῆς.

I K(A20) II $Ant.^{MiA}$(I18)

om. υἱέ I

5,16b εἰς τὰς σὰς πλατείας διαπορευέσθω τὰ σὰ ὕδατα.

I K(A20)

5,17 ἔστω σοὶ μόνῳ ὑπάρχοντα,

καὶ μηδεὶς ἀλλότριος μετασχήτω σοί.

I K(A20)

5,18 (a) ἡ πηγή σου τοῦ ὕδατος ἔστω σοι ἠδεῖα,
(b) συνευφραίνου μετὰ γυναικὸς τῆς ἐκ νεότητός σου.

I a: K(A20) II b: V(Π10)R(Π37)M^P(Π33)L^c(Π1)
III ab: Ant.^{MiA}(I15)

ἠδεῖα]ιδια I | συνευφραίνου]pr. και III | om. ἐκ V^{Mi}

5,19 ἔλαφος φιλίας καὶ πῶλος σῶν χαρίτων ὁμιλείτω σοι,
ἡ δὲ ἰδία ἡγείσθω σοι ἐν παντὶ καιρῷ·
ἐν γὰρ τῇ ταύτης φιλίᾳ συμπεριφερόμενος πολλοστὸς ἔσῃ.

I V(Π10)R(Π37)M^P(Π33)L^c(Π1)

σῶν]των V^{Mi} | ὁμιλείτω]-λητω $V^W M^P$ | ἰδία]ιδιαν M^P | ταύτης]ταυτη M^P

5,20 μὴ πολὺς ἴσθι πρὸς ἀλλοτρίαν,
μηδὲ συνέχου ἀγκάλαις ταῖς μὴ ἰδίαις.

I V(Π11)M^P(Π34)Ant.^{MiA}(I15)

πολύς]πολυ V^O

5,21 ἐνώπιόν εἰσιν τῶν τοῦ θεοῦ ὀφθαλμῶν ὁδοὶ ἀνδρός,
εἰς δὲ πάσας τὰς τροχιὰς αὐτοῦ σκοπεύει.

I C(A3)R(A47)H^b(A2) II Ant.^{MiA}(I15)

ἐνώπιον]+γαρ II | om. τὰς II

5,22 παρανομίαι ἄνδρα ἀγρεύουσιν,
σειραῖς δὲ τῶν ἑαυτοῦ ἁμαρτιῶν ἕκαστος σφίγγεται.

I Iv(4)V(A12)R(A21apd.)H^a(A11)T(A66)L^a(A22 apd.)A^{VA}(7)Ant.^{MiA}(I10)

ἑαυτοῦ]εαυτων V^{OVMi} | ἁμαρτιῶν]αμαρτηματων Ant.^{MiA}

6,1 Υἱέ, ἐὰν ἐγγύσῃ σὸν φίλον,
παραδώσεις σὴν χεῖρα ἐχθρῷ.

I K(E6)H^c(E25)T(E42)

om. Υἱέ K | ἐγγύσῃ]-σης K | παραδώσεις]-σης K

6,2 παγὶς ἀνδρὶ ἰσχυρὰ τὰ ἴδια χείλη,
ἁλίσκεται δὲ ῥήμασιν ἰδίου στόματος.

I Iv(50)V(Γ15)M^{PM}(Γ15)H^{a}(Γ15)T(Γ19)A^{V}(73) Ant.^{A}(I76)

ἀνδρὶ/ἰσχυρά]tr. IvA^{V}Ant.^{A}; om. ἰσχυρά M^{M} | ἁλίσκεται]pr. και IvA^{V}Ant.^{A} | om. δέ A^{V}

6,3cd ἴσθι μὴ ἐκλυόμενος,
παρόξυνε δὲ καὶ τὸν φίλον σου ὃν ἐγγύσω.

I H^{C}(E25)T(E42)

6,4 μὴ δῷς ὕπνον σοῖς ὄμμασιν,
μηδὲ ἐπινυστάξῃς σοῖς βλεφαροῖς.

I K(N3)V(N3)R(N6)M^{PM}(N3)L^{C}(N4) II A^{VA}(6)

δῷς]δους V^{Mi} | σοῖς]pr. τοις V^{Mi} | ὄμμασιν]οφθαλμοις $V^{W}RM^{P}L^{C}$ | ἐπινυστάξῃς]-ξεις $V^{EOV}M^{M}$; νυσταζεις $M^{P}L^{C}$; νυσταξης II V^{W}| βλεφαροῖς]οφθαλμοις A^{A}

6,5 ἵνα σώζῃ ὥσπερ δορκὰς ἐκ βρόχων
καὶ ὥσπερ ὄρνεον ἐκ παγίδος.

I K(N3)V(N3)R(N6)M^{PM}(N3)L^{C}(N4) II A^{VA}(6)

σώζῃ]σωζει A^{V} | ὥσπερ]ως L^{C}

6,6 (a) ῎Ισθι πρὸς τὸν μύρμηκα, ὦ οκνηρέ,
(b) καὶ ζήλωσον ἰδὼν τὰς ὁδοὺς αὐτοῦ,
(c) καὶ γενοῦ ἐκείνου σοφώτερος.

I a-c: K(Z1)V(Z2)M^{PM}(Z2)T(Z2); ab: R(Z2) II a-c: Iv(24)V^{EOVMi}(M6)R(M18)A^{VA}(96)Ant.^{MiL}(II 46)

῞Ισθι]ιθι V^{Mi}(I)R^{*}(II)Ant.^{Mi}| τόν]την M^{P}; om. V^{Mi}(I) | ἰδών]ειδως T; om. IvR(II)$M^{M}A^{VA}$ Ant.^{MiL} | γενοῦ]γινου KV^{W}(I)

6,7 ἐκείνῳ γὰρ γεωργίου μὴ ὑπάρχοντος,
μηδὲ τὸν ἀναγκάζοντα ἔχων
μηδὲ ὑπὸ δεσπότην ὤν.

I K(Z1)V(Z2)R(Z2)M^{PM}(Z2)T(Z2) II Iv(24)V^{EOVMi}(M6)A^{V}(96)Ant.^{MiL}(II46) ἐκείνῳ]-νου $V^W M^{PM}$; -νος KV^{EOVMi}(I)RT | γάρ]pr. μεν A^V

6,8 (a) ἑτοιμάζεται θέρους τὴν τροφήν,
(b) πολλήν τε ἐν τῷ ἀμήτῳ ποιεῖται τὴν παράθησιν·
(6,8A.8B: vide infra)
(c) καίπερ οὖσα τῇ ῥώμῃ ἀσθενής,
(d) τὴν σοφίαν τιμήσασα προήχθη.

I ab.cd: T(Z2); ab.c: K(Z1)V(Z2)R(Z2)M^{PM}(Z2) II ab.cd: Ant.^{Mi}(II46); ab.c: Iv(24)V^{EOVMi}(M6) A^V(96)Ant.^{L}(II46)

ἑτοιμάζεται]-ζετε $V^W M^{PM}$ | τε]δε V^{Mi}(II) | ποιεῖται]-τε V^{OV}(II)M^M; ποιηται T | καίπερ οὖσα] και υπερουσα Iv | τῇ]εν V^{Mi}(I) | ἀσθενής]ασθενεις V^{EOV}(II)M^P

6,8A πορεύθητι πρὸς τὴν μέλισσαν
καὶ μάθε ὡς ἐργάτης ἐστίν,
τήν τε ἐργασίαν ὡς σεμνὴν ποιεῖται.

I K(Z1)V(Z2)R(Z2)M^{PM}(Z2)T(Z2) II Iv(24)V^{EOVMi}(M6)A^V(96)Ant.^{MiL}(II46)

πορεύθητι]pr. η $KIvV^{Mi}$(I)RTAnt.^{MiL} | ὡς]οιος Ant.^{L}; οτι V^{Mi}(I) | ἐργάτης]-τις KV^{Mi}(I,II)R A^VAnt.^{MiL} | τε]δε KV^{EOVMi}(I)V^{Mi}(II) | σεμνήν] -νη M^M | ποιεῖται]om. Ant.^{L}; ποιει V(I)RM^P; εμπορευεται T

6,8B ἧς τοὺς πόνους βασιλεῖς καὶ ἰδιῶται πρὸς ὑγείαν προσφέρονται,
ποθεινή τέ ἐστιν πᾶσιν καὶ ἐπίδοξος.

I K(Z1)V(Z2)M^{PM}(Z2)T(Z2) II Iv(24)V^{EOVMi}(M6) A^V(96)Ant.^{MiL}(II46)

ἰδιῶται]-τας V^{EOV}(II) | ὑγείαν]υγιειαν K Ant.^{Ge} | προσφέρονται]προφ. T; φερονται Iv; om. A^V| τέ]δε V(I)M^{PM}Ant.^{Mi} | om. πᾶσιν καί V^W | ἐπίδοξος]-ξοι V^V(I)

6,9 ἕως τίνος, ὀκνηρέ, κατάκεισαι;
πότε δὲ ἐξ ὕπνου ἐγερθήσῃ;

I Iv(24)V^{EOVMi}(M6)R(M18)A^{V}(96)Ant.^{Mi}(II46)
τίνος]ποτε RAnt.^{Mi} | ὀκνηρέ]pr. ω A^{V} | om. δέ
Iv | ἐγερθήσῃ]-σει $V^{EOV}A^{V}$; αναστηση R

6,10 ὀλίγον μὲν ὑπνοῖς, ὀλίγον δὲ κάθισαι, μικρὸν
δὲ νυστάζεις,
ὀλίγον δὲ ἐναγκαλίζῃ χερσὶν στήθη.
I Iv(24)V^{EOVMi}(M6)A^{V}(96)Ant.^{Mi}(II46)
δέ 1°]μεν A^{V} | κάθισαι]καθησαι $V^{Mi}A^{V}$Ant.^{Mi} |
νυστάζεις]-ζης V^{EOV}|ἐναγκαλίζῃ]-ζει Iv | στή-
θη]στηθει Iv; στηθος A^{V}

6,11 εἶτα παραγίνεταί σοι, ὥσπερ ἀγαθὸς δρομεὺς ἡ
πενία,
καὶ ἡ ἔνδεια ὡς καλὸς ὁδοιπόρος.
I Iv(24)V^{EOVMi}(M6)A^{V}(96)Ant.^{Mi}(II46)
ὥσπερ]ως δε περ V^{OV} | ὡς]ωσπερ A^{V}Ant.^{Mi} | κα-
λός]κακος V^{Mi}

6,11A ἐὰν ἄοκνος ᾖς, ἥξει ὥσπερ πηγὴ ὁ ἀμητός σου,
ἡ δὲ ἔνδεια ὥσπερ καλὸς δρομεὺς ἀπαυτομολήσει.
I R(Γ1)H^{b}(Γ1)T(Γ1) II V(Φ5)M^{PM}(Φ12)Ant.^{Mi}(II
45)
ὁ]η V^{Mi} | ἀμητός]αμηκτος V^{O} | ἀπαυτομολήσει]
επαυτ. V^{OV}

6,12 ᾿Ανὴρ ἄφρων καὶ παράνομος πορεύεται ὁδοὺς σκο-
λιάς.
I V^{WOVMi}(A24)R(A63)M^{PM}(A52)H^{a}(A22)T(A74) II R
(K12) III V(Π18)R(Π42)M^{P}(Π38)
πορεύεται]-σεται H^{a} | σκολιάς]ου καθαρας II;
ουκ αγαθας R(I)

6,13 ὁ δὲ αὐτὸς ἐννεύει ὀφθαλμῷ, σημαίνει δὲ ποδί,
διδάσκει δὲ ἐννεύμασιν δακτύλων.
I V^{WOVMi}(A24)R(A63)M^{PM}(A52)H^{a}(A22)T(A74) II R
(K12) III V(Π18)R(Π42)M^{P}(Π38)
δέ 1°]δ V(III) | ὀφθαλμῷ]-μοις V^{EOVMi}(III) |
om. δέ 2° V^{OVMi}(I)R(III)M^{M}(I)M^{P}(III) | om. δέ
3° V^{WOVMi}(I)M^{PM}(I)

6,14 (a) διεστραμμένη καρδία τεκταίνεται κακὰ ἐν παντὶ καιρῷ·
(b) ὁ τοιοῦτος ταραχὰς συνίστησιν πόλει.

I ab: R(Δ5)H^{C}(Δ3) II ab: R(Δ16)H^{C}(Δ13)T(Δ17) III a: V(K13)R(K16)M^{PM}(K12)A^{VA}(95)$Ant.^{Mi}$(II 88) IV ab: V(Π18)M^{P}(Π38)$Ant.^{MiM}$(II86) V ab: K (T2)V^{EOVMi}(T3) VI ab: $Ant.^{MiM}$(II42)

διεστραμμένη]-νην M^{P}(III)

6,15 (a) διὰ τοῦτο ἐξαπίνης ἔρχεται ἡ ἀπώλεια αὐτοῦ,
(b) διακοπὴ καὶ συντριβὴ ἀνίατος.

I ab: H^{C}(Δ3); a: R(Δ5) II ab: R(Δ16)H^{C}(Δ13)T (Δ17) III a: V(Π18)M^{P}(Π38)$Ant.^{MiM}$(86) IV a: K (T2)V^{EOVMi}(T3) V ab: $Ant.^{Mi}$(II42); a: $Ant.^{M}$ (II42)

om. ἡ KV(III)$M^{P}H^{C}$(I,II)T | αὐτοῦ]αυτω H^{C}(II)T | συντριβή]συντριμμος II

6,16 (a) ὅτι χαίρει πᾶσιν οἷς μισεῖ ὁ θεός,
(b) συντρίβεται δὲ δι' ἀκαθαρσίαν ψυχῆς.

I ab: R(Δ16)H^{C}(Δ13)T(Δ17) II a: V(Π18)M^{P}(Π38) $Ant.^{MiM}$(II86) III a: K(T2)V^{EOVMi}(T3) IV ab: $Ant.^{MiM}$(II42)

χαίρει]χαιρη V(II) | πᾶσιν]pr. επι IV V^{W}(II) | θεός]κυριος I IV M^{P} | δι']δια IV H^{C}T

6,17 (a) ὀφθαλμοῦ ὑβριστοῦ, γλῶσσα ἄδικος,
(b) χεῖρες ἐκχέουσαι αἷμα δίκαιον.

I ab: R(Y6); a: K(Y2)V(Y1)M^{PM}(Y6)

ὀφθαλμοῦ]-μος $V^{W}M^{PM}$ | ἄδικος]αδικως M^{M}

6,18 καὶ καρδία τεκταινομένη λόγους κακούς,
καὶ πόδες ἐπισπεύδοντες κακοποιεῖν.

I R(Y6)M^{PM}(Y6)

καρδία]καρδιαν M^{M} | λόγους]λογισμους M^{P} | κακοποιεῖν]+εξολοθρευθησονται M^{M}

6,19 ἐκκαίει ψευδῆ μάρτυς ἄδικος,
καὶ ἐπιπέμπει κρίσεις ἀνὰ μέσον ἀδελφῶν.

I R(Ψ4)Ant.^{MiA}(I22)

6,20 (a) Υἱέ, φύλασσε νόμον πατρός σου,
(b) καὶ μὴ ἀπώσῃ θεσμοὺς μητρός σου.

I ab: V(Π22)R(Π45)Ant.^{MiL}(II11); a: M^{P}(Π41)
νόμον]νομους V^{W}RM^{P}Ant.^{MiL}

6,21 (a) ἄφαψαι δὲ αὐτοὺς ἐπὶ σῇ ψυχῇ διὰ παντός,
(b) καὶ ἐγκλοίωσαι περὶ σῷ τραχήλῳ.

I ab: R(Π45)Ant.^{Mi}(II11); a: Ant.^{L}(II11)

6,23 (a) λύχνος ἐντολὴ νόμου,
(bα) καὶ φῶς (bβ) καὶ ὁδὸς ζωῆς καὶ ἔλεγχος
καὶ παιδεία.

I ab: H^{C}(E1)T(E1) II abα: C(Θ1)V(Θ3)M^{PM}(Θ2)

6,24a Φυλάσσου ἀπὸ γυναικὸς ὑπάνδρου.
I Ant.^{Mi}(I15)

6,25 (a) μή σε νικήσῃ κάλλους ἐπιθυμία,
(b) μηδὲ ἀγρευθῇς σοῖς ὀφθαλμοῖς,
(c) μὴ συναρπασθῇς ἀπὸ τῶν τῆς πόρνης βλεφά-
ρων.

I ac: Iv(36)V(Π11)R(Π38)M^{P}(Π34)A^{VA}(64)Ant.^{MiA}
(I15) II ab: Ant.^{MiA}(I60)
σε/νικήσῃ]σε νικησει V^{EOV}M^{P}; tr. V^{W} | ἀγρευ-
θῇς]-θεις IvV^{OV} | σοῖς] pr.τοις V^{Mi} | ὀφθαλ-
μοῖς]βλεφαροις II A^{VA} | μή 2°]μηδε V^{Mi}R
Ant.^{MiA}; pr. ο A^{VA} | συναρπασθῇς(-θεις IvV^{WEOV}
M^{P})]συναρπασατω σε Ant.^{MiA}(I) | ἀπὸ τῶν τῆς
πόρνης βλεφαρῶν]απο των (om. V^{Mi}) της πορνειας
βλ. V^{EMi}; απο των βλ. αυτης IvA^{VA}; απο των αυ-
της βλ. R; τοις βλεφαροις II

6,26 (a) τιμὴ γὰρ πόρνης ὅση καὶ ἑνὸς ἄρτου,
(b) γυνὴ τιμίας ψυχὰς ἀνδρῶν ἀγρεύει.

I b: Iv(54)V(Γ12)R(Γ18)M^{PM}(Γ12)H^{a}(Γ12)T(Γ16)
A^{V}(55)Ant.^{MiM}(II34) II ab: R(Π38)Ant.^{Mi}(I15)
ὅση]ωσει R(II) | γυνή]+δε Ant.^{Mi}(II); +πονηρα
Iv | τιμίας ψυχὰς/ἀνδρῶν]tr. M^{M}; ανδρων τιμιων

ψυχας Ant.^{Mi}(II); ψυχας τιμιων ανδρων Iv

6,27 ἀποδήσει τις πῦρ ἐν κόλπῳ, τα δὲ ἱμάτια οὐ κατακαύσει;

I K(A20) II V(Π11)R(Π38)M^{PM}(Π34)Ant.^{MiA}(I15)

ἀποδήσει]-θησει I; -δυσει Ant.^{Mi}

6,28 ἢ περιπατήσει τις ἐπ' ἀνθράκων πυρός, τοὺς δὲ πόδας οὐ κατακαύσει;

I K(A20) II V^{EOVMi}(Π11)R(Π38)M^{P}(Π34)

om. τις I | κατακαύσει]καταφλιξει I

6,29 (a) οὕτως ὁ εἰσελθὼν πρὸς γυναῖκα ὕπανδρον·
(bα) οὐκ ἀθῳωθήσεται, (bβ) πᾶς ὁ ἁπτόμενος αὐτῆς.

I ab: Ant.^{MiA}(I15); abα: V(Π11)R(Π38)M^{P}(Π34)

εἰσελθὼν πρὸς]εισερχομενος εις R | ὕπανδρον]+
ουκ ατιμωρητος εσται κακων ωσαυτως Ant.^{MiA}

6,30 οὐ θαυμαστὸν ἐὰν ἁλῷ τις κλέπτων,
κλέπτει γὰρ ἵνα ἐμπλήσῃ τὴν ψυχὴν αὐτοῦ πεινῶσαν.

I Ant.^{MiA}(I15)

ἐμπλήσῃ]-σει Ant.^{Ge}

6,31 ἐὰν δὲ ἁλῷ, ἀποτίσει ἑπταπλάσια,
καὶ πάντα τὰ ὑπάρχοντα αὐτοῦ δοὺς ῥύσεται ἑαυτόν.

I Ant.^{Mi}(I15)

6,32 ὁ μοιχὸς δι' ἔνδειαν φρενῶν ἀπώλειαν τῇ ἑαυτοῦ ψυχῇ περιποιεῖται.

I Iv(36)V(Π11)M^{P}(Π34)A^{V}(64)Ant.^{MiA}(I15)

ὁ]+δε Ant.^{MiA} | ἀπώλειαν]-λεια V^{V}

6,33 (a) ὀδύνας τε καὶ ἀτιμίας ὑποφέρει·
(b) τὸ δὲ ὄνειδος αὐτοῦ οὐκ ἐξαλειφθήσεται εἰς τὸν αἰῶνα.

I ab: Iv(36)V(Π11)M^{P}(Π34)A^{V}(64); b: Ant.^{MiA}
(I15)

δὲ]om. V^{WMi}; τε Ant.^{Mi}

6,34 μεστὸς γὰρ ζήλου θυμὸς ἀνδρὸς αὐτῆς,
οὐ φείσεται ἐν ἡμέρᾳ κρίσεως.

I Iv(36)V(Π11)M^{P}(Π34)A^{VA}(64)Ant.^{MiA}(I15)
γάρ]Σιων V^{OV} | θυμός]pr. ο Iv | φείσεται]φησ. Iv

6,35 οὐκ ἀνταλλάξεται οὐδενὸς λύτρου τὴν ἔχθραν,
οὐδ᾽ οὐ μὴ διαλυθῇ διὰ πολλῶν δώρων.

I Iv(36)V(Π11)M^{P}(Π34)A^{VA}(64)Ant.^{MiA}(I15)
οὐκ ἀνταλλάξεται]ου καταλλαξει A^{A} | οὐδ᾽ οὐ] ουδε A^{V}Ant.^{MiA} | om. διά V^{EOVMi}Ant.^{MiA}

7,1A τίμα τὸν κύριον καὶ ἰσχύσεις,
πλὴν δὲ αὐτοῦ μὴ φοβοῦ ἄλλον.

I R(A49) II V(Δ3)R(Δ31)M^{PM}(Δ17)H^{a}(Δ3)T(Δ29)
ἰσχύσεις(-σης V^{V})]ισχυε I

7,2a υἱέ, φύλασσε ἐμὰς ἐντολὰς καὶ βιώσεις.

I Iv(54)V(Γ12)R(Γ18)M^{PM}(Γ12)H^{a}(Γ12)T(Γ16)A^{VA}(55)Ant.^{Mi}(II34)
βιώσεις]-σης M^{M}

7,4b τὴν φρόνησιν γνώριμον ποίησον σεαυτῷ.

I V(Σ18)R(Σ28)M^{P}(Σ28)
γνώριμον]γνωρημων M^{P}

7,5 (a) ἵνα σε τηρήσῃ ἀπὸ γυναικὸς ἀλλοτρίας καὶ πονηρᾶς,
(b) ἐάν σε λόγοις τοῖς πρὸς χάριν ἐμβάληται.

I ab: R(Γ18); a: Iv(54)V(Γ12)M^{PM}(Γ12)H^{a}(Γ12)T(Γ16)A^{VA}(55)Ant.^{Mi}(II34)
τηρήσῃ]-σει V^{OV}M^{P}; -σωσιν M^{M}Ant.^{Mi}; -σουσιν Ant.^{Ge}

7,6 ἀπὸ γὰρ θυρίδος ἐκ τοῦ οἴκου αὐτῆς εἰς τὰς πλατείας παρακύπτουσα.

I V(Γ12)R(Γ18)M^{PM}(Γ12)H^{a}(Γ12)T(Γ16)
ἀπό]pr. συ M^{M} | om. γάρ M^{PM}T | θυρίδος]θηρ. V^{E}H^{a} | ἐκ]και M^{PM}

7,7 ὃν ἂν ἴδῃ τῶν ἀφρόνων τέκνων νεανίαν ἐνδεῆ φρενῶν.

I V(Γ12)R(Γ18)M^{PM}(Γ12)H^{a}(Γ12)T(Γ16)

ἴδῃ]ειδη $V^{OV}M^{P}$ | ἐνδεῆ]ενδεει M^{M}

7,8 παραπορευόμενον ἐν γωνίᾳ ἐν διόδοις οἴκων αὐτῆς
καὶ λαλοῦντα.

I V(Γ12)R(Γ18)M^{PM}(Γ12)H^{a}(Γ12)T(Γ16)

7,9 ἐν σκότει ἑσπερινῷ,
ἡνίκα ἂν ᾖ ἡσυχίᾳ νυκτερινὴ καὶ γνοφώδης.

I V(Γ12)R(Γ18)M^{PM}(Γ12)H^{a}(Γ12)T(Γ16)

ἄν]δ' αν M^{M} | om. ᾖ $V^{W}RM^{PM}$

7,10 ἡ δὲ γυνὴ συναντᾷ αὐτῷ, εἶδος ἔχουσα πορνικόν,
ἣ ποιεῖ νέων ἐξίπτασθαι καρδίας

I V(Γ12)R(Γ18)M^{PM}(Γ12)H^{a}(Γ12)T(Γ16)

νέων]νεον V^{OV}

7,11 ἀνεπτερωμένη ἐστὶν καὶ ἄσωτος,
ἐν οἴκῳ δὲ οὐχ ἡσυχάζουσιν οἱ πόδες αὐτῆς.

I V(Γ12)R(Γ18)M^{PM}(Γ12)H^{a}(Γ12)T(Γ16)

ἀνεπτερωμένη]αναπτερουμενι δε M^{M} | om. καί $V^{EOVMi}H^{a}$ | ἄσωτος]ασωτιας V^{Mi} | οὐχ]ουκ V^{WOV} $M^{PM}H^{a}T$ | om.οἱ R

7,12 (a) χρόνον γάρ τινα ἔξω ῥέμβεται,
(bα) χρόνον δὲ ἐν πλατείαις (bβ) παρὰ πᾶσαν γωνίαν ἐνεδρεύει.

I ab: V(Γ12)R(Γ18)M^{PM}(Γ12)H^{a}(Γ12)T(Γ16) II abα: M^{P}(P2)

init.]pr. η πορνη II | χρόνον 2°]χρονω V^{OVMi} | πλατείαις]πλατειας V^{OV}

7,13 εἶτα ἐπιλαβομένη ἐφίλησεν αὐτόν,
ἀναιδεῖ δὲ προσώπῳ προσεῖπεν αὐτῷ.

I V(Γ12)R(Γ18)M^{PM}(Γ12)H^{a}(Γ12)T(Γ16)

7,14 Θυσία εἰρηνική μοί ἐστιν·
σήμερον ἀποδίδωμι τὰς εὐχάς μου.

I V(Γ12)R(Γ18)M^{PM}(Γ12)H^{a}(Γ12)T(Γ16)

7,15 ἕνεκα τούτου ἐξῆλθον εἰς συνάντησίν σοι,
ποθοῦσα τὸ πρόσωπόν σου, εὕρηκά σε.

I V(Γ12)R(Γ18)M^{PM}(Γ12)H^{a}(Φ12)T(Γ16)

σοι]σου RM^{M}H^{a}T | πρόσωπόν σου]σον πρ. V^{W}RM^{PM}T

7,16 κειρίαις τέταχα τὴν κλίνην μου,
ἀμφιτάποις δὲ ἔστρωκα τοῖς ἀπ᾽ Αἰγύπτου.

I V(Γ12)R(Γ18)H^{a}(Γ12)

κειρίαις]κηρ. V^{EOV}H^{a} | τέταχα]τετακα V^{Mi} | ἔ-
στρωκα]-σα R

7,17 διέραγκα τὴν κοίτην μου κρόκῳ,
τὸν δὲ οἶκόν μου κινναμώμῳ.

I V(Γ12)R(Γ18)H^{a}(Γ12)

διέραγκα]διεραγγκα V^{O};διερρ. V^{Mi} | om. μου 1°
R

7,18 ἐλθὲ καὶ ἀπολαύσωμεν φιλίας ἕως ὄρθρου,
δεῦρο καὶ ἐγκυλισθῶμεν ἔρωτι.

I V(Γ12)R(Γ18)H^{a}(Γ12)

ἐλθέ]δευρο R

7,19 οὐ γὰρ πάρεστιν ὁ ἀνήρ μου ἐν οἴκῳ,
πεπόρευται ὁδῷ μακρᾷ.

I V(Γ12)R(Γ18)H^{a}(Γ12)

7,20 ἔνδεσμον ἀργυρίου λαβὼν ἐν τῇ χειρὶ αὐτοῦ,
δι᾽ ἡμερῶν πολλῶν ἐπανήξει εἰς τὸν οἶκον αὐ-
τοῦ.

I V(Γ12)R(Γ18)H^{a}(Γ12)

λαβών/ἐν τῇ χειρὶ αὐτοῦ]tr. R | ἐπανήξει]επαν-
ηξιν V^{OV*} | εἰς]επι R

7,21 ἀπεπλάνησεν δὲ αὐτὸν πολλῇ ὁμιλίᾳ,
βρόχος δὲ τοῖς ἀπὸ χειλέων ἐξώκειλεν αὐτόν.

I V(Γ12)R(Γ18)H^{a}(Γ12)

πολλῇ/ὁμιλίᾳ]tr. R

7,22 (a) ὁ δὲ ἐπηκολούθησεν κεπφωθείς,
(b) ὥσπερ δὲ βοῦς ἐπὶ σφαγὴν ἄγεται,
(c) καὶ ὥσπερ ἐπὶ δεσμόν.

I a-c: V(Γ12)H^{a}(Γ12); ab: R(Γ18)

ἐπηκολούθησεν]επεκολουθησαν V^{OV} | κεπφωθείς]
κεμφ. V^{OV*}H^{a}; κουφωθεις R | ὥσπερ 1°]pr. και
V^{Mi} | ὥσπερ 2°]+κυων V^{Mi} | δεσμόν]δεσμων V^{W}

7,23 ἢ ὡς ἔλαφος πεπληγὼς εἰς τὸ ἧπαρ·
σπεύδει δὲ ὥσπερ ὄρνεον εἰς παγίδα,
οὐκ εἰδὼς ὅτι περὶ ψυχῆς τρέχει.

I V(Γ12)R(Γ18)H^{a}(Γ12)

ἢ]και R | ἔλαφος]+τω πνευματι V^{W} | πεπληγὼς]+τοξευμαι R | τρέχει]+κινδυνον R

7,26 πολλοὺς τρώσασα καταβέβληκεν,
καὶ ἀναριθμητοί εἰσιν οὓς πεφόνευκεν.

I V(Γ12)R(Γ18)H^{a}(Γ12)

7,27 ὁδοὶ ᾅδου ὁ οἶκος αὐτῆς,
κατάγουσαι εἰς ταμεῖα θανάτου.

I V(Γ12)R(Γ18)H^{a}(Γ12)

κατάγουσαι]-σα V^{W} | ταμεῖα(ταμια V^{W}) θανάτου]θανατον R

8,3b δίκαιος ἐν ἐξόδοις ὑμνεῖται.

I R(Δ24)T(Δ25)

8,7b ἐβδελυγμένα ἐναντίον μου χείλη ψευδῆ.

I V^{WEOV}(Ψ1)R(Ψ4)M^{P}(Ψ4)A^{V}(9)

ἐβδελυγμένα]βδελυγμενα A^{V}; βδελυγμα V^{W}R | ἐναντίον]-τιων V^{W} | μου]κυριου V^{EOV}

8,8 (a) μετὰ δικαιοσύνης πάντα τὰ ῥήματα τοῦ στόματός μου,
(b) οὐδὲν ἐν αὐτοῖς σκολιὸν οὐδὲ στραγγαλιῶδες.

I ab: V^{WOVMi}(A19)M^{PM}(A49)H^{a}(A17)T(A71)L^{c}(A36)A^{VA}(8); a: R(A61) II ab: Iv(49)V(Γ14)M^{PM}(Γ14)H^{a}(Γ14)T(Γ18)$Ant.^{MiA}$(I75)

δικαιοσύνης]-νην V^{Mi}(II) | μου]σου V(II)M^{P}(II)H^{a}(II)T(II) | ἐν αὐτοῖς]εν εαυτοις V^{W}(II) εν αντω V^{W}(I)M^{PM}(I)A^{VA}; εναντα T(I) | οὐδὲ]η A^{A} | στραγγαλιῶδες]στραγγαλωδες M^{PM}(I)M^{M}(II)H^{a}(I); σταγκαλωδες H^{a}(II)

8,10 λάβετε παιδείαν καὶ μὴ ἀργύριον,
καὶ γνῶσιν ὑπὲρ χρυσίον δεδοκιμασμένον.

I V(M11)M^{PM}(M2)M^{M}(M8) II V(Σ18)

παιδείαν]-διαν V^{EOV}(I,II)M^{P}

8,11 κρείσσων γὰρ σοφία λίθων πολυτελῶν,
πᾶν δὲ τίμιον οὐκ ἄξιον αὐτῆς ἐστιν.

I R(Δ10)H^{C}(Δ6) II V(Σ18)

κρείσσων]κρεισσον $V^{WO}H^{C}$ | om. γὰρ I | σοφία] σοφιαν V^{OV*}

8,13 (a) φόβος κυρίου μισεῖ κακίαν,
(b) ὕβριν τε καὶ ὑπερηφανίαν καὶ ὁδοὺς πονηρῶν·
(c) μεμίσηκα διεστραμμένας ὁδοὺς κακῶν.

I a: V(A4)M(A39)T(A61)L^{C}(A6); ab: Ant.^{Mi}(I3)
II a-c: Ant.^{Mi}(II39); ab: R(M12)Ant.^{M}(II39)

κακίαν]αδικιαν II M^{M}

8,15 δι' ἐμοῦ βασιλεῖς βασιλεύουσιν,
καὶ οἱ δυνάσται γράφουσιν δικαιοσύνην.

I H^{C}(E17)T(E33)

8,16 δι' ἐμοῦ μεγιστᾶνες μεγαλύνονται,
καὶ τύραννοι δι' ἐμοῦ κρατοῦσι γῆς.

I H^{C}(E17)T(E33)

μεγαλύνονται]-νωνται T

8,20 ἐν ὁδοῖς δικαιοσύνης περιπατῶ,
καὶ ἀνὰ μέσον ὁδῶν δικαιοσύνης ἀναστρέφομαι,
φησὶν ἡ σοφία.

I V^{EOVMi}(Σ18)

8,28cd ἐν τῷ τιθέναι τῇ θαλάσσῃ ἀκριβασμὸν αὐτοῦ,
καὶ ὕδατα οὐ παρελεύσεται στόμα αὐτοῦ.

I K(Θ1)V(Θ9)M^{PM}(Θ10)T(Θ13)

τιθέναι]τιθηναι K | στόμα]pr. το V^{Mi}

8,33 ἀκούσατε παιδείαν καὶ σοφίσθητε
καὶ μὴ ἀποφράγητε.

I M^{P}(M12)

8,36 οἱ δὲ ἁμαρτάνοντες εἰς ἐμὲ ἀσεβοῦσιν εἰς τὰς
ἑαυτῶν ψυχάς,
καὶ οἱ μισοῦντές με ἀγαπῶσιν θάνατον.

I M^{P}(M12)

9,7 (a) Ὁ παιδεύων κακοὺς λήψεται ἑαυτῷ ἀτιμίαν·

(b) ὁ δὲ ἐλέγχων τὸν ἀσεβῆ μωμήσεται ἑαυτόν.

I ab: R(M3) II a: Ant.^{MiM}(II60); b: V(Σ6)M^{P} (Σ20) III ab: Iv(12)A^{VA}(50)Ant.^{MiM}(II32)

om. ὁ 1° Iv | ὁ δὲ ἐλέγχων]ελ. δε I III | μωμήσεται]μωμηθησεται V^{W} | ἑαυτόν]αυτον I

9,8 (a) μὴ ἔλεγχε κακούς, ἵνα μὴ μισήσωσίν σε·
(b) ἔλεγχε σοφόν, καὶ ἀγαπήσει σε·
(c) ἄφρονα δὲ καὶ προθήσει τοῦ μισῆσαί σε.

I ab: T(E29); a: K(E12)V(E31)M^{PM}(E29)H^{a}(E28) II a-c: Ant.^{M}(apd.); a: V(Σ6)M^{P}(Σ20)Ant.^{Mi}(II 60) III a: Iv(12)A^{VA}(50)Ant.^{MiM}(II32)

om. μή V^{OV}(II) | μισήσωσιν]μισωσιν V^{Mi}(II)

9,9 (a) δίδου σοφῷ ἀφορμήν, καὶ σοφώτερος ἔσται·
(b) γνώριζε δικαίῳ, καὶ προσθήσει τοῦ δέχεσθαι.

I ab: M^{PM}(Y5) II a: A^{VA}(17) III b: Ant.^{M}(II59)

προσθήσει]-ση I

9,10bc (b) βουλὴ ἁγίων σύνεσις·
(c) τὸ γνῶναι νόμον διανοίας ἐστὶν ἀγαθῆς.

I b: V(A31)R(A44)M(A33)H^{a}(A29)T(A45)L^{c}(A7) II b: R(B13)Ant.^{MiM}(I10) III c: H^{c}(E1)T(E1) IV c: C(Θ1)V(Θ3)R(Θ7)M^{PM}(Θ4) V c: Ant.^{MiA}(I67) VI b: Ant.^{M}(II59)

τό]του M^{M}(IV); pr. και R(IV) | γνῶναι/νόμον]tr. Ant.^{MiA}(V)

9,12 (aα) υἱέ, ἐὰν σοφὸς γένῃ (aβ) σεαυτῷ, σοφὸς ἔσῃ καὶ τῷ πλησίον·
(b) ἐὰν δὲ κακὸς ἀποβῇς, μόνος ἀντλήσεις τὰ κακά.

I a: V(Σ18) II ab: Ant.^{Mi}(II13); a: V(Y5)M^{PM} (Y12) III ab: Iv(12)A^{VA}(50)Ant.^{Mi}(II32); aα: Ant.^{M}(II32)

γένῃ]pr. εση V^{V}(II) | σεαυτῷ]αυτω Ant.^{Mi}(III) | om. σοφός 2° V^{WMi}(I) | τῷ]τοις V^{W}(I)A^{VA}Ant.^{Mi} (III) | πλησίον]+σου IvA^{A}Ant.^{Mi}(III) | ἀντλήσεις]-σης Iv

9,12A (a) ὃς ἐρείδεται ἐπὶ ψεύδεσιν, οὗτος ποιμανεῖ ἀνέμους,
(b) ὁ δ᾽ αὐτὸς διώξεται ὄρνεα πετόμενα.
I ab: Iv(6)V(Ψ1)R(Ψ4)M^{PM}(Ψ4)A^{V}(9)$Ant.^{MiA}$(I22); a: A^{A}(9)
ἐρείδεται]ερειται M^{M} | οὗτος]ουτως $V^{OV}M^{P}A^{V}$| ὁ] ου M^{M} | δ᾽]δε V^{Mi}R | πετόμενα]πτερωτα $V^{EOVMi}A^{V}$

9,13 (a) Γυνὴ ἄφρων καὶ θρασεῖα ἐνδεὴς ψωμοῦ γίνεται,
(b)ἥ οὐκ ἐπίσταται αἰσχύνην.
I ab: Iv(54)V(Γ12)R(Γ18)M^{PM}(Γ12)H^{a}(Γ12)T(Γ16) A^{V}(55)$Ant.^{Mi}$(II34); a: A^{A}(55)
ψωμοῦ]φρενων M^{M} | om. ἥ οὐκ ἐπίσταται A^{V} | αἰσχύνην]-νη V^{OV*}

9,14 ἐκάθισεν ἐπὶ θύραις τοῦ ἑαυτῆς οἴκου ἐπὶ δίφρου,
ἐμφανῶς ἐν πλατείαις.
I Iv(54)V(Γ12)R(Γ18)M^{PM}(Γ12)H^{a}(Γ12)T(Γ16)A^{V} (55)
ἐκάθισεν]εκαθησεν $V^{EOV}M^{M}H^{a}$ | τοῦ ἑαυτῆς/οἴκου] tr. R | πλατείαις]πλατιαις $V^{W}M^{P}$T

9,15 προσκαλουμένη τοὺς παριόντας
καὶ κατευθύνοντας ἐν ταῖς ὁδοῖς αὐτῶν.
I Iv(54)V(Γ12)R(Φ18)M^{M}(Γ12)H^{a}(Γ12)T(Γ16)A^{V}(55)
παριόντας]παροντας IvV^{EO} | καὶ]οδον IvA^{V} | κατευθύνοντας]-τα Iv

9,16 Ὃς ἐστιν ὑμῶν ἀφρονέστατος, ἐκκλινάτω πρός με·
ἐνδεέσι δὲ φρονήσεως παρακελεύομαι λέγουσα.
I Iv(54)V(Γ12)R(Γ18)H^{a}(Γ12)A^{V}(55)
Ὃς ἐστιν]ει τις R | om. ὑμῶν IvV^{W} | ἀφρονέστατος]αφρων A^{V} | ἐνδεέσι]ενδεησι V^{W}; ενδεης V^{EOVMi}; ενδεεις H^{a}; pr. και τοις A^{V} | om. δέ RA^{V}

9,17 Ἄρτον κρυφίων ἡδέως ἅψασθε,
καὶ ὕδατος κλοπῆς γλυκεροῦ πίεσθε.

I Iv(54)V(Γ12)R(Γ18)H^{a}(Γ12)A^{V}(55)
῎Αρτον]αρτων V^{WEMi}R | κρυφίων]-φιον A^{V} | γλυκεροῦ]γλυκυτερου R | om. πίεσθε IvV^{W}RA^{V}

9,18 ὁ δὲ οὐκ οἶδεν ὅτι γηγενεῖς παρ᾽ αὐτῇ ὀλοῦνται,
καὶ εἰς πέταυρον ᾅδου συναντᾷ.
I Iv(54)V(Γ12)R(Γ18)H^{a}(Γ12)A^{V}(55)
οἶδεν]ειδεν V^{W} | ὀλοῦνται]ολλυνται V^{W}; ωλλυνται A^{V} | εἰς]επι IvV^{W}RA^{V}

9,18Aab ἀλλὰ ἀποπήδησον, μὴ ἐγχρονίσῃς ἐν τῷ τόπῳ αὐτῆς,
μηδὲ ἐπιστήσῃς τὸ σὸν ὄμμα πρὸς αὐτήν.
I $Ant.^{MiA}$(I15)

9,18B ἀπὸ ὕδατος ἀλλοτρίου ἀπόσχου,
καὶ ἀπὸ πηγῆς ἀλλοτρίας μὴ πίῃς.
I K(A20) II V(Π11)M^{P}(Π34)$Ant.^{MiA}$(I15)

9,18C ἵνα πολὺν ζήσῃς χρόνον,
προστεθῇ δέ σοι ἔτη ζωῆς.
I K(A20) II V(Π11)M^{P}(Π34)$Ant.^{MiA}$(I15)
πολὺν]πολλων V^{E}; πολλον V^{OVMi} | προστεθῇ]προστεθησεται $V^{W}$$Ant.^{MiA}$

10,1 (a) Υἱὸς σοφὸς εὐφραίνει πατέρα,
(b) υἱὸς δὲ ἄφρων λυπεῖ μητέρα.
I ab: M^{M}(Y12); a: V(Y5)R(Y12)M^{P}(Y12)$Ant.^{Mi}$(II 13) II b: V(Y6)R(Y13)M^{PM}(Y13)
πατέρα]+αυτου R(I)$Ant.^{Mi}$ | om. δέ II | λυπεῖ μητέρα]λυπη τη μητρι αυτου M^{M}(I)

10,2 (a) οὐκ ὠφελήσουσιν θησαυροὶ ἀνόμους,
(b) δικαιοσύνη ῥύεται ἐκ θανάτου.
I b: Iv(3)M^{M}(Δ20)A^{VA}(4) II a: V(E9)E(E45)M^{PM}(E19)H^{a}(E9)T(E20)$Ant.^{MiA}$(I35)
ἀνόμους]παρανομους V^{W} | ἐκ]απο M^{M}(I)

10,3 (a) οὐ λιμοκτονήσει κύριος ψυχὴν δικαίου,
(b) ζωὴν ἀσεβῶν ἀναστρέψει κύριος.
I b: Iv(68)V(A12)M^{PM}(A44)H^{a}(A11)T(A66)A^{V}(84)

Ant.^{MiA}(I2)Ant.^{MiM}(II94) II a: Iv(11)V(Δ16)R (K25)M^{PM}(Δ21)T(Δ33)A^{VA}(16)Ant.^{MiM}(II31)

δικαίου]δικαιαν M^{M}(II)A^{VA}(II)Ant.^{MiM}(II) | ζωήν]om. V^{OVMi}(I): homoiot.ἀσεβῶν (15,6 praec.) ⌒ἀσεβῶν (10,3); +δε A^{V}(I) | ἀναστρέψει]-ψεις V^{O}(I); ανατρ. V^{W}(I)

10,4 (a) πενία ἄνδρα ταπεινοῖ,
(b) χεῖρες ἀνδρείων πλουτίζουσιν.

I b: R(Γ1)H^{b}(Γ1)T(Γ1) II a: V(Π21)R(Π43)M^{P}(Π 40)Ant.^{MiA}(I33) III b: V(Φ5)R(Φ14)M^{PM}(Φ12) Ant.^{MiM}(II45)

πενία]+δε R(II) | ἀνδρείων]ανδρων M^{P*}(III) | πλουτίζουσιν]πλουτησωσιν M^{M}(III)

10,4Aa υἱὸς πεπαιδευμένος σοφὸς ἔσται.

I V(Y5)R(Y12)M^{PM}(Y12)

10,5 (a) διεσώθη ἀπὸ καύματος υἱὸς νοήμων,
(b) ἀνεμόφθορος γίνεται ἐν ἀμήτῳ υἱὸς παράνομος.

I a: V(Y5)M^{PM}(Y12) II b: V(Y6)R(Y13)M^{PM}(Y13)

ἀνεμόφθορος]+δε M^{M}(II)

10,6 (a) εὐλογία κυρίου ἐπὶ κεφαλὴν δικαίου,
(b) στόμα ἀσεβῶν καλύπτει πένθος ἄωρον.

I b: V(A12)M^{PM}(A44)H^{a}(A11)T(A66) II a: V^{EOVMi} (Δ28)M^{PM}(Δ10)H^{a}(Δ28)T(Δ22)

καλύπτει]-ψει M^{M}(I)

10,7 (a) μνήμη δικαίων μετ' ἐγκωμίων,
(b) ὄνομα δὲ ἀσεβῶν σβέννυται.

I a: R(Δ25)Ant.^{Mi}(II37) II a: V(Δ29)M^{PM}(Δ13) H^{a}(Δ29)T(Δ25) III b: R(Π26) IV ab: Ant.^{MiA} (I54)

δικαίων]δικαιου IV | om. δέ III

10,8 (a) σοφὸς καρδίᾳ δέξεται ἐντολάς,
(b) ὁ ἄστεγος χείλεσιν σκολιάζων ὑποσκελισθήσεται.

I b: R(A25)H^{c}(A22)T(A25)L^{a}(A26apd.) II b: Iv (50)V(Γ15)M^{PM}(Γ15)H^{a}(Γ15)T(Γ19)A^{V}(73)Ant.^{A}(I 76) III a: H^{c}(E1)T(E1) IV a: C(Θ1)V(Θ3)R(Θ7) M^{PM}(Θ4)

σκολιάζων]υποσκελιαζων V^{WEOV} (II)M^{PM}(II)H^{a}; υποσκολιαζων V^{Mi}

10,9a ὃς πορεύεται ἁπλῶς, πορεύεται πεποιθώς.

I Iv(33)V^{WOVMi}(A25)R(A65)M^{PM}(A53)H^{a}(A23)T(A 75)A(40)A^{V}(62)Ant.^{MiM}(II85)

ὅς]ως Iv | ἁπλῶς]απλους V^{W}M^{P}

10,10 (a) ὁ ἐννεύων ὀφθαλμῷ συνάγει ἀνδράσι λύπας,
(b) ὁ ἐλέγχων μετὰ παρρησίας εἰρηνοποεῖ.

I b: Iv(9)V^{OVMi}(A18)R(A60)M^{M}(A48)H^{a}(A16)T(A70) A^{VA}(12)Ant.^{Mi}(I26)Ant.^{M}(II67) II b: K(E12)V(E 31)M^{PM}(E29)H^{a}(E28)T(E29) III a: R(K12) IV b: Ant.^{GeM}(II55)

εἰρηνοποιεῖ]ειρηνηποιος εστι H^{a}(II)

10,11 (a) πηγὴ ζωῆς ἐν χειρὶ δικαίου,
(b) στόμα ἀσεβοῦς καλύψει ἀπώλεια.

I b: V^{W}(A12)M^{PM}(A44)T(A66) II A: V(Δ16)M^{PM}(Δ 21)H^{a}(Δ16)T(Δ33)

10,12 (a) μῖσος ἐγείρει νεῖκος,
(b) πάντας τοὺς μὴ φιλονεικοῦντας καλύψει φι-
λία.

I b: Iv(9)V^{WOVMi}(A18)R(A60)M^{M}(A48)H^{a}(A16)T(A 70)A^{VA}(12)Ant.^{MiM}(I26) II a: Iv(10)A^{VA}(15) Ant.^{Mi}(II68)

ἐγείρει]εγερει A^{VA}(II) | om. μή T | φιλονει-κοῦντας]φιλουντας Iv(I) | καλύψει]καλυπτει Iv (I)

10,13 ὃς ἐκ χειλέων προσφέρει σοφίαν,
ῥάβδῳ τύπτει ἄνδρα ἀκάρδιον.

I V(Σ18)R(Σ28)M^{PM}(Σ28)A^{VA}(17)

init.]pr. και A^{VA} | προσφέρει]προφερει V^{EO}M^{P}

10,14 (a) σοφοὶ φυλάξουσιν αἴσθησιν,
(b) στόμα προπετοῦς ἐγγίζει συντριβῇ.

I a: A^{VA}(17) II b: A(41) III b: Iv(32)A^{VA}(61)

10,15b συντριβὴ ἀσεβῶν πενία.

I V(A12)M^{PM}(A44)H^{a}(A11)T(A66)

συντριβὴ]-βει V^{OV}

10,18 (a) καλύπτουσιν ἔχθραν χείλη δίκαια,
(b) οἱ ἐκφέροντες λοιδορίας ἀφρενέστατοί εἰσιν.

I a: Iv(9)V^{OVMi}(A18)R(A60)M^{M}(A48)H^{a}(A16)T(A70)
A^{VA}(12)Ant.^{Mi}(I26) II b: K(Λ2)V(Λ2)R(Λ1)M^{PM}(Λ
1) III ab: Ant.^{MiMA}(I53)

ἔχθραν]εχθρα M^{M}(I) | οἱ]+δε III | λοιδορίας]
-ριαν R(II) | εἰσιν]om. K;και ασεβεις R(II)

10,19 (a) ἐκ πολυλογίας οὐκ ἐκφεύξῃ ἁμαρτίαν,
(b) φειδόμενος χειλέων νοήμων ἔσῃ.

I b: Iv(47)H^{a}(B14) II b: V(Γ14)M^{M}(Γ14)H^{a}(Γ14)
T(Γ18)A(41) III a: Iv(48)V(Γ15)R(Γ1)M^{PM}(Γ15)
H^{a}(Γ15)A(41)Ant.^{MiMA}(I74)

ἐκφεύξῃ]-ξει Iv(III)V^{OV}(III)A^{V}(III); -ξεται V^{W}
(III) | ἁμαρτίαν]-τιας Ant.^{M}; -τια V^{W}(III)

10,20a ἄργυρος πεπυρωμένος γλῶσσα δικαίου.

I R(Γ2)H^{a}(Γ2)T(Γ2) II Iv(49)V(Γ14)R(Φ8)M^{PM}(Γ
14)H^{a}(Γ14)T(Γ18)A^{VA}(72)Ant.^{MiA}(I75)

10,21a χείλη δικαίων ἐπίσταται ὑψηλά.

I V^{WOVMi}(Γ1)M^{PM}(Γ5)H^{a}(Γ1)T(Γ9)

ἐπίσταται]επιστανται V^{W}

10,22 (a) εὐλογία κυρίου ἐπὶ κεφαλὴν δικαίου·
(b) αὕτη πλουτίζει, καὶ οὐ μὴ προστεθῇ αὐτῇ
λύπη ἐν καρδίᾳ.

I a: V(Δ7)V^{W}(Δ7; 2° loco)R(Δ21)H^{a}(Δ7) II ab:
C(E5)R(E42)

δικαίου]δικαιων R(I) | αὕτη]αὐτή C

10,23a ἐν γέλωτι ἄφρων πράττει κακά.

I T(Γ3) II K(K6)V(K4)R(A22)M(A25)H^{C}(A19)T(A 49)L^{a}(A5)

πράττει]πρασσει I K

10,24 b ἐπιθυμία δικαίου δεκτή.

I Iv(11)A^{VA}(16)

10,25a παραπορευομένης καταιγίδος ἀφανίζεται ὁ ἀσεβής.

I V(A12)M^{PM}(A44)H^{a}(A11)T(A66)

παραπορευομένης]παραπονηρευομενοις V^{OV}; παραπονηευομενης V^{Mi}

10,26 ὥσπερ ὄμφαξ ὀδοῦσι βλαπερὸς καὶ καπνὸς ὄμμασιν, οὕτως παρανομία τοῖς χρωμένοις αὐτῇ.

I V(A12)R(A21apd.)M^{M}(A11)H^{a}(A11)T(A66)L^{a}(A22 apd.)A^{VA}(7)$Ant.^{MiA}$(I16) II Iv(2)R(E45)A^{VA}(2)

βλαβερός]-ρον II $V^{W}L^{a}A^{VA}$(I) | καπνός]-νοι H^{a}; pr. ο $Ant.^{MiA}$ | παρανομία]pr. και A^{V}(II) |αὐτῇ]αυτην $V^{EOV}M^{M}H^{a}A^{VA}$(I)

10,27 (a) φόβος κυρίου προστίθησιν ἡμέρας,
(b) ἔτη ἀσεβῶν ὀλίγα.

I a:V(A4)R(A49)M(A39)T(A61)L^{C}(A6)A^{VA}(12) II b: $Ant.^{MiM}$(I2)

κυρίου]θεου V^{W} | προστίθησιν]προστιθη V^{OV} | ὀλίγα]ολιγωθησεται $Ant.^{Mi}$

10,28a ἐγχρονίζει δικαίοις εὐφροσύνη.

I V(Δ28)V^{W}(Δ28; 2° loco)R(Δ21)M^{PM}(Δ13)H^{a}(Δ29) T(Δ22)

ἐγχρονίζει]-ζη V^{E} | δικαίοις]δικαιος V^{W}(1° et 2° loco)M^{P}T

10,29a ὀχύρωμα ὁσίων φόβος κυρίου.

I V^{EOVMi}(A4)R(A49)M(A39)T(A61)L^{C}(A6)

ὁσίων]σιων M

10,31 (a) στόμα δικαίου ἀποστάζει σοφίαν,
(b) γλῶσσα ἀδίκου ἐξολεῖται.

I b: V(A12)M^{PM}(A44)H^{a}(A11)T(A61) II a: R(Γ2) H^{b}(Γ2)T(Γ2) III a: R(Δ2) IV b: R(E45) V a: Ant.^{MiM}(II31)
σοφίαν]χαριτας Ant.^{MiM}(V) | γλῶσσα]+δε M^{M} | ἐξολεῖται]εξολλυται $V^{W}M^{PM}$T(I)

10,32a χείλη ἀνδρῶν δικαίων ἀποστάζουσιν χάριτας.
I R(Γ2) II R(Δ2) III Iv(11)V(Δ16)M^{PM}(Δ21)H^{a} (Δ16)T(Δ33)A^{VA}(16)Ant.^{Mi}(II31) IV R(Λ2) V Ant.^{MiMA}(I29)
χείλη]pr. και II; +δε A^{VA} | ἀνδρῶν]ανθρωπων Ant.^{Mi}(III); om. IvA^{VA} | δικαίων]συνετων II | ἀποστάζουσιν]-ζει II III(sine Ant.^{Mi}); επισταται Ant.^{MiMA}(V) | χάριτας]-τα Ant.$^{Mi (non Ge)}$(III)

11,1 (a) ζυγοὶ δόλιοι, βδέλυγμα ἐνώπιον κυρίου,
(b) στάθμιον δὲ δίκαιον δεκτὸν αὐτῷ.
I ab: V(Z4)M^{PM}(Z4)T(Z4); a: R(Z5)Ant.^{MiM}(II52); b:R(Z6)Ant.^{Mi}(II51)
ἐνώπιον κυρίου]κυριω Ant.^{Mi}(II52) | om. δὲ R (Z6)Ant.^{Mi}(II51) | αὐτῷ]κυριω R(Z6)Ant.^{Mi}(II 51)

11,2 (a) οὗ ἐὰν εἰσέλθῃ ὕβρις, ἐκεῖ καὶ ἀτιμία·
(b) στόμα ταπεινὸν μελετᾷ σοφίαν.
I a: Iv(10)V^{EOVMi}(M7)R(M19)A^{VA}(15)Ant.^{Mi}(II68) II b: Iv(29)V^{WE}(T5)R(T7)M^{P}(T6)A^{VA}(26)A^{A}(100) Ant.^{MiM}(II73) III a: K(Y2)V(Y1)R(Y6)M^{PM}(Y6)
εἰσέλθῃ]επελθη Iv(I)A^{VA}(I) | ὕβρις]υβρεις V^{E} (I)V^{O}(III) | ταπεινόν]-νων V^{E}(II)Ant.^{Mi}(II)

11,3a.cd (a) τελειότης ὁσίων ὁδηγήσει αὐτούς·
(c) ἀποθανὼν δίκαιος ἔλιπεν μετάμελον,
(d) πρόχειρος γίνεται καὶ ἐπίχαρτος ἀσεβῶν ἀπώλεια.

I d: Iv(68)V(A12)M^{PM}(A44)H^{a}(A11)A^{V}(84)T(A66) Ant.^{Mi}(I2)Ant.^{Mi}(II94) II a: V(A31)R(A44)M(A 33)H^{a}(A29)T(A55)L^{C}(A7) III c: R(Δ24)H^{C}(Δ21)T

(Δ25) IV a: R(Δ25)
τελειότης]τελειοτητος V^{Mi}(II); +δε IV | ὁσίων] δικαιων IV | γίνεται/καὶ ἐπίχαρτος]tr. Ant.^{Mi} (II94) | ἀπώλεια]pr. η V^{EMi}(I)T(I); -λειαι V^{W} (I)

11,4b δικαιοσύνη ῥύεται ἐκ θανάτου.
I V(Δ14)M^{PM}(Δ20)H^{a}(Δ14)T(Δ32)
ἐκ]απο M^{M}

11,5a δικαιοσύνη ἀμώμους ὀρθοτομεῖ ὁδούς.
I V(Δ14)R(Δ27)M^{PM}(Δ20)H^{a}(Δ14)T(Δ32) II Ant.^{MiM} (II31)
ἀμώμους]-μου V^{W}RM^{P}; -μος M^{M}; ορθων ανδρων II

11,6b τῇ ἀβουλίᾳ αὐτῶν ἁλίσκονται παράνομοι.
I Ant.^{Mi}(I11)

11,7a τελευτήσαντος ἀνδρὸς δικαίου οὐκ ὄλλυται ἐλπίς.
I R(Δ24)T(25)

11,8 δίκαιος ἐκ θήρας ἐκδύνει,
ἀντ' αὐτοῦ δὲ παραδίδοται ἀσεβής.
I V^{EOVMi}(Δ7)H^{a}(Δ7) II V(Δ28)V^{W}(Δ28; 2° loco) R(Δ21)M^{PM}(Δ10)H^{a}(Δ28)T(Δ22) III R(K22)
om. δέ V^{OVMi}(I) | παραδίδοται]-δωται V^{E}(I); -δοθησεται III | ἀσεβής]pr. ο V(II)V^{W}(II; 2° loco)R(II)M^{P}(II)H^{a}(II)

11,9a ἐν στόματι ἀφρόνων παγὶς πολίταις.
I K(Π19) II Ant.^{MiM}(II42)
ἀφρόνων]ασεβων I

11,10 ἐν ἀγαθοῖς δικαίων κατωρθώθησαν πόλεις.
I R(A13)H^{c}(A11)T(A13)L^{a}(A13) II Iv(11)V(Δ16) M^{PM}(Δ21)H^{a}(Δ16)T(Δ33)A^{VA}(16)Ant.^{Mi}(II41)
κατωρθώθησαν πόλεις]κατωρθωσεν πολις M^{M}

11,11 (a) ἐν εὐλογίαις δικαίων ὑψωθήσεται πόλις·

(b) στόμασιν δὲ ἀσεβῶν κατεσκάφησαν.

I b: H^{c}(A11)T(A13) II a: $Ant.^{MiM}$(II41); b: Iv (11)V(Δ16)M^{PM}(Δ21)H^{a}(Δ16)T(Δ33)A^{VA}(16) III b: $Ant.^{MiM}$(II42)

στόμασιν]-ματι III IvA^{VA} | om. δέ III | κατεσκάφησαν]-σκαφη M^{M}; +πολεις III

11,12 (a) μυκτηρίζει πολίτας ἐνδεὴς φρενῶν,
(b) ἀνὴρ φρόνιμος ἡσυχίαν ἄγει.

I b: Iv(37)V^{WOVMi}(A37)R(A69;1°)M^{PM}(A66)H^{a}(A34) T(A88)A(38)$Ant.^{MiM}$(II76) II ab: $Ant.^{MiM}$(II42)

ἀνήρ]+δε II

11,13 (a) ἀνὴρ δίγλωσσος ἀποκαλύπτει βουλὰς ἐν συνεδρίῳ,
(b) πιστὸς πνοῇ κρύπτει πράγματα.

I a: Iv(50)V(Γ15)R(Φ9)M^{PM}(Γ15)H^{a}(Γ15)T(Γ19) A^{KV}(41)A^{V}(73)$Ant.^{A}$(I76) II b: K(Π5)

βουλάς]βουλην M^{M}

11,14 (a) οἷς μὴ ὑπάρχει κυβέρνησις, πίπτουσιν ὥσπερ φύλλα,
(b) σωτηρία δὲ ἐν πολλῇ βουλῇ.

I a: R(A12)H^{c}(A10)T(A12; 1° et 2° loco)L^{a}(A12) L^{c}(A45) II ab: V(B12)M^{PM}(B15)H^{a}(B12)T(B13); b: R(B13)$Ant.^{MiM}$(I10) III a: R(B14)$Ant.^{Mi}$(I11) IV a: M^{M}(B7)

οἷς]ως L^{c}; τις L^{a} | μή]ουχ T(I; 2° loco) | ὑπάρχει]-χη IV T(I; 1°loco,II,III) | κυβέρνησις] βουλη $Ant.^{Mi}$(III) | ὥσπερ]ως $V^{W}M^{P}H^{c}$T(I; 1° et 2° loco,II)L^{c} | δέ]υπαρχει R(II)$Ant.^{MiM}$(II) | πολλῇ]πολει T(II)

11,15a πονηρὸς κακοποιεῖ ὅταν συμμίξῃ δικαίῳ.

I T(E45) II R(K9) III Iv(10)V^{EOVMi}(M7)A^{VA}(15)

κακοποιεῖ]-ποιη A^{A} | συμμίξῃ]-ξει IvV^{EOV} | δικαίῳ]δικαιωμα $V^{OVMi}A^{A}$; διαιωμα V^{E}

11,16a-c (a) γυνὴ εὐχάριστος ἐγείρει ἀνδρὶ δόξαν,

(b) θρόνος ἀτιμίας γυνὴ μισοῦσα δίκαια·
(c) πλούτου ὀκνηροὶ ἐνδεεῖς γίνονται.

I b: Iv(54)V(Γ12)M^{PM}(Γ12)H^{a}(Γ12)A^{VA}(55)$Ant.^{Mi}$ (II34) II c: Iv(24)V^{EOVMi}(M6)R(M18)A^{VA}(96) $Ant.^{MiM}$(II46) III a: $Ant.^{Mi}$(II33)

θρόνος]χρονος $Ant.^{Mi}$(I) | ἀτιμίας]αδεικιας M^{M} | δίκαια]δοξαν H^{a} | ὀκνηροὶ/ἐνδεεῖς]tr. A^{A} | γίνονται]γινεται V^{E}(II)

11,17 (a) τῇ ψυχῇ αὐτοῦ ἀγαθοποιεῖ ἀνὴρ ἐλεήμων.
(b) ἐξολλύει τὸ ἑαυτοῦ σῶμα ὁ ἀνελεήμων.

I a:V^{W}(A11apd.)R(A5)M^{ML}(A5)H^{c}(A3)T(A5)L^{a}(A6) II a: V(E8)R(E44)M^{PM}(E18)H^{a}(E8)T(E19) III b: V (E9)R(E45)M^{PM}(E19)H^{a}(E9)T(E20)

ἀγαθοποιεῖ]αγαθον ποιει V^{W}(I)| ἐξολλύει]εξολλυσιν V^{W}(III)R(III)

11,18a ἀσεβὴς ποιεῖ ἔργα ἄδικα.

II 1° loco: V^{EVMi}(A12)M^{PM}(A44)H^{a}(A14)T(A66) $Ant.^{Mi}$(I2) II 2° loco: V(A12)H^{a}(A14) III R(E 45) IV R(K9)

ἄδικα]αδικιας V^{EOVMi}(II)H^{a}(II)

11,19 (a) υἱὸς δίκαιος γεννᾶται εἰς ζωήν,
(b) διωγμὸς ἀσεβῶν εἰς θάνατον.

I v: Iv(68)V(A12)R(A71)M^{PM}(A44)H^{a}(A12)T(A66)A^{V} (84)$Ant.^{MiM}$(I2)$Ant.^{MiM}$(II94) II a: V(Y5)R(Y12) M^{PM}(Y12)

διωγμός]pr. ο $Ant.^{Mi}$(I2); διωγμοι IvV^{EOVMi}(I) H^{a} | εἰς θάνατον]αμαρτια H^{a}

11,20 (a) βδέλυγμα κυρίῳ διεστραμμέναι ὁδοί,
(b) προσδεκτοὶ δὲ κυρίῳ πάντες ἄμωμοι ἐν ὁδῷ αὐτῶν.

I b: V^{WOVMi}(A25)M^{PM}(A53)H^{a}(A23) II ab: M(A15) H^{c}(A41)T(A45)L^{a}(A28apd.) III a: V(M2)M^{PM}(M5) IV a: V(Π18)M^{P}(Π38)

διεστραμμέναι/ὁδοί]tr. II | om. δέ I | κυρίῳ]

θεω V^{W}(I); αυτω II | ὁδῷ]οδοις M^{M}(I) | om. αὐτῶν II M^{P}(I)

11,21 (a) χειρὶ χεῖρας ἐμβαλὼν ἀδίκως οὐκ ἀτιμώρητος ἔσται,
(b) ὁ σπείρων δικαιοσύνην λήψεται μισθὸν πιστόν.

I b: V(Δ14)R(Δ27)M^{PM}(Δ20)H^{a}(Δ14)T(Δ32)A^{VA}(4)
II a: H^{c}(E40)T(E23)
μισθόν]μισθου V^{OV} | πιστόν]πιστων $H^{a}A^{V}$(vid.); πολυν V^{W}; πλειστον M^{PM}T

11,22 ὥσπερ ἐνώτιον χρυσοῦν ἐν ῥινὶ ὑός,
οὕτως γυναικὶ κακόφρονι κάλλος.

I Iv(54)V(Γ12)R(Γ18)M^{PM}(Γ12)H^{a}(Γ12)A^{VA}(55) Ant.^{Mi}(II34) II V(K8)R(K4)M^{PM}(K2)
ἐνώτιον]ενωπιον V^{OV}(II) | om. χρυσοῦν V^{EOVMi}(I, II)R(I)M^{P}(II)$H^{a}A^{V}$Ant.^{Mi} | ὑός]υιος V^{EOV}(II)M^{M} (II)A^{VA}; ιος IvH^{a}; υς M^{M}(I) | οὕτως]ουτω V^{W} (I); ουτος V^{OV}(I) | κάλλος]καλλους Iv

11,23a ἐπιθυμία δικαίων πᾶσα ἀγαθή.

I H^{c}(E21)T(E38)

11,25 (a) ψυχὴ εὐλογημένη πᾶσα ἁπλῆ,
(b) ἀνὴρ θυμώδης οὐκ εὐσχήμων.

I a: Iv(33)V^{WOVMi}(A25)R(A65)M^{PM}(A53)H^{a}(A23)T (A75)A^{KV}(40)A^{V}(62)Ant.^{Mi}(II85) II b: Iv(32)V (Π15)M^{P}(Π37)A^{VA}(24)A^{VA}(61)Ant.^{Mi}(II53)Ant.^{MiM} (II72) III a: V^{W}(Ψ1)M^{M}(Ψ1)Ant.^{MiA}(I55)
ψυχή]ευχη RA^{V}(40); ουχι A^{V}(62) | πᾶσα]+ψυχη A^{V}(62)

11,26 (a) ὁ συνέχων σῖτον ἀπολείποιτο αὐτὸν τοῖς ἔθνεσιν·
(b) εὐλογία δὲ εἰς κεφαλὴν τοῦ μεταδιδόντος.

I a: R(A29)T(A29) II ab: M(A16)H^{c}(A26)T(A46) L^{c}(A14) III b: V(E8)R(E44)M^{PM}(E18)H^{a}(E8)T(E19)
IV a: K(Λ3)V(Λ3)R(Λ3)M^{PM}(Λ2)
ὁ συνέχων]ο τιμιουλκων I; pr. ο τιμιουλκων

σιτον(σιτου V^{OV}) δημοκαταρατος KV(IV) | ἀπολεί-
ποιτο - ἔθνεσιν]δημοκαταρατος I II | ἀπολείποι-
το]-λιπ. KV(IV); υπολ. V^{Mi}(IV)M^{M}(IV) | αὐτόν]
αυτο V^{OV}(IV) | τοῖς]εν V^{Mi}(IV) | εὐλογία]+κυ-
ριου M^{M}(III) | om. δέ III

11,27 (a) τεκτενόμενος ἀγαθὰ ζητεῖ χάριν,
(b) ἐκζητοῦντα δὲ κακὰ καταλήψεται αὐτόν.
I a: K(A4)V(A11)H^{a}(A10)L^{c}(A8) II ab: K(E1)V(E
10)M(A24)H^{a}(A52)H^{a}(E10)T(A48) III b: R(K9) IV
b: V(X2)M^{PM}(X5)$Ant.^{MiM}$(II40) V b: $Ant.^{M}$(apd.)
τεκτενόμενος]τεκταιν. K(I)V^{EMi}(I)V^{Mi}(II)M^{L}(II)
H^{a}(I,IIA52,IIE10)L^{c} | χάριν]+αγαθην I K(II) |
ἐκζητοῦντα]-ντι H^{a}(A52) | om. δέ III IV V | κα-
ταλήψεται(-λειψ. V^{EOV}(IV)) αὐτόν]om. T(II);
+κακα V^{W}(II)

11,28 (a) ὁ πεποιθὼς ἐπὶ πλούτῳ, οὗτος πεσεῖται,
(b) ὁ ἀντιλαμβανόμενος δίκαιον, οὗτος ἀνατελεῖ.
I b: V(Δ5)R(Δ20)M^{PM}(Δ9)H^{a}(Δ5)T(Δ21)$Ant.^{Mi}$(II
37) II a: V(Π38)M^{P}(Π48)$Ant.^{Mi}$(I6)
ἐπί]εν τω V^{Mi}(II) | om. ὁ 2° V^{VMi}(I)M^{PM}(I) |
ἀντιλαμβανόμενος]παντιλ. M^{PM}(I); αντιλαβομενος
V^{WEMi}(I)R$Ant.^{Mi}$(I) | δίκαιον]δικαιων V^{W}(I)M^{PM}
(I)T$Ant.^{Mi}$(I); δικαιου V^{Mi}(I) | οὗτος]ουτως
V^{WE}(I); ο αυτος R

11,29 (a) ὁ μὴ συμπεριφερόμενος τῷ ἑαυτοῦ οἴκῳ κληρο-
νομήσει ἀνέμους,
(b) δουλεύσει ἄφρων φρονίμῳ.
I b: R(A63) II a: V(Δ10)R(Δ38)M^{PM}(Δ19)H^{a}(Δ10)T
(Δ31)$Ant.^{MiLM}$(II22) III a: R(O1)M^{PM}(O1)L^{c}(O3)
IV a: V^{EOVMi}(Σ29)M^{P}(Σ2)
συμπεριφερόμενος]περιφ. V^{VMi}(IV) | ἑαυτοῦ]εαυ-
τω M^{M}(II)

11,30a ἐκ καρποῦ δικαιοσύνης φύεται δένδρον ζωῆς.
I V(Δ14)M^{PM}(Δ20)H^{a}(Δ14)T(Δ32)

11,31 εἰ ὁ δίκαιος μόλις σῴζεται, ὁ ἀσεβὴς καὶ ἁμαρτωλὸς ποῦ φανεῖται;

I C(A12)V^{WOVMi}(A15)R(A71)M^{PM}(A46)H^{a}(A13)H^{b}(A10)L^{c}(A42)

ἀσεβής ... ἁμαρτωλός]tr.$CV^{W}M^{P}H^{b}$ | ἁμαρτωλός] pr. ο $M^{PM}L^{c}$ | φανεῖται]φανη V^{W}

12,1b ὁ μισῶν ἐλέγχους ἄφρων.

I Iv(60)V(Σ6)M^{P}(Σ20)A^{VA}(80)$Ant.^{Mi}$(II60)

12,3b αἱ ῥίζαι τῶν δικαίων οὐκ ἐξαρθήσονται.

I Iv(11)V(Δ16)M^{PM}(Δ21)H^{a}(Δ16)T(Δ33)A^{VA}(16)$Ant.^{MiL}$(II31)

ἐξαρθήσονται]εξαριθμηθησονται $Ant.^{L}$

12,4 (a) γυνὴ ἀνδρεία στέφανος τῷ ἀνδρὶ αὐτῆς·
(b) ὥσπερ σκώληξ ἐν ξύλῳ, οὕτως ἄνδρα ἀπόλλυσιν γυνὴ κακοποιός.

I a: Iv(53)V(Γ11)R(Γ17)M^{PM}(Γ11)H^{a}(Γ11)T(Γ15)A^{VA}(54)$Ant.^{MiM}$(II33) II b: Iv(54)V(Γ12)R(Γ18)M^{PM}(Γ12)H^{a}(Γ12)T(Γ16)A^{V}(55)

12,5 (a) λογισμοὶ δικαίων κρίματα,
(b) κυβερνῶσιν ἀσεβεῖς δόλους.

I a: $Ant.^{MiA}$(I64) II a: R(K15)$Ant.^{MiM}$(II87) III b: V(Π18)M^{P}(Π17)M^{P}(Π38)

12,6a λόγοι ἀσεβῶν δόλιοι.

I V(Π18)M^{P}(Π17)M^{P}(Π38)$Ant.^{Mi}$(II86)

12,7a οὗ ἐὰν εἰσέλθῃ, ἀσεβὴς ἀφανίζεται.

I V^{WOVMi}(A12)M^{PM}(A44)H^{a}(A11)T(A66)

12,8b νωθροκάρδιος μυκτηρίζεται.

I R(A63)

12,9 κρεῖσσον ἀνὴρ ἐν ἀτιμίᾳ δουλεύων ἑαυτῷ,
ἢ ὁ τιμὴν ἑαυτῷ περιτιθεὶς καὶ προσδεόμενος ἄρτου.

I K(K15)V(K9)R(K6)M^{PM}(K3) II $Ant.^{Mi}$(II74)

κρεῖσσον]κρεισσων $V^{Mi}RM^{P}$ | om. ἑαυτοῦ 1° V^{Mi} |

ἢ ὁ τιμὴν ἑαυτῷ]om. V^{V}; om. ὁ KV^{WEO} | περιτιθείς]περιθεις II

12,10 (a) δίκαιος οἰκτείρει ψυχὰς κτηνῶν αὐτοῦ,
(b) τὰ σπλάγχνα τῶν ἀσεβῶν ἀνελεήμονα.

I b: Iv(2)V(E9)R(E45)M^{PM}(E19)H^{a}(E9)T(E20)A^{VA}(3)$Ant.^{MiMA}$(I28) II a: V(K6)M^{PM}(K8) III b: $Ant.^{MiM}$(I2) IV a: $Ant.^{MiM}$(II21)

οἰκτείρει]-ρη V^{E}(II)

12,11 (a) ὁ ἐργαζόμενος τὴν ἑαυτοῦ γῆν ἐμπλησθήσεται ἄρτων,
(b) οἱ διώκοντες μάταια ἐνδεεῖς φρενῶν.

I a: K(Γ3)V^{W}(Γ5)R(Γ1)M^{PM}(Γ1)H^{a}(Γ5)T(Γ1) II b: K(M2)V(M14)R(M8)M^{PM}(M4)M^{P}(M11)

ἐμπλησθήσεται]πλησθ. K(I)M^{M}(I); εμπροσθησεται H^{a}

12,11A ὅς ἐστιν ἡδὺς ἐν οἴνων διατριβαῖς,
ἐν τοῖς ἑαυτοῦ ὀχυρώμασιν καταλείψει ἀτιμίαν.

I K(M1)V(M5)R(M1)M^{PM}(M1)M^{P}(Ω3)$Ant.^{MiMA}$(I41) II R(O12)M^{P}(O9)L^{c}(O6)

ὅς]ως L^{c} | οἴνων]οινω $V^{V}M^{P*}$(II); οινου $KAnt.^{Mi}$ | καταλείψει]-λειψη M^{P}(Ω3); -ληψει KR(I)V^{EOV} M^{P}(II)

12,12b αἱ ῥίζαι τῶν εὐσεβῶν ἐν ὀχυρώμασιν.

I V(Π1)R(Π25)M^{P}(Π25)

12,13a δι' ἁμαρτίαν χειλέων ἐμπίπτει εἰς παγίδα ἁμαρτωλός.

I Iv(50)V(Γ15)R(Φ9)M^{PM}(Γ13)H^{a}(Γ13)T)Γ19)A^{V}(73) $Ant.^{MA}$(I76)

δι']δια $RAnt.^{MA}$ | ἁμαρτίαν]-τιας $IvA^{V}Ant.^{MA}$; -τιων M^{M} | ἐμπίπτει]εμπεσειται $RAnt.^{MA}$ | εἰς παγίδα/ἁμαρτωλός]tr. $Ant.^{M}$ | παγίδα]-δας $M^{M}A^{V}$| ἁμαρτωλός]pr. ο V^{WMi}

12,13Aa ὁ βλέπων λεῖα ἐλεηθήσεται.

I V^{WOVMi}(A25)M^{PM}(A53)H^{a}(A23)T(A75)A(40)A^{V}(62)

Ant.^{Mi}(II85) II Iv(11)V(Δ16)M^{PM}(Δ21)H^{a}(Δ16)T (Δ33)A^{VA}(16)Ant.^{MiL}(II31) III M^{P}(O12)L^{c}(O17) ὁ]pr. και Ant.^{L} | λεῖα]λια M^{Pc}(I)M^{PM}(II)M^{P}(III) T(II); λιαν IvM^{P*M}(I)

12,14 (a) ἀπὸ καρπῶν στόματος ψυχὴ ἀνδρὸς πλησθήσεται ἀγαθῶν,
(b) ἀνταπόδομα δὲ χειλέων αὐτοῦ δοθήσεται αὐτῷ.

I ab: R(A24)H^{c}(A21)T(A24)L^{a}(A25) II ab: Iv(49) V^{WEO}(Γ14)R(Φ8)M^{PM}(Γ15)H^{a}(Γ15)T(Γ18)A^{V}(72) Ant.^{Mi}(I75); a: V^{VMi}(Γ14)Ant.^{A}(I75) III b: V (E10)R(A21)M(A24)H^{a}(A52)T(A48)L^{a}(A22apd.)

ψυχὴ ἀνδρὸς]ψυχης ανδρων Iv | ἀγαθῶν]αυτων V^{Mi}(II); om. R(I)L^{a}(I) | om. δέ III | om. αὐτοῦ H^{a}(III) | δοθήσεται]ανταποδοθ. I H^{a}(III)

12,15 (a) ὁδοὶ ἀφρόνων ὀρθαὶ ἐνώπιον αὐτῶν,
(b) εἰσακούει συμβουλίας σοφός.

I a: R(A23)H^{c}(A20)T(A23)L^{a}(A24) II a: R(A63) III a: R(Θ3) IV b: Iv(59)V(Σ5)M^{P}(Σ20)A^{VA}(19) A^{VA}(79)Ant.^{M}(II59) V a: K(Φ3)V^{EOVMi}(Φ13)R(A22) M^{PL}(A26) VI b: A^{VA}(17)

αὐτῶν]+δοκοῦσι II | εἰσακούει]-ση M^{P}(IV) |συμβουλίας]-λειας V^{EOV}(IV)M^{P}(IV) | σοφός]pr. ο VI A^{A}(19)

12,16a ἄφρων αὐθημερὸν ἐξαγγέλλει ὀργὴν αὐτοῦ.
I V^{OVMi}(A24)R(A63)M^{PM}(A52)H^{a}(A22)T(A74)Ant.^{Mi} (II53)

ἐξαγγέλλει]εξαγγελεῖ V^{OV*}T; αναγγελεῖ M^{M} | om. αὐτοῦ V^{OV}H^{a}Ant.^{Mi}

12,17 (a) ἐπιδεικνυμένην πίστιν ἀναγγελεῖ δίκαιος,
(b) ὁ μάρτυς τῶν ἀδίκων δόλιος.

I a: Ant.^{MiA}(I1) II b: Ant.^{MiA}(I22) III a: Ant.^{MiA}(I44)

ἀναγγελεῖ]απαγγελει I | om. τῶν Ant.$^{Mi(non Ge)}$ (II)

12,18 εἰσὶν οἱ λέγοντες τιτρώσκουσιν μάχαιρα,
γλῶσσαι δὲ σοφῶν ἰῶνται.

I R(Γ2)H^{b}(Γ2)T(Γ2) II R(Λ2)L^{c}(A26)

μάχαιρα]-ραι H^{b}T

12,19 (a) χείλη ἀληθινὰ κατορθοῖ μαρτυρίαν,
(b) μάρτυς ταχὺς γλῶσσαν ἔχει ἄδικον.

I a: R(A61)$Ant.^{MiA}$(I21) II b: R(Ψ4)

κατορθεῖ/μαρτυρίαν]tr. R(I)

12,20 (a) δόλος ἐν καρδίᾳ τεκταινομένου κακά,
(b) οἱ βουλόμενοι εἰρήνην εὐφρανθήσονται.

I b: V^{WOVMi}(A18)R(A60)M^{M}(A48)H^{a}(A16)T(A4)
$Ant.^{Mi}$(I26) II a: R(K9)$Ant.^{Mi}$(II32)

βουλόμενοι]θελοντες $Ant.^{Mi}$(I) | εἰρήνην]pr.
την $Ant.^{Mi}$(I)

12,21a οὐκ ἀρέσει δικαίῳ οὐδὲν ἄνομον.

I R(M12)$Ant.^{Mi}$(II39)

ἄνομον]+η αδικον R

12,22a βδέλυγμα κυρίῳ χείλη ψευδῆ.

I V(M2)M^{PM}(M5) II Iv(6)V(Ψ1)R(Ψ4)M^{PM}(Ψ4)A^{VA}(9)
$Ant.^{MiA}$(I22)

βδελ. κυρίῳ/χείλη ψ.]tr. A^{V} | κυρίῳ]κυριου Iv
V^{V}(I)V^{VMi}(II)

12,23a ἀνὴρ συνετὸς θρόνος αἰσθήσεως.

I H^{a}(A54)A^{VA}(17)$Ant.^{MiM}$(II47) II V(Σ18)

12,24a χεὶρ ἐκλεκτῶν κρατήσει εὐχερῶς.

I V^{EOVMi}(A31)R(A44)M(A33)H^{a}(A29)T(A55)L^{c}(A7)

ἐκλεκτῶν]-του T

12,25 (a) φοβερὸς λόγος ταράσσει καρδίαν ἀνδρός,
(b) ἐπαγγελία ἀγαθὴ ἄνδρα εὐφραίνει.

I a: K(A27) II a: K(Λ1)L^{c}(A26) III b: $Ant.^{M}$
(apd.)

ταράσσει/καρδίαν]tr. L^{c} | ἀνδρός]ανθρωπου I;
+δικαιου L^{c}

12,26b-d (b) αἱ γνῶμαι τῶν ἀσεβῶν ἀνεπιεικεῖς,
(c) ἁμαρτάνοντας καταδιώξεται κακά,
(d) ἡ ὁδὸς τῶν ἀσεβῶν πλανήσει αὐτούς.

I b: R(A25)H^{c}(A22)T(A25)L^{a}(A26apd.) II d: R(O 4)L^{c}(O1) III c: R(Π27)$Ant.^{MiM}$(II94) IV c: Iv (68)A^{VA}(84)$Ant.^{Mi}$(II32)

ἁμαρτάνοντας]-τες Iv | καταδιώξεται]καταληψεται $Ant.^{Mi}$(IV)

12,27 (a) οὐκ ἐπιτεύξεται δόλιος θήρας,
(b) κτῆμα τίμιον ἀνὴρ καθαρός.

I b: V(Δ18)R(Δ35)M^{PM}(Δ23)H^{a}(Δ18)T(Δ35)$Ant.^{Mi}$ (II7) II a: H^{c}(E14)T(E31) III b: V(K12)R(K15) M^{PM}(K11)$Ant.^{MiM}$(II87) IV a: V(Π18)M^{P}(Π38) V b: $Ant.^{Mi}$(I13)

κτῆμα τίμιον/ἀνὴρ καθαρός]tr. M^{M}(I)

12,28 (a) ἐν ὁδοῖς δικαιοσύνης ζωή,
(b) ὁδοὶ μνησικάκων εἰς θάνατον.

I b: V^{EOVMi}(A11)H^{a}(A10)L^{c}(A8)$Ant.^{Mi}$(II56) II a: V(Δ14)R(Δ27)M^{PM}(Δ20)H^{a}(Δ14)T(Δ32)$Ant.^{Mi}$(I13) III b: Iv(26)A^{V}(98)$Ant.^{Mi}$(II54)

init.]pr. πορευομενος $Ant.^{Mi}$(II) | om. ζωή $Ant.^{Mi}$(II)

13,1b υἱὸς ἀνήκοος ἐν ἀπωλείᾳ ἔσται.

I V(Π23)R(Π46)M^{P}(Π42)$Ant.^{MiM}$(II12) II V(Y6)M^{PM} (Y13)

ἔσται]εστω M^{P}(I)

13,2 (a) ἀπὸ καρπῶν δικαιοσύνης φάγεται ἀγαθός,
(b) ψυχαὶ ἀνόμων ὀλοῦνται ἄωροι.

I a: R(K25) II b: Iv(12)Iv(68)A^{VA}(50)A^{VA}(84)

13,3 (a) ὃς φυλάσσει τὸ ἑαυτοῦ στόμα τηρεῖ τὴν ἑαυτοῦ ψυχήν,
(b) ὁ προπετὴς χείλεσιν πτοήσει ἑαυτόν.

I a: Iv(47)H^{a}(B14) II a: V(Γ14)M^{PM}(Γ14)H^{a}(Γ14) T(Γ18) III b: R(Θ2) IV b: Iv(32)A^{VA}(61)

φυλάσσει]-σση Iv(I)M^{M} | ψυχήν]+εκ θανατου I

13,4 (a) ἐν ἐπιθυμίαις ἐστὶν πᾶς ἄεργος,
(b) χεῖρες ἀνδρείων ἐν ἐπιμελείᾳ.

I b:R(Γ1)H^{b}(Γ1)T(Γ1) II a: Iv(24)R(M18)A^{VA}(96) $Ant.^{MiM}$(II46)

13,5abβ (a) λόγον ἄδικον μισεῖ δίκαιος,
(bβ) ἀσεβὴς οὐχ ἕξει παρρησίαν.

I bβ: V(A12)M^{PM}(A44)H^{a}(A11)T(A66) II a: L^{c}(A 26) III a: $Ant.^{Mi}$(II39)

om. παρρησίαν V^{W}

13,6a δικαιοσύνη φυλάττει ἀκάκους.

I V(Δ14)R(Δ27)M^{PM}(20)H^{a}(Δ14)T(Δ32)

13,7 (a) εἰσὶν οἱ πλουτίζοντες ἑαυτοὺς μηδὲν ἔχοντες,
(b) καί εἰσιν οἱ ταπεινοῦντες ἑαυτοὺς ἐν πολλῷ πλούτῳ.

I a: K(K15)V(K9)R(K6)M^{PM}(K3) II ab: V^{WE}(Y11); a: Iv(30)M^{PM}(Y16)A^{V}(101)$Ant.^{Mi}$(II74)

πλουτίζοντες]πλουτουντες R

13,8 (a) λῦτρον ἀνδρὸς ψυχῆς ὁ ἴδιος πλοῦτος,
(b) πτωχὸς οὐχ ὑφίσταται ἀπειλήν.

I a: V^{W}(A11apd.)R(A5)M^{ML}(A5)L^{a}(A6) II a: V(A 48)M(A34)H^{a}(A45)T(A56) III ab: V^{W}(Δ30)M^{PM}(Δ35) IV a: Iv(1)V(E8)R(E44)M^{PM}(E18)H^{a}(E18)T(E19)A^{A} (2)$Ant.^{MiMA}$(I27) V b: V(Π21)R(Π43)M^{P}(Π40) $Ant.^{MiA}$(I33)

ἀνδρὸς/ψυχῆς]tr. V^{EOVMi}(I,II)M^{M}(II)H^{a}(IV)T(II); om. ψυχῆς $Ant.^{M}$(IV); ανδρι V^{W}(III)M^{P}(III) | om. ὁ V^{W}(I) | πτωχός]pr. πλουσιον V^{W}(V)R(V)M^{P}(V)$Ant.^{MiA}$(V); +δε III | οὐκ]ουχ V^{WEOV}(V)R(V) $Ant.^{MiA}$(V)

13,9 (a) φῶς δικαίοις διὰ παντός,
(b) φῶς ἀσεβῶν σβέννυται.

I a: V(Δ7)V^{W}(Δ7;2° loco)R(Δ21)H^{a}(Δ7) II a: V^{EOVMi}(Δ28)M^{PM}(Δ10)H^{a}(Δ28)T(Δ22) III b: $Ant.^{Mi}$ (II94)

13,9A (a) ψυχαὶ δολίων πλανῶνται ἐν ἁμαρτίαις,
(b) δίκαιοι οἰκτείρουσιν καὶ ἐλεοῦσιν.

I b: V(E8)R(E44)M^{PM}(E18)H^{a}(E8)T(E19) II a: V(Π 18)R(Π42)M^{P}(Π42)$Ant.^{Mi}$(II86)

ψυχαί]ευχαι R(II) | δολίων]δολιαι V^{W}(II)M^{P}(II); δικαιων $Ant.^{Mi}$

13,10 (a) κακὸς μετὰ ὕβρεως πράσσει κακά,
(b) οἱ ἑαυτῶν ἐπιγνώμονες σοφοί.

I b: K(Γ1)V(Γ2)M^{P}(Γ4)H^{a}(Γ2)T(Γ8)$Ant.^{MiA}$(I59)

II a: K(Y2)V(Y1)

ὕβρεως]υβρισεως K(II) | πράσσει]πρασση V^{EOV} (II) | ἐπιγνώμονες]επιστημονες T

13,11 (a) ὕπαρξις ἐπισπουδαζομένη μετὰ ἀνομίας ἐλασσων γίνεται,
(b) ὁ συνάγων ἑαυτῷ μετ' εὐσεβείας πληθυνθήσεται·
(c) δίκαιος οἰκτείρει καὶ κιχρᾷ.

I c: V(Δ9)R(Δ43)M^{PM}(Δ30)H^{a}(Δ9)T(Δ42)$Ant.^{MiM}$(II 25) II a: R(Δ44)$Ant.^{MiM}$(II26) III a: Iv(40)V (E9)R(E45)H^{a}(E9)A^{VA}(23)$Ant.^{MiMA}$(I35) IV b: V (Φ5)M^{P}(Φ12)$Ant.^{MiM}$(II45)

ἀνομίας]αδικιας R(III) | ἐλάσσων]-ττων R(III); -σσον V^{WEOV}(III)H^{a}(III) | μετ']μετα V^{W}(IV)M^{P} (IV) | κιχρᾷ]διδωσι V^{W}(I)

13,12 (a) κρείσσων ἐναρχόμενος βοηθεῖν καρδίᾳ
(b) τοῦ ἐφελκομένου καὶ εἰς ἐλπίδα ἄγοντος·
(c) δένδρον ζωῆς ἐπιθυμία ἀγαθή.

I c: V(E20)M^{PM}(E5)H^{a}(E19)T(E5) II c: K(E10)H^{c} (E21)T(E38) III ab: K(Π10) IV ab: R(Y8)M^{PM}(Y8)

κρείσσων]-σσον M^{P}(IV) | ἐφελκομένου]επαγγελλομενου III | ἐλπίδα]-δας R(IV)M^{P}(IV)

13,13a ὃς καταφρονεῖ πράγματος, καταφρονηθήσεται ὑπ' αὐτοῦ.

I R(P1)M^{P}(P1)$Ant.^{MiM}$(II46)

13,13A (a) υἱῷ δολίῳ οὐδὲν ἔσται ἀγαθόν·
(b) οἰκέτου σοφοῦ εὔοδοι ἔσονται πράξεις,
(c) καὶ κατευθυνθήσεται ἡ ὁδὸς αὐτοῦ.

I bc: Iv(65)V(Δ20)R(Δ39)M^{PM}(Δ25)H^{a}(Δ17)T(Δ37) A^{VA}(59)$Ant.^{MiM}$(II23) II bc: H^{c}(E14)T(E30) III a: V(Π18)M^{P}(Π38) IV a: V(Y6)R(Y13)M^{PM}(Y13) V bc: $Ant.^{M}$(apd.)

υἱῷ]pr. και III | οἰκέτου σοφοῦ εὔοδοι ἔσονται] υπο τακτικου πιστου ευοδευσονται $Ant.^{M}$(apd.) | κατευθυνθήσεται ἡ ὁδός]κατευθυνθησονται η οδος V^{O}(I); κατευθυνθησονται αι (om. A^{V}) οδοι II V^{Mi}(I)$A^{VA}$$Ant.^{MiA}(I)Ant.^{M}$(apd.)

13,14b ἄνους ὑπὸ παγίδος θανεῖται.

I V^{OVMi}(A24)R(A63)M^{PM}(A52)H^{a}(A22)T(A74)

13,15c ὁδοὶ καταφρονούντων ἐν ἀπωλείᾳ.

I Iv(24)V^{EOVMi}(M6)R(M18)R(P1)A^{V}(96)$Ant.^{MiM}$(II 46)

καταφρονούντων]-ντος V^{EOVMi}

13,16 (a) πᾶς πανοῦργος πράσσει μετὰ γνώσεως,
(b) ὁ ἄφρων ἐξεπέτασεν ἑαυτοῦ κακίαν.

I b: V^{OVMi}(A24)R(A63)M^{PM}(A52)H^{a}(A22)T(A74) II a: R(B13)$Ant.^{MiM}$(I10)

om. ὁ R(I) | κακίαν]μωριαν R(I)

13,17a βασιλεὺς θρασὺς ἐμπεσεῖται εἰς κακά.

I Iv(16)V(B10)R(B3)M^{PM}(B13)H^{a}(B10)A^{VA}(31) $Ant.^{MiM}$(II2) II R(Θ2)M^{M}(Θ15)

βασιλεὺς θρασύς]β. θαρσυς Iv;θρασυκαρδιος R(II)

13,18 (a) πενίαν καὶ ἀτιμίαν ἀφαιρεῖται παιδεία,
(b) ὁ φυλάττων ἐλέγχους δοξασθήσεται.

I b: Iv(59)V(Σ5)M^{P}(Σ19)A^{VA}(19)A^{VA}(79) II a: A^{VA}(17)

13,19 (a) ἐπιθυμίαι εὐσεβῶν ἡδύνουσιν ψυχάς,
(b) ἔργα ἀσεβῶν μακρὰν ἀπὸ γνώσεως.

I b: V(A12)M^{PM}(A44)H^{a}(A11)T(A66) II a: H^{c}(E21) T(E38) III a: Ant.^{MiA}(I1)

13,20 (a) συμπορευόμενος σοφοῖς σοφὸς ἔσῃ,
(b) ὁ συμπεριφερόμενος ἄφροσι γνωσθήσεται.

I a: Iv(13)V(Σ16)M^{P}(Σ27)A^{VA}(86)Ant.^{MiLM}(II35) II b: A^{VA}(17) III b: Iv(14)A^{VA}(87)Ant.^{MiM}(II36)

συμπορευόμενος]pr. ο Ant.^{MiLM}(I) | ἔσῃ]εσται V^{Mi}Ant.^{MiM}(I); εστιν Ant.^{L}(I)

13,21 (a) ἁμαρτάνοντας καταδιώξεται κακά,
(b) τοὺς δικαίους καταλήψεται ἀγαθά.

I a: V(A12)M^{PM}(A44)H^{a}(A11)T(A66) II b: Iv(67)R (A72)A^{VA}(83)Ant.^{Mi}(II93)

καταλήψεται]καληψεται Iv

13,22 (a) ἀγαθὸς ἀνὴρ κληρονομήσει υἱοὺς υἱῶν,
(b) θησαυρίζεται δικαίοις πλοῦτος ἀσεβῶν.

I b: Iv(11)V(Δ16)M^{PM}(Δ21)H^{a}(Δ16)T(Δ33)A^{VA}(16) II b: V(K1)R(K23)M^{PM}(K9) III a: R(K25)Ant.^{Mi} (II31)

θησαυρίζεται]+δε V^{E}(I) | πλοῦτος]πλουτον V^{WEMi} (II) | ἀσεβῶν]ευσεβων Iv

13,23 (a) δίκαιοι ποιοῦσιν ἐν πλούτῳ ἔτη πολλά.
(b) ἄδικοι ἀπολοῦνται συντόμως.

I b: V(A12)M^{P}(A44)H^{a}(A11)T(A66) II a: V(Δ28)V^{W} (Δ7; 2° loco)R(Δ21)M^{PM}(Δ10)H^{a}(Δ28)T(Δ22) III b: Ant.^{MiMA}(I31)

συντόμως]συντομος V^{W}(I)

13,24 (a) ὃς φείδεται τῆς βακτηρίας, μισεῖ τὸν υἱὸν αὐτοῦ.
(b) ὁ δὲ ἀγαπῶν ἐπιμελῶς παιδεύει.

I ab: V(Π24)M^{P}(Π43)Ant.^{M}(apd.); a: R(Γ13)H^{a}(Γ 17)Ant.^{MiLM}(II10); b: R(Γ12)Ant.^{Mi}(II9)

βακτηρίας]pr. εαυτου H^{a}Ant.^{MiLM}(II10)Ant.^{M} (apd.); +αυτου V^{W}R(Γ13) | υἱὸν αὐτοῦ]εαυτου υιον Ant.^{L}| om.δέ R(Γ12)Ant.^{Mi}(II9)Ant.^{M}(apd.)

14,1 σοφαὶ γυναῖκες ᾠκοδόμησαν οἴκους,
ἡ δὲ ἄφρων κατέστρεψεν ταῖς χερσὶν αὐτῆς.

I Iv(53)V^{WOVMi}(Γ11)R(Γ17)M^{PM}(Γ11)H^{a}(Γ11)T(Γ13) A^{VA}(54)Ant.^{MiM}(II33)

ἡ δὲ ἄφρων κατέστρεψεν]η δε α. κατεσκαψε R Ant.^{MiM}; αι δε αφρονες κατεστρεψαν Iv; αι δε αφρονες κατεσκαψαν A^{VA} | om. ταῖς Iv | αὐτῆς] αυταις Iv; αυτων A^{VA}

14,2 (a) ὁ πορευόμενος ὀρθῶς φοβεῖται τὸν κύριον,
(b) ὁ σκολιάζων τὰς ὁδοὺς αὐτοῦ ἀτιμασθήσεται.

I a: V^{WOVMi}(A25)M^{PM}(A53)H^{a}(A23)T(A75)Ant.^{Mi}(II 85) II a: Iv(11)V(Δ16)M^{PM}(Δ21)H^{a}(Δ16)T(Δ33)A^{VA} (16) III b: K(O3)V(O4)L^{c}(O1) IV b: V^{W}(Π18)M^{P} (Π38) V b: Iv(34)A(40)

om. ὁ 1° Ant.^{Mi} | φοβεῖται]φοβηται V^{OV}(I) | τὰς ὁδούς]ταις οδοις M^{P}(IV) | ἀτιμασθήσεται] μισηθησεται A(V)

14,3a ἐκ στόματος ἄφρονος ἐξελεύσεται βακτηρία ὕβρεως.

I M^{ML}(A14)H^{a}(A51)L^{a}(A26) II V^{WOVMi}(A24)R(A63) M^{PM}(A52)H^{a}(A22)T(A74) III R(Y6)M^{PM}(Y6) IV A(41)

om. ἐξελεύσεται III V^{OVMi}R(II)M^{P}(II)H^{a}(II)

14,5a μάρτυς πιστὸς οὐ ψεύδεται.

I R(A61)Ant.^{MiA}(I21)

14,6b αἴσθησις φρονίμοις εὐχερής.

I H^{a}(A54)A^{VA}(17)Ant.^{Mi}(II47)

14,7 (a) πάντα ἐναντία ἀνδρὶ ἄφρονι,
(b) ὅπλα αἰσθήσεως χείλη σοφά.

I a: R(A63) II a: H^{c}(E15)T(E31) III b: A^{VA}(17)

14,10a καρδία αἰσθητικὴ ἀνδρός, λυπηρὰ ψυχὴ αὐτοῦ.

I H^{a}(A54)Ant.^{Mi}(II47)

14,11a οἶκοι ἀσεβῶν ἀφανισθήσονται.

I Iv(68)V(A12)R(Π26)M^{PM}(A44)H^{a}(A11)T(A66)A^{V}(84)

Ant.^{Mi}(II94)
οἶκοι]οικιαι V^{EOVMi}H^{a}; om. V^{W}(ex homoiot. cum praec. 3,33a)

14,12 ἔστιν ὁδὸς ἣ δοκεῖ ὀρθὴ εἶναι παρὰ ἀνθρώποις,
τὰ δὲ τελευτεῖα αὐτῆς ἔρχεται εἰς πυθμένα ᾄδου.

I K(O3)V^{WOVMi}(O4)M^{P}(O3)L^{C}(O1) II Ant.^{MiA}(I69)

ὀρθὴ εἶναι/παρὰ ἀνθρώποις]tr. Ant.^{Mi}; παρα α. ειναι ορθη Ant.^{A}; om. εἶναι K; om. παρά R;+ορθη L^{C} | τελευτεῖα]εσχατα R | ἔρχεται]καταντα R

14,13a ἐν εὐφροσύνῃ οὐ προσμίγνυται λύπη.

K(X1)

14,14b ἀπὸ τῶν διανοημάτων αὐτοῦ πλησθήσεται ἀνὴρ ἀγαθός.

I V(K12)R(K15)M^{PM}(K11)A^{V}(94)Ant.^{Mi}(II87) II Ant.^{MiA}(I64)

om. αὐτοῦ M^{M} | ἀγαθός]αγαθων II A^{V}; συνετος V^{OVMi}M^{M}; συνετως V^{E}

14,15a ἄκακος πιστεύει παντὶ λόγῳ.

I Iv(33)V^{WOVMi}(A25)R(A65)M^{PM}(A53)H^{a}(A23)T(A75) A(40)A^{V}(62)Ant.^{MiM}(II85)

14,16 (a) σοφὸς φοβηθεὶς ἐξέκλινεν ἀπὸ κακοῦ,
(b) ὁ δὲ ἄφρων ἑαυτῷ πεποιθὼς μίγνυται ἀνόμῳ.

I ab: R(Θ2) II ab: R(K22); a: K(K4) III b: V(Π38)M^{P}(Π48) IV b: Ant.^{MiM}(II36)

om. ὁ IV | om. δέ III IV | ἑαυτῷ]εν αυτω I

14,17 (a) ὀξύθυμος πράσσει μετὰ ἀβουλίας,
(b) ἀνὴρ φρόνιμος πολλὰ ὑποφέρει.

I a: R(B14)Ant.^{Mi}(I11) II a: Iv(32)V(Π15)M^{P}(Π37)A^{VA}(24)A^{VA}(61)Ant.^{MiM}(II72) III b: Iv(43)V(Y12)R(Y17)M^{PM}(Y17)A^{VA}(68)Ant.^{MiL}(II89)

μετά]μετ V^{Mi}(II)Ant.$^{Mi(non Ge)}$(I)

14,18a μεριοῦνται ἄφρονες κακίαν.

I R(Δ5)H^{C}(Δ3)

14,19b φίλοι εὐσεβεῖς θεραπεύουσιν θύρας δικαίων.

I Iv(51)V(Φ7)R(Φ15)M^{PM}(Φ13)A^{V}(74)

εὐσεβεῖς]παρ ασεβεις V^{V}; ασεβεις V^{OMi} | om. θύρας δικαίων (-μισήσουσιν (v.20))IvV^{WEOV}$_{RM}$^{PM} A^{V}: homoiot.

14,20a φίλοι ἀσεβεῖς μισήσουσιν φίλους πτωχούς.

I Iv(51)V(Φ7)R(Φ15)M^{PM}(Φ13)A^{V}(74) II Iv(52)V (Φ8)R(Φ16)M^{PM}(Φ14)A^{V}(75)

om. φίλοι ἀσεβεῖς I(sine V^{Mi}):homoiot.; om. ἀσεβεῖς V^{Mi} | μισήσουσιν]μισουσι Iv(II)V^{Mi}(II) R(II)

14,21 (a) ὁ ἀτιμάζων πένητα ἁμαρτάνει,
(b) ὁ ἐλεῶν πτωχοὺς μακαριστός.

I b: V^{EOVMi}(A31)M(A33)H^{a}(A29)T(A55)L^{c}(A7) II b: V(E8)R(E44)M^{PM}(E18)H^{a}(E8)T(E19) III a: V(Π 21)R(Π43)M^{P}(Π40)Ant.^{MiA}(I33)

πτωχοὺς]πτωχον V^{WEVMi}(II)M^{PM}(II)H^{a}(II); πτωχων V^{O}(II)T(II)

14,22a-c (a) πλανώμενοι τεκταίνουσι κακά,
(b) ἔλεον καὶ ἀλήθειαν τεκταίνουσιν ἀγαθοί·
(c) οὐκ ἐπίστανται ἔλεον καὶ κρίσιν τέκτονες κακῶν.

I b: V^{W}(A12apd.)R(A5)M^{ML}(A5)H^{c}(A3)T(A5)L^{a}(A6) II b: V^{OVMi}(A19)R(A61)M^{PM}(A49)H^{a}(A17)T(A71)L^{c} (A36) III a: R(P2) IV c:Ant.^{MiM}(II32)

ἔλεον]ελαιον M^{P}(II)T(II)

14,23a ἐν παντὶ μεριμνῶντι ἔνεστιν περισσόν.

I K(Γ4)H^{b}(Γ1)T(Γ1) II Ant.^{Mi}(II45)

14,25a ῥύεται ἐκ κακῶν μάρτυς πιστός.

I V^{OVMi}(A19)R(A61)M^{PM}(A49)H^{a}(A17)T(A71)L^{c}(A36) Ant.^{MiA}(I21)

ῥύεται]θυεται M^{M} | om. ἐκ M^{M}

14,26a ἐν φόβῳ κυρίου ἐλπὶς ἰσχύος.

I V^{EOVMi}(A4)R(A49)M(A39)T(A61)L^{c}(A6)

14,27 (a) φόβος κυρίου πηγὴ ζωῆς,
(b) ποιεῖ δὲ ἐκκλίνειν ἐκ παγίδος θανάτου.

I ab: V(A4)R(A49)M(A39)T(A61)L^{c}(A6)A^{VA}(12) $Ant.^{Mi}$(I3) II a: V(E1)M^{PM}(E1)H^{a}(E1)T(E1) III ab: $Ant.^{MiA}$(I66)

φόβος]προσταγμα II | ἐκ]απο A^{VA}

14,28 ἐν πολλῷ ἔθνει δόξα βασιλέως,
ἐν δὲ ἐκλείψει λαοῦ συντριβὴ δυναστῶν.

I V(B9)R(B2)M^{PM}(B19)H^{a}(B3)T(B2)$Ant.^{Mi}$(II1)

ἐκλείψει]-λιψει $V^{W}M^{M}$; -ληψει $V^{EOV*}M^{P}$T | δυναστῶν]-στου M^{M}T$Ant.^{Mi}$

14,29 (a) μακρόθυμος ἀνὴρ πολὺς ἐν φρονήσει,
(b) ὁ δὲ ὀλιγόψυχος ἰσχυρὸς ἄφρων.

I a: T(A70) II ab: Iv(43)R(K3)A^{VA}(25)A^{V}(68) $Ant.^{MiM}$(89); a: V(Y12)M^{PM}(Y17) III b: Iv(44)V (Y13)R(Y18)M^{PM}(Y18)$Ant.^{MiM}$(II90)

om. ὁ III(sine Iv) | om. δέ III | ἰσχυρός]-ρως V^{Mi}(III)$Ant.^{Ge^{mg}}$(II)

14,30 (a) πραΰθυμος ἀνὴρ καρδίας ἰατρός,
(b) σὴς ὀστέων καρδία αἰσθητική.

I b: H^{a}(A54)A^{VA}(17)$Ant.^{Mi}$(II47) II a: Iv(31)V (Π13)R(Π40)M^{P}(Π36)A^{A}(24)A^{V}(85)$Ant.^{Mi}$(II94) III b: V(Φ3)M^{PM}(Φ11) IV a: $Ant.^{MiM}$(I56)

καρδίας]ταχυς $Ant.^{Mi}$(II)

14,31a ὁ συκοφαντῶν πένητα παροξύνει τὸν ποιήσαντα αὐτόν.

I V(Π21)M^{P}(Π40)$Ant.^{MiA}$(I33)

14,32b ὁ πεποιθὼς ἐπὶ κύριον τῇ ἑαυτοῦ ὁσιότητι δίκαιος.

I $Ant.^{MiA}$(I5)

14,33 (a) ἐν καρδίᾳ ἀγαθῇ ἀνδρὸς ἀναπαύεται σοφία,
(b) ἐν δὲ καρδίᾳ ἀφρόνων οὐ διαγινώσκεται.

I a: K(K1) II ab: $Ant.^{Mi}$(II88)

om. ἀνδρὸς II | ἀναπαύεται]-σεται II

14,34 (a) δικαιοσύνη ὑψοῖ ἔθνος,
(b) ἐλασσονοῦσι φυλὰς ἁμαρτίαι.

I b: Iv(4)V^{EOVMi}(A12)H^{a}(A11)T(A66)A^{VA}(7) II b: R(A21)H^{c}(A18)T(A21)L^{a}(A22)L^{c}(A38) III ab: Ant.^{Mi}(I13); a: Iv(3)V(Δ14)R(Δ27)M^{PM}(Δ20)H^{a}(Δ 11)T(Δ32)A^{VA}(4)

ἔθνος]εθνους V^{V}(III) | ἐλασσονοῦσι]ελασσουσι Ant.^{Mi}(III); πλασσονουσι L^{a}; +δε III

14,35a δεκτὸς βασιλεῖ ὑπερήτης νοήμων.

I R(B2)Ant.^{MiM}(II1)

15,1 (a) ὀργὴ ἀπόλλυσιν καὶ φρονίμους,
(b) ἀπόκρισις ὑποπίπτουσα ἀποστρέφει θυμόν,
(c) λόγος λυπηρὸς ἐγείρει ὀργάς.

I b: H^{c}(A21)T(A24) II c: Iv(50)V(Γ15)M^{PM}(Γ15)H^{a}(Γ15)T(Γ19)A^{V}(73)Ant.^{MA}(I76, 1° loco)Ant.^{M}(I76, 2° loco) III b: R(K11) IV c: K(Λ1)R(Λ2)L^{c}(A26) V a: Iv(32)V(Π15)M^{P}(Π37)A^{VA}(24)A^{VA}(61) VI b: R(Π40)Ant.^{MiM}(II84) VII b: Ant.^{Mi}(I26) VIII b: Iv(49)A^{V}(72)Ant.^{MiMA}(I75) IX c: Ant.^{MiM}(II68)

ἀπόκρισις]υποκρ. Ant.^{Ge}(VIII) | ὑποπίπτουσα] αποπιπτ. R(VI)H^{c}; υποκυπτουσα VII | ἐγείρει] -ρη M^{M}(II) | ὀργάς]οργην K

15,2 (a) γλῶσσα φρονίμων καλὰ ἐπίσταται,
(b) στόμα ἀφρόνων ἀναγγελεῖ κακά.

I b: V^{WOVMi}(A24)R(A63)M^{PM}(A52)H^{a}(A22)T(A74) II ab: Ant.^{MA}(I76); b: Iv(50)V(Γ15)M^{PM}(Γ15)H^{a}(Γ15) T(Γ19)A^{V}(73)

στόμα]+δε Ant.^{MA} | ἀναγγελεῖ]αναγγελλει M^{M}(II) Ant.^{M}

15,3 ἐν παντὶ τόπῳ οἱ ὀφθαλμοὶ κυρίου·
σκοπεύουσιν κακούς τε καὶ ἀγαθούς.

I C(A3)V(A2)R(A47)M(A37)T(A59)

om. οἱ $V^{OVMi}M^{M}$ | σκοπεύουσιν]σκοπουσιν C | κακούς/... ἀγαθούς]tr. M^{M}

15,4 ἴασις γλώσσης δένδρον ζωῆς,
ὁ δὲ συντηρῶν πλησθήσεται πνεύματος.
V(Γ14)R(Φ8)M^{PM}(Γ14)H^{a}(Γ14)T(Γ18)
συντηρῶν]+αυτην RT

15,6a.cd (a) ἐν πλεοναζούσῃ δικαιοσύνῃ ἰσχὺς πολλή,
(c) οἶκος δικαίων ἰσχὺς πολλή,
(d) καρποὶ ἀσεβῶν ἀπώλεια.
I d: V^{WOVMi}(A12)M^{PM}(A44)H^{a}(A11)T(A66)$Ant.^{MiM}$(I2) II c: V(Δ7)H^{a}(Δ7) III a: V(Δ14)R(Δ27)M^{PM}(Δ20)H^{a}(Δ14)T(Δ32) IV c: V^{EOVMi}(Δ28)R(Δ21)M^{PM}(Δ10)H^{a}(Δ28)T(Δ22)
πλεοναζούσῃ]-ζουσι R(IV) |καρποί]καρπος V^{W}(I); καρπους V^{Mi}(I) | om. ἀσεβῶν ἀπώλεια V^{OVMi}(I): homoiot. ἀσεβῶν v.6⁀ἀσεβῶν 10,3 seq.

15,8 (a) θυσίαι ἀσεβῶν βδέλυγμα κυρίῳ,
(b) εὐχαὶ κατευθυνόντων δεκταὶ παρὰ θεῷ.
I a: V(A12)M^{PM}(A44)H^{a}(A11)T(A66) II a: R(Δ27)H^{c}(A24)T(A27)L^{a}(A28) III b:V^{EOVMi}(Δ7)R(Δ23)M^{PM}(Δ11)H^{a}(Δ7)H^{c}(Δ19)T(Δ23) IV ab: $Ant.^{MiMA}$(I46)
θυσίαι]θυσια V(I)H^{a}(I) | εὐχαί]ευχη V^{EOVMi}(III)M^{P}(III)H^{a}(III); προσευχαι δε IV | δεκταί] δεκτη V^{EOVMi}(III)M^{P}(III)H^{a}(III) | παρὰ θεῷ]παρ αυτω IV; ενωπιον αυτων R(III)

15,9 (a) βδέλυγμα κυρίῳ ὁδοὶ ἀσεβοῦς,
(b) διώκοντας δικαιοσύνην ἀγαπᾷ ὁ θεός.
I a: V(A12)M(A44)H^{a}(A11)T(A66) II b: V(Δ14)R(Δ27)M^{PM}(Δ20)H^{a}(Δ14)T(32)A^{VA}(4)
ἀσεβοῦς]-βων M^{P}(I)H^{a}(I); -βης M^{M}(I) | om. ἀγαπᾷ ὁ θεός M^{M}(II)

15,10b οἱ μισοῦντες ἐλέγχους τελευτήσουσιν αἰσχρῶς.
I Iv(60)V(Σ6)M^{P}(Σ20)A^{VA}(19)A^{VA}(90)$Ant.^{MiM}$(II60)$Ant.^{M}$(apd.)

τελευτήσουσιν]τελευτωσιν IvA^{VA}(19)A^{VA}(90)

15,11 ᾅδης καὶ ἀπώλεια φανερὰ παρὰ κυρίῳ,
πῶς οὐχὶ καὶ αἱ καρδίαι τῶν ἀνθρώπων;

I C(A3)V(A2)R(A47)M(A37)T(A59)

ἀπώλεια]-λειαν V^{O}

15,12a οὐκ ἀγαπήσει ἀπαίδευτος τοὺς ἐλέγχοντας αὐτόν.

I R(M3) II Iv(60)V(Σ6)R(Σ13)M^{P}(Σ20)A^{VA}(80) Ant.^{MiM}(II60)

ἀγαπήσει]αγαπα I

15,13 (a) καρδίας εὐφραινομένης πρόσωπον θάλλει,
(b) ἐν δὲ λύπαις οὔσης σκυθρωπάζει.

I ab: R(Δ14)H^{c}(Δ11)T(Δ15) II ab: M^{M}(X1); a: V^{W}(X3)R(X3)M^{P}(X1)

οὔσης]ουσαις M^{M}

15,15 (a) πάντα τὸν χρόνον οἱ ὀφθαλμοὶ τῶν κακῶν
προσδέχονται κακά,
(b) ἀγαθοὶ ἡσυχάζουσιν διὰ παντός.

I b: Iv(37)V(A37)R(A69(1°))M^{PM}(A66)H^{a}(A34)T(A 98)Ant.^{MiM}(II76) II a: R(K9) III a: V(Φ3)M^{PM}(Φ11) IV a: V(X2)M^{P}(X5)Ant.^{Mi}(II40)

κακῶν]ανθρωπων III | κακά]pr. τα V^{EOMi}(III) V^{EOV}(IV) | ἀγαθοί]-θον V^{EOV*}(I)H^{a}(I)

15,16 κρεῖσσον μικρὰ μερὶς μετὰ φόβου κυρίου
ἢ μεγάλοι θησαυροὶ μετὰ ἀσεβείας.

I Ant.^{MiA}(I36)

15,17 κρεῖσσον ξενισμὸς μετὰ λαχάνων πρὸς φιλίαν καὶ
χάριν
ἢ παράθεσις μόσχων μετὰ ἔχθρας.

I Iv(39)V^{WOVMi}(A26)R(O10)M^{PM}(A54)H^{a}(A24)L^{c}(A 34)T(A76)A^{VA}(66)Ant.^{MiMA}(I30) II R(A60)Ant.^{MiM}(I26)

κρεῖσσον]κρεισσων V^{Mi}(I)R(I,II)A^{V} | om. μετά Ant.^{M}(I) | καὶ χάριν]om. Ant.^{Mi}(I); om. καί Ant.$^{Mi(non Ge)}$(II); και χαραν T | μόσχων]μοχθων V^{Mi}

15,18 (a) ἀνὴρ θυμώδης παρασκευάζει μάχας,
(b) μακρόθυμος δὲ καὶ τὴν μέλλουσαν καταπραΰνει.

I a: Iv(10)V^{EOVMi}(M7)A^{VA}(15)$Ant.^{Mi}$(II68) II ab: $Ant.^{MiM}$(II53); a: V(Π15)R(Π41)M^{P}(II37)

παρασκευάζει]-ζη V^{V}(II)

15,18A (a) μακρόθυμος ἀνὴρ κατασβέσει κρίσεις,
(b) ὁ δὲ ἀσεβὴς ἐγερεῖ μᾶλλον.

I ab: Iv(9)V^{OVMi}(A18)R(A60)M^{M}(A48)H^{a}(A16)T(A70)A^{VA}(12) II ab: R(Y17)$Ant.^{MiM}$(II99);a: Iv(43)V(Y12)M^{PM}(Y17)A^{VA}(43)

μακρόθυμος ἀνὴρ]om. T: homoiot. cum praec. 14,29; om. ἀνὴρ V(II)M^{PM}(II) | κατασβέσει]κατασκευαζει Iv(I,II) | κρίσεις]κρισιν M^{P}(II) | ἀσεβὴς]-βεις V^{OV}(I)M^{M}(I)A^{VA}(I) | ἐγερεῖ]εγειρει $Ant.^{Mi}$; εγειρη $Ant.^{M}$

15,19a ὁδοὶ ἀεργῶν ἐστρωμέναι ἀκάνθαις.

I Iv(24)R(M18)A^{VA}(96)$Ant.^{Mi}$(II46)

15,20b υἱὸς ἄφρων μυκτηρίζει μητέρα αὐτοῦ.

I V(Y6)R(Y13)M^{PM}(Y13)$Ant.^{Mi}$(II14)

μυκτηρίζει]-ζη V^{V} | μητέρα]πατερα $RAnt.^{Mi}$

15,21b ἀνὴρ φρόνιμος κατευθύνων πορεύεται.

I $Ant.^{MiM}$(I8)

15,22 ὑπερτίθενται λογισμοὺς οἱ μὴ τιμῶντες συνέδρια,
ἐν δὲ καρδίαις βουλομένων μένει βουλή.

I K(Σ12)V(Σ13)M^{P}(Σ8)

καρδίαις]καρδια KM^{P} | μένει]μενη V^{V}

15,23 οὐ μὴ ὑπακούσῃ ὁ κακὸς αὐτῇ,
οὐδ' οὐ μὴ εἴπῃ καίριόν τι καὶ καλὸν τῷ κοινῷ.

I K(Σ12)V(Σ13)M^{P}(Σ8)

ὑπακούσῃ]-σει K | οὐδ' οὐ]ουδε M^{P} | καί]η K | τῷ κοινῷ]το κοινον M^{P}; τω καιρω V^{VMi}

15,24a ὁδοὶ ζωῆς διανοήματα συνετοῦ.

I V(K12)R(K15)M^{PM}(K11)Ant.^{MiM}(II87) II R(Λ2) III Ant.^{MiM}(I64)

συνετοῦ]-των M^{M}; σοφου Ant.^{MiM}(I)

15,25a ὑβριστῶν οἴκους κατασπᾷ κύριος.

I K(Y2)V(Y1)

ὑβριστῶν/οἴκους]tr.KV^{W}

15,26 (a) βδέλυγμα κυρίῳ λογισμὸς ἄδικος,
(b) ἁγνῶν ῥήσεις σεμναί.

I a: R(K16)Ant.^{Mi}(II88) II b: R(Λ2) III a: V(M2)M^{PM}(M5) IV a: A^{VA}(94)

15,27 (15,27; 16,6ab)
(a) ἐξόλλυσιν ἑαυτὸν ὁ δωρολήπτης,
(b) ὁ δὲ μισῶν δώρων λήψεις σῴζεται·
(c) ἐλεημοσύναις καὶ πίστεσιν ἀποκαθαίρονται ἁμαρτίαι,
(d) τῷ φόβῳ κυρίου ἐκκλίνει ἀπὸ παντὸς κακοῦ.

I d: V^{EOVMi}(A4)R(A49)M(A39)T(A61)L^{C}(A6)A^{VA}(12) II c: V(A48)M(A34)H^{a}(A45)Ant.^{MiA}(I27) III b: V(Δ18)R(Δ35)M^{PM}(Δ23)H^{a}(Δ18)T(Δ35) IV ab:Ant.^{MiL}(II8);a: V(Δ19)R(Δ36)M^{PM}(Δ24)H^{a}(Δ19)T(Δ36)A^{VA}(93) V c: Iv(1)V(E8)M^{PM}(E18)H^{a}(E8)T(E19)A^{A}(2) VI d: R(K22)

ἑαυτόν]εαυτων V^{OV}(IV) | om. ὁ 1° V^{W}(IV) | δωρολήπτης]-πτος R(IV) | om. δέ III | δώρων λήψεις]δ. ληψης M^{M}(II); δωρον λ. V^{OV}(III); δωροληψεις R(III)M^{P}(III)T(III) | σῴζεται]ζησεται Ant.^{MiL}(IV) | ἐλεημοσύναις]-ναι IvV^{EOV}(V); -νη V^{Mi}(V) | πίστεσιν]πιστει Ant.^{Mi}(II); πιστις Iv | ἀποκαθαίρονται]-καθαιρουσιν Iv | ἁμαρτίαι]-τιας Iv | τῷ φόβῳ]om. τῷ I; φοβος V^{V}(I) | ἐκκλίνει]-νη A^{V}(I) | ἀπὸ παντὸς κακοῦ]πας απο κακου VI M^{M}(I)A^{VA}(I); πας απο κακων V^{Mi}(I)R(I)M^{L}(I)L^{C}

15,28b-d (16,6d.7ab)
(b) στόμα ἀσεβῶν ἀποκρίνεται κακά·
(c) δεκταὶ παρὰ κυρίου ὁδοὶ ἀνδρῶν δικαίων,

(d) διὰ δὲ αὐτῶν καὶ οἱ ἔχθροι φίλοι γίνονται.

I cd: R(A18)H^{c}(A16)T(A18)L^{a}(A19)L^{c}(A9); d: Iv (9) II b: H^{c}(A22)T(A25) III cd: H^{c}(E14)T(E30) IV cd: Iv(11)R(K25)A^{VA}(16)Ant.^{Mi}(II31) V d: A^{VA}(12)

δεκταί]δεκτοι Iv(IV)R(IV)A^{VA}(IV) | κυρίῳ]κυριου R(I)L^{a}Ant.^{Mi}(IV) | ἀνδρῶν]ανθρωπων IV | διὰ δὲ αὐτῶν]δια γαρ αυτων R(I)L^{a}; δια δε αυτους H^{c}(I)T(I)L^{a}; δια δικαιων Iv(I)A^{VA}(V) | om. οἱ R(I,IV)H^{c}(I)T(I)L^{a} | γίνονται]-νωνται H^{c}(III)

15,29 (16,7cd.8)
(a) μακρὰν ἀπέχει ἀπὸ ἁμαρτωλῶν ὁ θεός,
(b) εὐχαῖς δὲ δικαίων ὑπακούει·
(c) κρεῖσσον ὀλίγη λῆψις μετὰ δικαιοσύνης
(d) ἢ πολλὰ γενήματα μετὰ ἀδικίας.

I a: K(A10)V(A12)M^{PM}(A44)H^{a}(A11)T(A66) II cd: V^{WOVMi}(A26)R(O10)M^{PM}(A54)H^{a}(A24)T(A76)L^{c}(A34) A^{VA}(22)A^{V}(66)Ant.^{MiMA}(I30) III b: R(Δ22)H^{c}(Δ 19)T(Δ23) IV ab: Ant.^{MiMA}(I46)

ἀπὸ ἁμαρτωλῶμ/ὁ θεός]tr. K; ο θεος απο ασεβων IV | εὐχαῖς]ευχης III | om. δέ III | ὑπακούει] επακουσει(-κουει R) κυριος III|κρεῖσσον]κρεισσων V^{Mi}(II)R(II)Ant.^{MiA}(II) | ὀλίγη]ολιγων V^{Mi} (II); ολιγον V^{OV}(II) | γενήματα]γενν. V^{Mi}(II) M^{PM}(II)H^{a}(II)T(II)A^{VA}(22)A^{V}(66) | om. μετά 2° M^{P}(II)T(II)

15,31 (= Vulgata)
οὖς ἀκούων ἐλέγχους ζωῆς,
ἐν μέσῳ σοφῶν αὐλισθήσεται.

I Iv(59)V(Σ5)R(Σ12)M^{P}(Σ19)A^{VA}(19)A^{VA}(79)

οὖς ἀκούων]ους ακουον V^{Mi}R; ο εισακουων A^{VA} (19) | αὐλισθήσεται]αλισθ. V^{Mi}

16,1(9)
καρδία ἀνδρὸς λογιζέσθω δίκαια,
ἵνα ἀπὸ τοῦ θεοῦ διορθωθῇ τὰ διαβήματα αὐτοῦ.

I V(K12)R(K15)M^{PM}(K11)Ant.^{Mi}(II87)

ἀπό]υπο M^{M}

16,2 (15,30)

(a) θεωρῶν ὀφθαλμὸς καλὰ εὐφραίνει καρδίαν,
(b) φήμη ἀγαθὴ πιαίνει ὀστᾶ.

I b: R(A19)H^{C}(A17)T(A19) II a: K(O8)V(O8)R(O15)M^{P}(O12)L^{C}(O17) III b: K(Φ4)V^{EOVMi}(Φ4)R(Φ7)M^{PM}(Φ7)

πιαίνει]-νη V^{EOV}(III)

16,3 (15,32)

(a) ὃς ἀπωθεῖται παιδείαν, μισεῖ ἑαυτόν,
(b) ὁ τηρῶν ἐλέγχους ἀγαπᾷ τὴν ψυχὴν αὑτοῦ.

I a: R(A63) II a: M^{M}(M12) III ab: $Ant.^{M}$(II59); b: Iv(59)V(Σ5)M^{P}(Σ19)A^{VA}(19)A^{V}(79)

τηρῶν]pr. δε $Ant.^{M}$ | om. τὴν $V^{EOV}M^{P}$(III)

16,4a.c (15,33a.c)

(a) φόβος κυρίου σοφία καὶ παιδεία,
(c) προσπορεύεται ταπεινοῖς δόξα.

I a: R(A49)$Ant.^{MiM}$(I3) II c: V(Π21)R(Π43)M^{P}(Π40)

σοφία/... παιδεία]tr. R(I) | προσπορεύεται]προπορευεται V^{EOVMi}

16,5a

πάντα τὰ ἔργα τοῦ ταπεινοῦ φανηρὰ παρὰ τῷ θεῷ.

I V(Π21)R(Π43)M^{P}(Π40)$Ant.^{MiA}$(I33)

ταπεινοῦ]πτωχου $RAnt.^{MiA}$ | om. τῷ $RM^{P}Ant.^{A}$

16,6(5)a

ἀκάθαρτος παρὰ κυρίῳ πᾶς ὑψηλοκάρδιος.

I H^{C}(A24)T(A27) II V^{W}(Δ28)M^{PM}(Δ32)H^{C}(Δ4)A^{VA}(26) III V(M2)M^{PM}(M5) IV Iv(30)V^{WE}(Y11)R(Y16)M^{PM}(Y16)A^{VA}(101)$Ant.^{Mi}$(II74)

ἀκάθαρτος]βδελυγμα I | παρὰ κυρίῳ]παρα κυριου M^{M}(II,IV); παρα θεω V^{W}(II,IV)R(IV)M^{P}(III,IV); om. παρά I

16,7

(a) ἀρχὴ ὁδοῦ ἀγαθῆς ποιεῖν δίκαια,
(b) δεκτὰ δὲ παρὰ θεῷ μᾶλλον ἢ θυσιῶν αἷμα.

I a: Iv(3)V(Δ14)R(Δ27)M^{PM}(Δ20)H^{a}(Δ14)T(Δ32)A^{VA}(4) II ab: K(O3)V(O4)M^{P}(O3)L^{C}(O1)

ἀρχὴ]αρχης Iv; αρχηι A^{V} | ποιεῖν]pr. το $KIvA^{VA}$| δίκαια]pr. τα KIvV(II)A^{VA} | δεκτὰ]δεκται V^{OV}(II)M^{P}(II); δεκτη L^{C} | om. δέ K

16,8 (a) ὁ ζητῶν τὸν κύριον εὑρήσει γνῶσιν μετὰ δι-
καιοσύνης,
(b) οἱ δὲ ὀρθῶς ζητοῦντες αὐτὸν εὑρήσουσιν εἰ-
ρήνην.

I ab: C(Z1)V(Z1)R(Z1)M^{PM}(Z1)T(Z1) II a: A^{A}(1)

αὐτόν]αυτων T

16,9(4) (a) πάντα τὰ ἔργα κυρίου μετὰ δικαιοσύνης,
(b) φυλάσσεται ὁ ἀσεβὴς εἰς ἡμέραν κακήν.

I b: V(A12)M^{PM}(A44)H^{a}(A11)T(A66)$Ant.^{MiM}$(I2) II a: C(K1)V(K11)R(K24)M^{PM}(K10)

om. ὁ V^{W}(I)M^{M}(I)T | κακήν]κακοι V^{OV*}(I); om. $Ant.^{M}$

16,10 μαντεῖον ἐν χείλεσιν βασιλέως,
ἐν δὲ κρίσει οὐ μὴ πλανηθῇ τὸ στόμα αὐτοῦ.

I V(B9)R(B2)M^{PM}(B12)H^{a}(B9)T(B2)

ἐν 1°]επι R | οὐ μή]om. μή V^{EV} H^{a}; ος V^{O}

16,11 ῥοπὴ ζυγοῦ δικαιοσύνη παρὰ κυρίου,
τὰ δὲ ἔργα αὐτοῦ στάθμια δίκαια.

I C(K1)V^{WOVMi}(K11)R(K24)M^{PM}(K10)

αὐτοῦ]κυριου M^{M}

16,12 (a) βδέλυγμα βασιλεῖ ὁ ποιῶν κακά,
(b) μετὰ γὰρ δικαιοσύνης ἑτοιμάζεται θρόνος ἀρ-
χῆς.

I ab: V(B9)R(B2)M^{PM}(B12)H^{a}(B9)T(B2)$Ant.^{Mi}$(II1); b: Iv(15)

om. γάρ Iv

16,13 δεκτὰ βασιλεῖ χείλη δίκαια,
λόγους δὲ ὀρθοὺς ἀγαπᾷ.

I V^{EOVMi}(B9)R(B2)M^{PM}(B12)H^{a}(B9)T(B2)$Ant.^{MiM}$(II1)

16,14 (a) θυμὸς βασιλέως ἄγγελος θανάτου,
(b) ἀνὴρ δὲ σοφὸς ἐξιλάσει αὐτόν.

I ab: V(B9)R(B2)M^{PM}(B12)H^{a}(B9)T(B2)$Ant.^{MiM}$(II1); a: A^{VA}(31) II ab: R(M6) III a: Iv(16) IV ab: $Ant.^{Mi}$(II53) ἐξιλάσει]εξελασει V^{W}T; εξιλασκεται II R(I) Ant.^{MiM}(I)

16,15 ἐν φωτὶ ζωῆς υἱὸς βασιλέως,
οἱ δὲ προσδεκτοὶ αὐτῷ ὡς νέφος ὄψιμον.

I R(B2)

16,16b νοσσιαὶ φρονήσεως αἱρετώτεραι ὑπὲρ ἀργύριον.

I V^{EOVMi}(Σ18)

ἀργύριον]αργυρον V^{OVMi}

16,17 (a) τρίβοι ζωῆς ἐκκλίνουσιν ἀπὸ κακῶν,
(b) μῆκος βίου ὁδοὶ δικαιοσύνης·
(c) ὁ δεχόμενος παιδείαν ἐν ἀγαθοῖς ἔσται·
(d) ὁ φυλάσσων ἐλέγχους σοφισθήσεται·
(e) ὁ φυλάσσων τὰς ἑαυτοῦ ὁδοὺς τηρεῖ τὴν ἑαυτοῦ ψυχήν,
(f) ἀγαπῶν ζωὴν αὐτοῦ φείδεται στόματος αὐτοῦ.

I f: V(Γ14)M^{PM}(Γ14)H^{a}(Γ14)T(Γ18)Ant.^{MiA}(I73) II b: V(Δ14)R(Δ27)M^{PM}(Δ20)H^{a}(Δ14)T(Δ32)A^{VA}(4) III a: K(O4)V(O4)M^{P}(O3)L^{c}(O1) IV e: K(O3) V c: V^{EOVMi}(Π33) VI d: Iv(59)V(Σ5)R(Σ12)M^{P}(Σ19)A^{V}(79) VII f: Iv(47)R(Σ29)H^{a}(B14)

ὁδοί]οδος V^{EVMi}(II)H^{a}(II); οδου A^{V}(II) | φυλάσσων 1°]φυλαττων Iv(VI) V(VI)R(VI) | ἀγαπῶν]pr. ο Iv(VII)H^{c}(VII); +δε R(VII)M^{M}(I)Ant.^{MiA}(I) | ζωὴν]pr. την Iv(VII) | φείδεται]φεισεται H^{a}(VII)

16,18 πρὸ συντριβῆς ἡγεῖται ὕβρις,
πρὸ δὲ πτώματος κακοφροσύνη.

I K(Y2)R(Y6)M^{PM}(Y4)

om. ἡγεῖται M^{M}

16,19 κρεῖσσον πραΰθυμος μετὰ ταπεινώσεως
ἢ ὃς διαιρεῖται σκῦλα μετὰ ὕβρεως.

I V(Π13)R(Π40)M^{P}(Π36)Ant.^{Mi}(II84) II K(Y2)V(Y1)

κρεῖσσον]κρεισσων KV^{EOV*Mi}(I)V^{EMi}(II)R | ὃς]ως M^{P}; ους V^{V}(II) | διαιρεῖται]διαιρει V^{WMi}(I)V^{OVMi}(II) | σκῦλα]pr. τα V^{WMi}(I)

16,20 (a) συνετὸς ἐν πράγμασιν εὑρετὴς ἀγαθῶν,

(b) ὁ πεποιθὼς ἐπὶ κύριον μακαριστός.

I b: V(E5)M^{PM}(E15)H^{a}(E5)T(E16) II a: H^{c}(E24)T (E41) III a: R(Π21)M^{P}(Π21) IV a: V(Σ18)M^{P}(Σ28)

πράγμασιν]-ματι V^{EOVMi}(IV) | εὑρετής]ευεργετης V^{W}(IV)

16,21 (a) τοὺς σοφοὺς καὶ συνετοὺς φαύλους καλοῦσιν,
(b) οἱ δὲ γλυκεῖς ἐν λόγῳ πλείονα ἀκουσθήσονται.

I ab: K(K6)V(K4)M(A25)H^{c}(A19)T(A49)A(35) II a: Iv(8)V(X2)M^{PM}(X5)A^{VA}(11)$Ant.^{MiM}$(II38)

καλοῦσιν]αποκαλ. H^{c} | πλείονα]πλειον K | ἀκουσθήσονται]εισακ. H^{c}

16,22 (a) πηγὴ ζωῆς ἔννοια τοῖς κεκτημένοις,
(b) παιδεία ἀφρόνων κακή.

I b: R(A63) II a: M^{P}(Π21)

16,23 (a) καρδία σοφοῦ νοήσει τὰ ἀπὸ τοῦ ἰδίου στόματος,
(b) ἐπὶ δὲ χείλεσιν φορέσει ἐπιγνωμοσύνην.

I a: H^{a}(A54)A^{VA}(17)$Ant.^{MiM}$(II47) II ab: R(Λ2)

σοφοῦ]συνετου H^{a} | om. τοῦ H^{a}

16,24 κηρία μέλιτος λόγοι καλοί,
γλύκασμα δὲ αὐτῶν ἴασις ψυχῆς.

I R(Γ2)H^{B}(Γ2)T(Γ2) II Iv(49)V(Γ14)M^{PM}(Γ14)H^{a}(Γ 14)T(Γ18)A(41)A^{V}(72)$Ant.^{MiMA}$(I75) III K(Λ1)R (Λ2)

κηρία]κυρια Iv; κηριον $Ant.^{A}$ | γλύκασμα]γλυκεια K; γλυκασμος R(III)

16,26a.c (a) ἀνὴρ ἐν πόνοις πονεῖ ἑαυτῷ·
(c) ὁ σκολιὸς ἐπὶ τῷ ἑαυτοῦ στόματι φορεῖ τὴν ἀπώλειαν.

I c: R(A25)H^{c}(A22)T(A25)L^{a}(A26apd.) II a: H^{b} (Γ1)T(Γ1) III c: Iv(50)V(Γ15)M^{PM}(Γ15)H^{a}(Γ15)T (Γ19)A^{V}(73)$Ant.^{MA}$(I76) IV c: Iv(34)V^{EOVMi}(Π18) R(Π42)M^{P}(Π38)$Ant.^{Mi}$(II86)

om. ὁ V(III)M^{PM}(III)H^{a}T(III) | ἐπὶ τῷ ... στό-

ματι]επι το ... στομα I Iv(IV)Ant.^{Mi}(IV); εν
τω ... στοματι V^{EOVMi}(III)H^{a} | ἑαυτοῦ]αυτου Iv
(III)V^{EOV}(III)R(IV)M^{P*}(IV)H^{a} | φορεῖ]φερει
V^{VMi}(III)R(IV)M^{PM}(III)M^{P}(IV)T(III) | ἀπώλεια]+
αυτου Iv(III,IV)V^{EOVMi}(IV)

16,27 ἀνὴρ ἄφρων ὀρύσσει ἑαυτῷ κακά,
ἐπὶ δὲ τῶν ἑαυτοῦ χειλέων θησαυρίζει πῦρ.

I R(A63)Ant.^{MiM}(I9)

16,28abβ (a) ἀνὴρ σκολιὸς διαπέμπεται κακά,
(bβ) καὶ διαχωρίζει φίλους.

I Iv(10)V^{EOVMi}(M7)A^{VA}(15) II Iv(34)V(Π18)M^{P}(Π
38)Ant.^{MiM}(II86)

φίλους]φιλιαν Iv(I)A^{VA}

16,29 ἀνὴρ παράνομος ἀποπειρᾶται φίλων,
καὶ ἀπάγει αὐτοὺς ὁδοὺς οὐκ ἀγαθούς.

I V(Φ8)M^{PM}(Φ14)

ὁδούς]pr. εις V^{Mi}

16,30 στηρίζων ὀφθαλμοὺς αὐτοῦ λογίζεται διεστραμμέ-
να,
ὁρίζει δὲ τοῖς χείλεσιν αὐτοῦ πάντα τὰ κακά,
οὗτος κάμινός ἐστιν κακίας.

I R(K12) II R(K16) III L^{C}(O17)

ὀφθαλμούς]pr. τους II

16,31 στέφανος καυχήσεως γῆρας,
ἐν δὲ ὁδοῖς δικαιοσύνης εὑρίσκεται.

I V(Γ4)R(Γ10)M^{PM}(Γ6)H^{a}(Γ4)T(Γ10)Ant.^{Mi}(II7)

16,32 κρείσσων ἀνὴρ μακρόθυμος ἰσχυροῦ,
ὁ δὲ κρατῶν ὀργῆς κρείσσων καταλαμβανομένου
πόλιν.

I Iv(43)V^{WE}(Y12)R(Y17)M^{PM}(Y17)A^{VA}(25)A^{V}(68)
Ant.^{Mi}(II89)

κρείσσων 1°]κρεισσον Iv$V^{WE}M^{P}$Ant.^{Ge} | ὀργῆς]ορ-
γην M^{P} | κρείσσων 2°]κρεισσον $V^{E}M^{P}$; om. Iv V^{W}
A^{VA}(25)A^{V}(68) | καταλαμβανομένου]-λαμβανοντος
Ant.$^{Mi(non\ Ge)}$; -λαμβανει A^{VA}(25); -λαμβανη A^{V}

(68)

16,33 (a) εἰς κόλπους ἐπέρχεται πάντα ἀδίκοις,
(b) παρὰ κυρίου πάντα δίκαια.

I b: C(K1)V(K11)M^{PM}(K10) II a: Ant.^{MiA}(I35)

δίκαια]pr. τα M^{M}

17,1 κρεῖσσον ψωμὸς μεθ᾽ ἡδονῆς ἐν εἰρήνῃ
ἢ οἶκος πλήρης πολλῶν ἀγαθῶν καὶ ἀδίκων θυμά-
των μετὰ μάχης.

I Iv(9)V^{WOVMi}(A18)R(A60)M^{M}(A48)H^{a}(A16)T(A70) A^{VA}(12)Ant.^{Mi}(I26)Ant.^{M}(II67) II Iv(39)V^{OVMi}(A 26)R(O10)M^{PM}(A54)H^{a}(A24)T(A76)L^{C}(A34)A^{V}(66) Ant.^{MiMA}(I30)

κρεῖσσον]κρεισσων V^{Mi}(I,II)T(I); pr. ο T(II) | μεθ᾽]μετα M^{M}(I,II)T(I) | om. πλήρης Iv(I)V^{OVMi}(II)A^{VA}(I)A^{A}(II)H^{a}(II)L^{C} | om. ἀδίκων M^{M}(I) | θυμάτων]χρηματων V^{Mi}(II)

17,2a οἰκέτης νοήμων κρατήσει δεσποτῶν ἀφρόνων.

I Iv(65)V(Δ20)M^{PM}(Δ39)H^{a}(Δ20)T(Δ37)A^{VA}(59) Ant.^{MiLM}(II23)

ἀφρόνων]φρονιμων V^{W}

17,3 ὥσπερ δοκιμάζεται ἐν καμίνῳ ἄργυρος καὶ χρυσός,
οὕτως ἐκλεκταὶ καρδίαι παρὰ θεῷ.

I V(K12)R(K15)M^{PM}(K11)A^{VA}(94)Ant.^{Mi}(II87)

δοκιμάζεται ἐν καμίνῳ ἄργυρος καὶ χρυσός]εν καμινω δοκ. αργ. και χρ. A^{V}; δοκ. χρ. και αργ. εν καμινω R; om. ἄργυρος καί A^{A} | θεῷ]pr. τω $V^{E}M^{P}$; κυριου R

17,4 (a) κακὸς ὑπακούσει γλώσσαις παρανόμων,
(b) δίκαιος οὐ προσέχει χείλεσιν ψεύδεσιν.

I a: R(K13) II a: R(Λ1) III b: R(M12)Ant.^{MiM} (II39) IV a: V^{EOVMi}(Σ22)

κακός]pr. ο I II | ὑπακούσει]υπακουει II

17,5bc (b) ὁ ἐπιχαίρων ἀπολλυμένῳ οὐκ ἀθῳωθήσεται·
(c) ὁ σπλαγχνιζόμενος ἐλεηθήσεται.

I c: V(E8)M^{PM}(E18)H^{a}(E8)T(E19) II c: K(Σ19)V(Σ 1)R(Σ18)M^{P}(Σ17) III b: $Ant.^{MiM}$(II40)

17,6 (a) στέφανος γερόντων τέκνα τέκνων,
(b) καύχημα νέων πατέρες αὐτῶν.

I a: R(Γ10)$Ant.^{Mi}$(II17) II b: R(Γ12)$Ant.^{MiL}$(II 9)

17,6A τοῦ πιστοῦ ὅλος ὁ κόσμος τῶν χρημάτων,
τοῦ δὲ ἀπίστου οὐδὲ ὀβολός.

I K(Π5)R(Π23)M^{P}(Π23)

ὅλος]ολως M^{P}

17,9 (a) ὃς κρύπτει ἀδίκημα ζητεῖ φιλίαν,
(b) ὃς μισεῖ κρύπτειν ἀδίκημα διίστησιν φίλους καὶ οἰκείους.

I a: R(A60)$Ant.^{Mi}$(I26)$Ant.^{M}$(II67) II a: Iv(51) V(Φ7)M^{PM}(Φ13)A^{V}(74) III a: $Ant.^{MiM}$(II55) IV b: $Ant.^{Mi}$(II56)

ἀδίκημα]-ματα Iv$V^{W}M^{PM}A^{V}$

17,10 (a) συντρίβει ἀπειλὴ καρδίαν σοφοῦ,
(b) ἄφρων μαστιγωθεὶς οὐκ αἰσθάνεται.

I b: V^{OVMi}(A24)R(A63)M^{PM}(A52)H^{a}(A22)H^{a}(A55)T(A 74)$Ant.^{MiM}$(II48) II a: K(A27)R(A32)H^{c}(A29)T(A 32) III ab: $Ant.^{MiM}$(II53) IV a: A^{VA}(17)

ἀπειλὴ καρδίαν]απειλην καρδια IV | σοφοῦ]φρονιμου III | ἄφρων]+δε III

17,11 (a) ἀντιλογίας ἐγείρει πᾶς κακός,
(b) ὁ δὲ κύριος ἄγγελον ἀνελεήμονα ἐκπέμπει αὐτῷ.

I ab: M(A14)H^{a}(A51)L^{a}(A26) II ab: Iv(10)V^{EOVMi}(M7)R(M19)A^{VA}(15)$Ant.^{Mi}$(II68) III ab: A^{VA}(52) $Ant.^{Mi}$(II71) IV a: $Ant.^{M}$(apd.)

κύριος]θεος IvA^{VA}(II) | ἐκπέμπει]-πεμψει V^{EOVMi} RM^{M}; -πεμπαι A^{A}(II); επιπεμπει $M^{PL}H^{a}L^{a}A^{VA}$(III)| αὐτῷ]αυτον Iv

17,12 (a) ἐμπεσεῖται μερίμνα ἀνδρὶ νοήμονι,
(b) οἱ ἄφρονες διαλογιοῦνται κακά.

I a: H^{a}(A54)Ant.^{MiM}(II47) II a: K(N3) III b: Ant.^{Mi}(II88)

μερίμνα/ἀνδρὶ νοήμονι]tr. II

17,13 ὃς ἀποδίδωσιν κακὰ ἀντὶ ἀγαθῶν,
οὐκ ἐξενεχθῇ κακὰ ἐκ τοῦ οἴκου αὐτοῦ.

I Iv(56)V^{WOVMi}(A29)M^{PM}(A56)H^{A}(A27)T(A78)L^{c}(A12)A^{VA}(78)Ant.^{MiM}(II58)

ὅς]ως M^{M} | ἀποδίδωσιν]-δωσει Ant.^{M} | οὐκ ἐξενεχθῇ]ουκ εξενεχθησεται V^{OVMi}H^{a}; ου κινηθησεται A^{VA}Ant.^{MiM}; ουκ εκληψεται Iv; ουκ εκλιψει M^{M}; ουκ εξαρθησεται L^{c}

17,14 (a) ἐξουσίαν δίδωσιν λόγοις ἀρχὴ δικαιοσύνης,
(b) προηγεῖται τῆς ἐνδείας στάσις καὶ μάχη.

I b: R(A29)T(A29)L^{c}(A14) II a: V^{EOVMi}(Δ14)R(Δ27)M^{PM}(Δ20)H^{a}(Δ14)T(Δ32) III b: K(Λ3)R(Λ3) IV a: K(Π2)V(Π16)R(Π4)M^{P}(Π4)L^{c}(Π2)Ant.^{Mi}(II78) V a: R(Σ8)M^{P}(Σ10)

17,15 ὃς δίκαιον κρίνει τὸν ἄδικον, ἄδικον δὲ τὸν δίκαιον,
ἀκάθαρτος καὶ βδελυκτὸς παρὰ κυρίῳ.

I V^{EOVMi}(Δ19)R(Δ36)M^{PM}(Δ24)H^{a}(Δ19)T(Δ36)Ant.^{Mi}(II8) II R(K20) III V(M2)M^{PM}(M5) IV Iv(8)V(X2)R(A64)M^{PM}(X5)A^{VA}(11)A^{VA}(50)

δίκαιον 1°]δικαια V^{V}(I) | τὸν 1°]το M^{M}(I) |om. ἄδικον 2° V^{V}(III)V^{OV}(IV) | δὲ τὸν]om. V^{V}(IV); δε το M^{M}(I) | ἀκάθαρτος]-τον T

17,16ab.d (17,16ab.d.(20)) (a) ἵνα τί ὑπῆρχεν χρήματα ἄφρονι;
(b) κτήσασθαι γὰρ σοφίαν ἀκάρδιος οὐ δύναται·
(d) ὁ σκολιάζων τοῦ μαθεῖν ἐμπεσεῖται κακοῖς.

I ab: V^{WOVMi} (A24)R(A63)M^{PM}(A52)H^{a}(A22)T(A74) II d: R(M3)

δύναται]δυνησεται M^{M}

17,17 (a) εἰς πάντα καιρὸν φίλος ὑπαρχέτω σοι,
(b) ἀδελφοὶ ἐν ἀνάγκαις χρήσιμοι ἔστωσαν,
(c) διὰ γὰρ τοῦτο γεννῶνται.

I bc: Ant.^{MiA}(I23); b: K(A2)V(A44)R(Φ19)M^{PM}(A57) H^{a}(A41)T(A79)L^{c}(A19) II a-c: V(Φ7)M^{PM}(Φ13)A^{V} (74); a: Iv(51)

ὑπαρχέτω]υπαρχεται Iv | ἀδελφοί]+δε II(sine Iv) | ἀνάγκαις]-γκη KV(I)RH^{a}; +αλληλοις Ant.^{Mi} (non ^{Ge}) | διὰ γὰρ τοῦτο]δια τουτο γαρ M^{PM}(II); εις τουτο γαρ Ant.^{MiA}

17,18a ἀνὴρ ἄφρων ἐπικροτεῖ καὶ ἐπιχαίρει ἑαυτῷ.

I R(A23)H^{c}(A20)T(A23)L^{a}(A24)

17,19 φιλαμαρτήμων χαίρει μάχαις.

I R(M5) II V^{EOVMi}(M7)A^{VA}(15)Ant.^{MiM}(II68) III R(Φ5)M^{M}(Γ5) IV V(X2)M^{PM}(X5)

17,20 (a) ὁ σκληροκάρδιος οὐ συναντῷ ἀγαθοῖς·
(b) ἀνὴρ εὐμετάβολος γλώσσῃ ἐμπεσεῖται εἰς κακά.

I b: R(A16)H^{c}(A14)T(A16)L^{a}(A17) II b: Iv(50)V (Γ15)M^{PM}(Γ15)H^{a}(Γ15)T(Γ19)A^{V}(73)Ant.^{A}(I76) III a: V(K13)R(K16)M^{PM}(K12)A^{VA}(95)Ant.^{MiM}(II88) IV b: R(Π10) V a: R(Σ14)M^{P}(Σ13)

ἀγαθοῖς]-θαις V^{O}(II) | σκληροκάρδιος]-τραχηλος V | ἀνὴρ εὐμετάβολος]α. ευμεταβουλος IvM^{M}(II); α. αμεταβλητος R(I)L^{a}; θρασυκαρδιος IV | om. γλώσσῃ IV Iv

17,21 (a) καρδία ἄφρονος ὀδύνη τῷ κτησαμένῳ αὐτήν·
(b) οὐκ εὐφραίνεται πατὴρ ἐπὶ υἱῷ ἀπαιδεύτῳ,
(c) υἱὸς δὲ φρόνιμος εὐφραίνει μητέρα αὐτοῦ.

I a: R(A63)Ant.^{MiM}(I9) II c: V(Y5)R(Y12)M^{PM}(Y 12)Ant.^{Mi}(II13) III b: V(Y6)R(Y13)M^{PM}(Y13) Ant.^{Mi}(II14) IV bc: Ant.^{MiM}(II12)

τῷ κτησαμένῳ]των κεκτημενων R(I) | πατήρ]pr. ο V^{W}(III)M^{P}(III) | om. δέ II

17,22 (a) καρδία εὐφραινομένη εὐεκτεῖν ποιεῖ,
(b) ἀνδρὸς λυπηροῦ ξηραίνεται ὀστᾶ.

I b: V(Θ5)M^{PM}(Θ6)T(Θ9) II b: R(Λ4) III b: V^{WE}

(Φ3)M^{PM}(Φ11) IV a: K(X1)

ξηραίνεται]ξηρα M^{M}(III) | ὀστᾶ]pr.τα M^{M}(III)

17,23 (a) λαμβάνοντος δῶρα ἐν κόλπῳ ἀδίκως οὐ κατευ-
οδοῦνται αἱ ὁδοί,
(b) ἀσεβὴς ἐκκλινεῖ ὁδοὺς δικαιοσύνης.

I a: V(Δ19)R(Δ36)M^{PM}(Δ24)H^{a}(Δ19)T(Δ36)A^{VA}(93)

II b: K(O3)

ἐν κόλπῳ/ἀδίκως]tr. T; εν κ. αδικιας V^{OVMi} |
ὁδοί]+αυτου $V^{Mi}H^{a}$

17,25 ὀργὴ πατρὶ υἱὸς ἄφρων,
καὶ ὀδύνη τῇ τεκούσῃ αὐτόν.

I V(Y6)R(Y13)M^{PM}(Y13)$Ant.^{Mi}$(II14) II $Ant.^{Mi}$(II 12)

17,26 (a) ζημιοῦν ἄνδρα δίκαιον οὐ καλόν,
(bα) οὐχ ὅσιον (bβ) ἐπιβουλεύειν δυνάσταις δι-
καίοις.

I b.a: R(A31)H^{c}(A28)T(A31) II abα: V^{EOVMi}(Δ5)
M^{M}(Δ9)H^{a}(Δ5); a: V^{W}(Δ5)M^{P}(Δ9)T(Δ21) III b.a: R
(Δ23)T(Δ24); b: H^{c}(Δ20)

v.26a/v.26b]tr. I R(III)T(III) | οὐχ ὅσιον]ουκ
οσιον H^{c}(I,III)T(I); ουδε οσιον $V^{EOVMi}M^{M}H^{a}$

17,27 (a) ὃς φείδεται ῥῆμα προέσθαι σκληρὸν ἐπιγνώ-
μων,
(b) μακρόθυμος ἀνὴρ φρόνιμος.

I a: R(A24)H^{c}(A21)T(A24)L^{a}(A25) II a: R(Π40)
$Ant.^{MiM}$(II84) III b: V^{WE}(Y12)M^{PM}(Y17) IV a: Iv
(49)A^{V}(72)$Ant.^{MiA}$(I75)

ὅς]ως L^{a} | προέσθαι]προελεσθαι I | σκληρὸν]κλη-
ρον A^{V}; αργον R(II)

17,28 (a) ἀνοήτῳ ἐπερωτήσαντι σοφίαν σοφία λογισθή-
σεται,
(b) ἐνεὸν ἑαυτὸν ποιήσας δόξει φρόνιμος εἶναι.

I a: V(M11)M^{P}(M2)M^{M}(M8) II b: R(Σ15)M^{P}(Σ14)

om. σοφία V^{OV} | ἐνεόν]εννεον R | δόξει]δοξη M^{P}
(II)

18,1 (a) προφασίζεται ἀνὴρ βουλόμενος χωρισθῆναι ἀ-
πὸ φίλων,
(b) ἐν παντὶ δὲ καιρῷ ἐπονείδιστος ἔσται.

I a: V(Φ8)R(Φ16)M^{PM}(Φ14) II ab: Ant.^{M}(apd.)
προφασίζεται]προφασεις ζητει II | βουλόμενος] βουλευομενος V^{OVMi} | χωρισθῆναι]αποχ. V^{OVMi}; χωριζεσθαι II M^{M} | om. ἀπό V^{Mi}

18,2 οὐ χρείαν ἔχει σοφίας ἐνδεὴς φρενῶν,
μᾶλλον γὰρ ἄγεται τῇ ἑαυτοῦ ἀφροσύνῃ.

I R(A23)H^{c}(A20)T(A23)L^{a}(A24) II R(A63)Ant.^{MiM} (I9) III R(Θ3)
τῇ ἑαυτοῦ]om. II; οικεια III

18,3 (a) ὅταν ἔλθῃ ὁ ἀσεβὴς εἰς βάθος κακῶν, κατα-
φρονεῖ,
(b) ἐπέρχεται δὲ αὐτῷ ἀτιμία καὶ ὄνειδος.

I ab: R(M14)Ant.^{MiMA}(I19) II a: R(P1)M^{P}(P1) III a: M^{P}(Σ11) IV a: Ant.^{MiM}(I2)
ὅταν ἔλθῃ ὁ ἀσεβής]ασεβης ελθων III IV | βάθος]πληθος I

18,4 ὕδωρ βαθὺ λόγος ἐν καρδίᾳ ἀνδρός,
ποταμὸς δὲ ἀναπηδοίῃ καὶ πηγὴ ζωῆς.

I R(K15)

18,5 (a) θαυμάσαι πρόσωπον ἀσεβοῦς οὐ καλόν,
(b) οὐδὲ ὅσιον ἐκκλίνειν τὸ δίκαιον ἐν κρίσει.

I a: V(A12)M^{PM}(A44)H^{a}(A11)T(A66) II ab: R(Δ36) Ant.^{Mi}(II8)

18,6 (a) χείλη ἄφρονος ἄγουσιν αὐτὸν εἰς κακά·
(b) τὸ δὲ στόμα αὐτοῦ τὸ θρασὺ θάνατον ἐπικα-
λεῖται.

I ab: R(A25)H^{c}(A22)T(A25)L^{a}(A26apd.) II ab: V (Γ15)R(Φ9)M^{PM}(Γ13)T(Γ19)A(41)Ant.^{MA}(I76); a:H^{a} (Γ15) III ab: Iv(32)V(Π15)R(Π41)M^{P}(Π37)A^{V}(61) Ant.^{Mi}(II72); a: A^{A}(61)
χείλη ἄφρονος ἄγουσιν]στομα αφρ. αγει A^{A}(III) | om. αὐτόν M^{M}(II) | κακά]κακιαν A^{A}(II); κρισιν

M^{M}(II)

18,7 (a) στόμα ἄφρονος συντρίβει αὐτόν,
(b) τὰ δὲ χείλη αὐτοῦ παγὶς τῇ ψυχῇ αὐτοῦ.

I ab: V(Γ15)R(Φ9)M^{PM}(Γ15)H^{a}(Γ15)T(Γ19)Ant.^{A}(I 70); b: A(41) II ab: V(Π15)R(Π41)M^{P}(Π37)Ant.^{Mi} (II72); b: Iv(32)A^{VA}(61)

συντρίβει]-βη M^{P}(II)

18,9 ὁ μὴ ἰώμενος ἑαυτὸν ἐν τοῖς ἔργοις αὐτοῦ,
ἀδελφός ἐστιν τοῦ λυμαινομένου ἑαυτόν.

I R(Δ12)H^{c}(Δ9)T(Δ13) II Ant.^{MiA}(I19)

18,11 ὕπαρξις πλουσίου ἀνδρὸς πόλις ὀχυρά,
ἡ δὲ δόξα αὐτῆς μέγα ἐπισκιάζει.

I R(Π53)

18,13 ὃς ἀποκρίνεται λόγον, πρὶν ἀκοῦσῃ,
ἀφροσύνη αὐτῷ ἐστιν καὶ ὄνειδος.

I Iv(48)V(Γ15)R(Γ1)M^{PM}(Γ15)H^{a}(Γ15)A^{A}(71) Ant.^{MiA}(I74) II M^{PM}(Φ8)

om. λόγον Ant.$^{Mi(non\ Ge)}$ | ἀκοῦσῃ]-σει $V^{E}H^{a}$; -σαι IvAnt.$^{MiA}A^{A}$ | αὐτῷ ἐστιν/καὶ ὄνειδος]tr. V^{OVMi}; om. καὶ ὄνειδος II | ἐστιν]εσται M^{P} (vid.)

18,14 (a) θυμὸν ἀνδρὸς πραΰνει θεράπων φρόνιμος,
(b) ὀλιγόψυχον ἄνδρα τίς ὑποίσει;

I a: Iv(9)V^{WOVMi}(A18)R(A60)M^{M}(A48)H^{a}(A16)T(A70) A^{VA}(12)Ant.^{Mi}(I26) II a: R(Δ39)Ant.^{MiLM}(II23) III a: R(M6) IV b: Iv(44)V(Y13)R(Y18)M^{PM}(Y18) Ant.^{MiM}(II90)

πραΰνει]θεραπευει R(II) | φρόνιμος]σιγηρος Ant.^{Mi}(I); γης R(I)

18,15a καρδία φρονίμου κατ' αἴσθησιν.

H^{a}(A44)Ant.^{Mi}(II47)

18,16 δόμα ἀνθρώπου ἐμπλατύνει αὐτόν,
καὶ παρὰ δυνάσταις καθιζάνει αὐτόν.

I R(Δ15)H^{c}(Δ12) II Iv(55)V(Φ9)R(Φ17)M^{P}(Φ15)

Ant.^{MiMA}(I27)

ἐμπλατύνει]-τυνεῖ R(I,II) | αὐτὸν]αυτω I | παρά]περι IvAnt.^{A}

18,17a δίκαιος ἑαυτοῦ κατήγορος ἐν πρωτολογίᾳ.

I K(Γ2)V(Γ7)R(Γ7)M^{P}(Γ3)H^{a}(Γ7)T(Γ7) II R(M13) Ant.^{MiA}(I17)

18,18a ἀντιλογίαν παύνει σιγηρός.

I V(Γ14)M^{PM}(Γ14)H^{a}(Γ14)T(Γ18)Ant.^{MiA}(I73) II R (Σ29) III A^{VA}(52)Ant.^{MiM}(II71)

παύνει]-νη M^{PM} | σιγηρός]pr. πας III

18,19 ἀδελφὸς ὑπὸ ἀδελφοῦ βοηθούμενος ὡς πόλις ὀχυρὰ καὶ ὑψηλή.
ἰσχύει δὲ ὥσπερ τεθεμελιωμένον βασίλειον.

I K(A2)V(A44)M^{PM}(A57)H^{a}(A41)T(A79)L^{C}(A19) Ant.^{MiA}(I23) II R(Σ2)M^{P}(Σ2)

ὀχυρά]ισχυρα V^{Mi} | om. καὶ ὑψηλή II | ἰσχύει] ισχυι K | τεθεμελιωμένον]pr. ευ Ant.^{Mi}

18,21 (a) θάνατος καὶ ζωὴ ἐν χειρὶ γλώσσης,
(b) οἱ δὲ κρατοῦντες αὐτῆν ἔδονται τοὺς καρποὺς αὐτῆς.

I ab: V(Γ14)R(Φ8)M^{PM}(Γ14)H^{a}(Γ14)T(Γ18)Ant.^{MiA} (I75); a: Iv(49)A^{V}(72)

χειρί]χερσιν RAnt.^{MiA} | αὐτήν]αυτης M^{M}Ant.^{A}; αυτων H^{a}

18,22 ὃς εὗρεν γυναῖκα ἀγαθὴν εὗρεν χάριτας,
ἔλαβεν δὲ παρὰ κυρίου ἱλαρότητα.

I V(Γ11)R(Γ17)M^{PM}(Γ11)H^{a}(Γ11)T(Γ15)Ant.^{Mi}(II 33)

ὅς]ως M^{M} | ἱλαρότητα]-τας V^{W}

18,22A (a) ὃς ἐκβάλλει γυναῖκα ἀγαθὴν ἐκβάλλει τὰ ἀγαθὰ ἐκ τοῦ οἴκου αὐτοῦ.
(b) ὁ κατέχων μοιχαλίδα ἄφρων καὶ ἀσεβής.

I a: Iv(53)V(Γ11)R(Γ17)M^{PM}(Γ11)H^{a}(Γ11)T(Γ15) A^{VA}(54)Ant.^{MiM}(II53) II b: Iv(54)V(Γ12)R(Γ18)

M^{PM}(Γ12)H^{a}(Γ12)T(Γ16)A^{VA}(55)$Ant.^{MiM}$(II34)
ἐκβάλλει 1°]-βαλει Iv(I)V^{OV}(I) | ἐκβάλλει 2°]
-βαλει Iv(I)V^{OV}(I)M^{M}(I) | om. τά R(I)$Ant.^{Mi}$(I)|
αὐτοῦ]αυτης V^{E}(I)

18,23 (a) ἀφροσύνη ἀνδρὸς λυμαίνεται τὰς ὁδοὺς αὐτοῦ,
(19,3) (b) τὸν δὲ θεὸν αἰτιᾶται ἡ καρδία αὐτοῦ.

I ab: V^{WOVMi}(A24)M^{PM}(A52)H^{a}(A22)T(A74); a: R(A
63) II ab: R(B5)M^{PM}(B2)H^{c}(B3)T(B6) III ab: C(O
2)R(O18) IV ab: K(Π1)V(Π14)
λυμαίνεται]λοιμ. C | δὲ/θεὸν]tr. KV^{W}(IV) | ἡ
καρδία]τη καρδια R(II,III)T(II)

19,1(4) (a) πλούσιος προστίθησιν φίλους πολλούς,
(b) ὁ πτωχὸς καὶ ἀπὸ τοῦ ὑπάρχοντος φίλου λεί-
πεται.

I a: V(E9)M^{PM}(E19)H^{a}(E9)T(E20) II b: V^{EOVMi}(Π
21)M^{P}(Π40) III a: R(Π53)$Ant.^{MiMA}$(I31)
πλούσιος]πλουτος III V^{Mi}(I)

19,2(5) (a) μάρτυς ψευδὴς οὐκ ἀτιμώρητος ἔσται,
(b) ὁ ἐγκαλῶν ἀδίκως οὐ διαφεύξεται.

I b: K(Φ7)V^{EOVMi}(Φ11)R(Φ6)M^{PM}(Φ6) II a: Iv(6)R
(Ψ4)M^{PM}(Ψ4)$Ant.^{MiA}$(I22)
ἔσται]εστιν M^{PM}(I)

19,3(6)a πολλοὶ θεραπεύουσιν πρόσωπα βασιλέων.

I K(K6)V(K4)M(A25)
πολλοί]πολλαι V^{W}(vid.)

19,4(7)a.de (a) πᾶς ὁ ἀδελφὸν πτωχὸν μισῶν, καὶ φιλίας μα-
κρὰν ἐστιν.
(d) ὁ πολλὰ κακαποιῶν τελεσιουργεῖ κακίαν,
(e) ὃς δὲ ἐρεθίζει λόγους οὐ σωθήσεται.

I a: K(A2)V(A44)R(Φ19)M^{PM}(A57)H^{a}(A41)L^{c}(A19)
II d: R(K9) III a: V(M9) IV de: R(M19)A^{VA}(5);
e: Iv(10) V e: R(Π14) VI a: V(Π21)R(Π43)M^{P}(Π
40) VII a: $Ant.^{MiA}$(I24)
ἀδελφόν]-φων V^{O}(I) | καί]της V^{EOVMi}(III)
$Ant.^{MiA(non\ Ge)}$(VII); om. V^{EOVMi}(I)$H^{a}L^{c}$ | ἐσ-

στίν]εσται V(VI) | δὲ ἐρεθίζει]om. δέ R(V); δι-
ερεθιζει Iv | οὐ]μολις R(IV)

19,5(8) (a) ὁ κτώμενος φρόνησιν ἀγαπᾷ ἑαυτόν,
(b) ὃς φυλάσσει φρόνησιν εὑρήσει ἀγαθά.
I ab: A^{VA}(17); a: H^{a}(A54)Ant.^{Mi}(II47) II a: R (M2)
om. ὁ Ant.^{Mi} | φρόνησιν 1°]αισθησιν H^{a}Ant.^{Mi}

19,6(9) (a) μάρτυς ψευδὴς οὐκ ἀτιμώρητος ἔσται,
(b) ὃς ἐκκαύσει κακίαν ἀπολεῖται ὑπ᾽ αὐτῆς.
I b: Iv(10)V^{EOVMi}(M7)A^{VA}(15) II a: V^{W}(Ψ4)A^{VA}(9)

19,7(10) (a) οὐ συμφέρει ἄφρονι τρυφή,
(b) καὶ ἐὰν οἰκέτης ἄρξῃ μεθ᾽ ὕβρεως δυναστεύει.
I b: R(A9apd.)L^{a}(A9apd.)Ant.^{Mi}(II6) II a:V^{WOVMi} (A24)M^{PM}(A52)H^{a}(A22)T(A74) III a: H^{c}(A28)T(A31) IV ab: R(Δ40)Ant.^{MiML}(II24)
συμφέρει]πρεπει III | τρυφή]τροφη V^{V}(vid.) | om. καί I | ἄρξῃ]αρξηται R(IV) | ὕβρεως]υβρεων Ant.^{M}(IV)

19,8(11)a ἐλεήμων ἀνὴρ μακρόθυμος.
I V^{EOVMi}(Y12)R(Y17)M^{PM}(Y17)
μακρόθυμος]φρονημος M^{P}

19,9(12) (a) βασιλέως ἀπειλὴ ὁμοία βρυγμῷ λέοντος,
(b)ὡς δὲ δρόσος ἐπὶ χόρτον, οὕτως τὸ ἱλαρὸν αὐτοῦ.
I ab: V(B9)R(B2)M^{PM}(B12)H^{a}(B9)T(B2)A^{VA}(31) Ant.^{Mi}(II1); a: Ant.^{M}(II1) II ab: Iv(16)
βρυγμῷ]ορυγμω V^{EOVMi}H^{a} | δέ]γαρ V^{WEOVMi}M^{P}H^{a}T | χόρτον]χορτου R

19,10(13)b οὐχ ἁγναὶ εὐχαὶ ἀπὸ μισθώματος ἑταίρας.
I H^{c}(A23)T(A27) II V(Π11)R(Π38)M^{P}(Π34)
ἑταίρας]ετερας V^{W}M^{P}

19,11(14)b παρὰ κυρίου ἁρμόζεται γυνὴ ἀνδρί.
I V(Π10)R(Π37)M^{P}(Π33)L^{c}(Π1)A^{VA}(63)

κυρίου]κυριω V^{EOVMi} | γυνὴ/ἀνδρί]tr. $V^{W}L^{c}$

19,12(15) (a) δειλία κατέχει ἀνδρογύναιον,
(b) ψυχὴ ἀεργοῦ πεινάσει.

I a: H^{c}(Δ5) II b: Iv(24)V^{EOVMi}(M6)R(M18)A^{VA}(96) $Ant.^{Mi}$(II46)

19,13(16) (a) ὃς φυλάσσει ἐντολὴν τηρεῖ τὴν ἑαυτοῦ ψυχήν,
(b) ὁ καταφρονῶν τῶν ἑαυτοῦ ὁδῶν ἀπολεῖται.

I a: H^{c}(E1)T(E1) II b: R(M18) III b: Iv(24)R(P1)M^{P}(P1)A^{V}(96)

ἑαυτοῦ 2°]αυτου II

19,14(17) (a) ὁ ἐλεῶν πτωχὸν δανείζει θεῷ,
(b) κατὰ δὲ τὸ δόμα αὐτοῦ ἀνταποδοθήσεται αὐτῷ.

I ab: V^{W}(A1lapd.)R(A5)M^{ML}(A5)H^{c}(A3)T(A5)L^{a}(A6) II ab:V(E8)M^{PM}(E18)H^{a}(E8)T(E19); a: A^{V}(2)

πτωχὸν]πτωχων M^{M}(II) | ἀνταποδοθήσεται]-δωθει V^{WEOV}(II)H^{a}; -δωσει V^{Mi}(II)M^{M}

19,15(18) (a) παίδευε υἱόν σου, οὕτως γάρ ἐστιν εὔελπις,
(b) εἰς ὕβριν μὴ ἐπαίρου τῇ ψυχῇ σου.

I a: V(Π24)R(Γ12)M^{P}(Π43)$Ant.^{Mi}$(II9) II b: M^{PM}(Y6) III b: Iv(10)A^{VA}(15)

οὕτως]ουτος V^{W} | ἐστίν]εσται $RAnt.^{Mi}$

19,16(19) (a) κακόφρων ἀνὴρ πολλὰ ζημιωθήσεται·
(b) ἐὰν δὲ λυμαίνηται, καὶ τὴν ψυχὴν αὐτοῦ προσθήσει.

I ab: R(A63) II ab: R(K8) III a: $Ant.^{M}$(apd.)

κακόφρων]pr. ο I | om. ἀνήρ I | δε]+και II | λυμαίνηται]λωμευηται I

19,18(21) πολλοὶ λογισμοὶ ἐν καρδίᾳ ἀνθρώπου,
ἡ δὲ βουλὴ τοῦ θεοῦ μένει εἰς τὸν αἰῶνα.

I C(B1)V(B2)R(B9)M^{PM}(B5)H^{a}(B2)H^{b}(B1)T(B9) II $Ant.^{MiA}$(I64)

ἀνθρώπου]ανδρος II | μένει/εἰς τὸν αἰῶνα]tr. M^{M}; κρατησει εις τον α. II

19,19(22)b κρεῖσσον πτωχὸς δίκαιος ἢ πλούσιος ψεύστης.

I V(Π21)M^{P}(Π40)

κρεῖσσον]κρεισσων $V^{Mi}M^{P}$

19,20(23) (a) φόβος κυρίου εἰς ζωὴν ἀνδρί,
(b) ὁ δὲ ἄφοβος αὐλισθήσεται ἐν τόποις οἷς οὐκ ἐπισκοπεῖται γνῶσις.

I a: R(A49) II ab: $Ant.^{Mi}$(I4)

19,21(24) ὁ ἐγκρύπτων εἰς τὸν κόλπον αὐτοῦ χεῖρας ἀδίκως, οὐδὲ τῷ στόματι αὐτοῦ οὐ μὴ προσαγάγῃ αὐτάς.

I R(Δ36)$Ant.^{Mi}$(II8)

προσαγάγῃ]προσενεγκη $Ant.^{Mi}$

19,22(25) (a) λιμοῦ μαστιγουμένου ἄφρων πανουργέτερος ἔσται·
(b) ἐὰν ἐλέγξῃς ἄνδρα φρόνιμον, εὑρήσῃ αἴσθησιν.

I b: Iv(59)V(Σ5)R(Σ12)M^{P}(Σ19)A^{VA}(19)A^{VA}(79) II a: K(Σ6)

εὑρήσῃ]-σει IvA^{VA}(79); -σεις V; ευρη A^{VA}(19)

19,23(26) ὁ ἀτιμάζων πατέρα καὶ ἀπωθούμενος μητέρα αὐτοῦ καταισχυνθήσεται καὶ ἐπονείδιστος ἔσται.

I V(Π23)R(Π46)M^{P}(Π42)$Ant.^{Mi}$(II12)

πατέρα]+αυτου R$Ant.^{Mi}$

19,25(28) (a) ὁ ἐγγυώμενος παῖδα ἄφρονα καθυβρίζει δικαιώματα,
(b) στόμα ἀσεβῶν καταπίεται κρίσεις.

I a: K(E6) II b: $Ant.^{MiM}$(II8)

19,26(29) (a) ἑτοιμάζονται ἀκολάστοις μάστιγες,
(b) καὶ τιμωρίαι ὁμοίως ἄφροσιν.

I a: R(A71)$Ant.^{MiM}$(II94) II ab: R(K17)

20,1 ἀκόλαστον οἶνος καὶ ὑβριστικὸν μέθη, πᾶς δὲ ἄφρων τοιούτοις συμπλέκεται.

I R(M1) II K(O9)V(O7)M^{P}(O9)L^{C}(O6)

20,2 οὐ διαφέρει θυμοῦ βασιλέως ἀπειλὴ λέοντος, ὁ δὲ παροξύνων αὐτὸν ἁμαρτάνει εἰς τὴν ἑαυτοῦ ψυχήν.

I R(B2)

20,3 δόξα ἀνδρὸς ἀποστρέφεσθαι λοιδορίας,

πᾶς δὲ ἄφρων τοιούτοις ἐμπλέκεται.

I K(Λ2)V(Λ2)R(Λ1)M^{PM}(Λ1)

δόξα]δοξαν V^{OV} | om. δέ K | τοιούτοις]-τος M^{P}; τουτοις V^{Mi} | ἐμπλέκεται]συμπλ. M^{M}

20,4 (a) ὀνειδιζόμενος ὀκνηρὸς οὐκ αἰσχύνεται,
(b) ὡσαύτως καὶ ὁ δανειζόμενος σῖτον ἐν ἀμήτῳ.

I ab: Iv(24)V^{EOVMi}(M6)R(M18)A^{VA}(96)$Ant.^{Mi}$(II 46); a: $Ant.^{M}$(II46)

αἰσχύνεται]καταισχ. R | om. ὁ V^{EOV}

20,5 ὕδωρ βαθὺ βουλὴ ἐν καρδίᾳ ἀνδρός,
ἀνὴρ δὲ φρόνιμος ἐξαντλήσει αὐτήν.

I R(Δ8) II K(K2)

βουλή]πολυ II

20,6 (a) μέγα ἄνθρωπος καὶ τίμιον ἀνὴρ ἐλεήμων,
(b) ἄνδρα πιστὸν ἔργον εὑρεῖν.

I a: V^{W}(A11apd.)R(A5)M^{ML}(A5)H^{c}(A3)T(A5)L^{a}(A6)

II b: K(Π5)V(Π37)R(Π23)M^{P}(Π23)

μέγα]μεγας R(I)$H^{c}L^{a}$ | τίμιον]τιμιος R(I)L^{a}

20,7 ὃς ἀναστρέφεται ἄμωμος ἐν δικαιοσύνῃ,
μακαρίους τοὺς παῖδας καταλείψει.

I Iv(11)V(Δ16)R(K25)M^{PM}(Δ21)H^{a}(Δ16)T(Δ33)A^{VA}(16)$Ant.^{Mi}$(II31) II Iv(45)V(Π17)A^{VA}(69)$Ant.^{Mi}$(II91)

παῖδας]+αυτου M^{M} | καταλείψει]-ληψει Iv(I)V^{EOV}(I); -λιψει M^{M}

20,8 ὅταν βασιλεὺς δίκαιος καθίσῃ ἐπὶ θρόνου,
οὐκ ἐναντιοῦται ἐν ὀφθαλμοῖς αὐτοῦ πονηρόν.

I V(B9)R(B2)M^{PM}(B12)H^{a}(B9)T(B2)$Ant.^{Mi}$(II1)

καθίσῃ]καθηση V^{E}; καθησει V^{OV}; καθισει M^{M} $Ant.^{Ge}$ | θρόνου]pr. του $Ant.^{Mi}$ | πονηρόν]απονηρον H^{a}

20,9 τίς καυχήσεται ἁγνὴν ἔχειν τὴν καρδίαν;
ἢ τίς παρρησιάσεται καθαρὸς εἶναι ἀπὸ ἁμαρτίας;

I C(A5)V^{WOVMi}(A13)R(A57)M^{PM}(A45)H^{b}(A4)T(A66)

L^{c}(A41)

καυχήσεται]-σηται M^{P}T | παρρησιάσεται]-ζεται V^{Mi} | ἁμαρτίας]-τιων M^{M}

20,10(20) κακολογοῦντος πατέρα ἢ μητέρα σβεσθήσεται λαμπτήρ,
αἱ δὲ κόραι τῶν ὀφθαλμῶν αὐτοῦ ὄψονται σκότος.

I V(Π23)R(Π46)M^{P}(Π42)Ant.^{MiL}(II12)

ἢ]και V^{Mi} | om. τῶν V^{Mi}

20,11(21) μερὶς ἐπισπουδαζομένη ἐν πρώτοις,
ἐν τοῖς τελευταίοις οὐκ εὐλογηθήσεται.

I K(Φ6)V(Φ6)M^{PM}(Φ1) II Ant.^{MiA}(I35)

ἐπισπουδαζομένη]επισκ$\overset{\pi}{o}$δανειζομενη V^{W}; επισκοπουδανειζομενη M^{PM}

20,12(22) (a) μὴ εἴπῃς Τίσομαι τὸν ἐχθρόν·
(b) ἀλλ᾽ ὑπόμεινον τὸν κύριον, ἵνα σοι βοηθήσῃ.

I ab: K(A5)V(A11)H^{a}(A10)L^{c}(A8); b: A(37) II ab: C(E4)V(E29)M^{PM}(E27)H^{a}(E26)H^{b}(E3)T(E27) III ab: T(E8)

κύριον]εχθρον III | σοι]σε V^{EOVMi}(I,II)H^{a}(I,II | βοηθήσῃ]-σει V^{OV}(I)A^{V}; -σοι A^{A}

20,13(10) στάθμιον μέγα καὶ μικρὸν καὶ μέτρα δισσά,
ἀκάθαρτα ἐνώπιον κυρίου ἀμφότερα.

I V(Z4)R(Z5)M^{PM}(Z4)T(Z4)Ant.^{MiM}(II52)

κυρίου]μου R

20,14(11) (a) καὶ ὁ ποιῶν αὐτὰ ἐν τοῖς ἐπιτηδεύμασιν αὐτοῦ συμποδισθήσεται,
(b)νεανίσκος μετὰ ὁσίου· καὶ εὐθεῖα ἡ ὁδὸς αὐτοῦ.

I a: V(Z4)R(Z5)M^{PM}(Z4)T(Z4)Ant.^{MiM}(II52) II b: V(N1)R(N1)M^{PM}(N1)L^{c}(N1) III b: Iv(3)V^{WOVMi}(Σ16)R(Σ26)M^{P}(Σ27)A^{VA}(86)

νεανίσκος/μετὰ ὁσίου]tr. A^{A}; ν. μετα οσιων V^{OVMi}(II) | om. καὶ 2° R(II)

20,16(13) (a) μὴ ἀγάπα καταλαλεῖν, ἵνα μὴ ἐξαρθῇς·

(b) διάνοιξον τοὺς ὀφθαλμούς σου καὶ ἐμπλήσθητι ἄρτων.

I b: R(Γ1)T(Γ1) II a: K(K3)V(K2)R(K13)M^{PM}(K5)
III b: V(Φ5)R(Φ14)M^{PM}(Φ12)

ἀγάπα]-παν V^{V}(II) | καταλαλεῖν]-λαλιαν K | ἐμπλήσθητι]εμπλησθηση R(I)

20,17(23) (a) βδέλυγμα κυρίῳ δισσὸν στάθμιον,
(b) καὶ ζυγὸς δόλιος οὐ καλὸν ἐνώπιον αὐτοῦ.

I ab: V(Z4)R(Z5)M^{PM}(Z4)T(Z4)Ant.^{Mi}(II52); b: Ant.^{M}(II52)

δισσὸν]δισσων T | om. καί Ant.^{M} | καλὸν]καλος M^{M} | αὐτοῦ]κυριου Ant.^{M}

20,17(ϑ') ἡδυνήθη ἀνθρώπῳ ἄρτος ψεύδους,
καὶ μετὰ ταῦτα πληρωθήσεται τὸ στόμα αὐτοῦ ψηφῖδος.

R(Ψ4)

20,18(24) παρὰ κυρίου κατευθύνεται τὰ διαβήματα ἀνδρί,
θνητὸς δὲ πῶς ἂν νοήσῃ τὰς ὁδοὺς αὐτοῦ;

I R(A17)H^{c}(A15)T(A17)L^{a}(A18)L^{c}(A21) II C(Σ1)V(Σ8)R(Σ21)M^{P}(Σ22)

νοήσῃ]-σει $V^{EOVMi}M^{P}$

20,19(25) παγὶς ἀνδρὶ ταχύ τι τῶν ἰδίων ἁγιάσαι,
μετὰ γὰρ τὸ εὔξασθαι μετανοεῖν γίνεται.

I C(Y1)

20,20(26) λικμήτωρ ἀσεβῶν βασιλεὺς σοφός,
καὶ ἐπιβαλεῖ αὐτοῖς βρόχον.

I Iv(15)R(B2)A^{VA}(31)Ant.^{Mi}(II1) II R(K17)

σοφὸς]φρονιμος II | βρόχον]τροχον R(I)Ant.^{Mi}; τρομον II

20,22(28) ἐλεημοσύνη καὶ ἀλήθεια φυλακὴ βασιλεῖ,
καὶ περικυκλώσουσιν ἐν δικαιοσύνῃ τὸν θρόνον αὐτοῦ.

I V(B9)R(B2)M^{PM}(B19)H^{a}(B9)Ant.^{MiM}(II1)

20,23(29) (a) κόσμος νεανίαις σοφία,
(b) δόξα πρεσβυτέρων πολιά.

I b: V(Γ4)R(Γ10)M^PM^(Γ6)H^a^(Γ4)T(Γ10)Ant.^Mi^(II 17) II a: Ant.^Mi^(II19)
πολιά]πολιαι RAnt.^Mi^(I)

21,1 (a) ὥσπερ ὁρμὴ ὕδατος, οὕτως καρδία βασιλέως ἐν χειρὶ θεοῦ·
(b) οὗ ἐὰν θέλῃ νεῦσαι, ἔκλινεν αὐτήν.

I ab: Iv(15)R(B2); a: V(B9)M^PM^(B12)H^a^(B9)T(B2)
οὕτως]ουτω IvV^W^ | καρδία βασιλέως]βασιλεων κ. Iv; κ. του βασιλεως V^Mi^ | ἐὰν]αν Iv | θέλῃ]θελει Iv | ἔκλινεν]εκκλινεν Iv

21,2 (a) πᾶς ἀνὴρ φαίνεται ἑαυτῷ δίκαιος,
(b) κατευθύνει δὲ καρδίας κύριος.

I a: H^c^(A20) II ab:Ant.^Mi^(II75);a:K(Φ3)V^EOVMi^ (Φ13)M(A26)T(A23)
ἑαυτῷ]αυτω K

21,3 ποιεῖν δίκαια καὶ ἀληθεύειν
ἀρεστὰ παρὰ θεῷ ἢ θυσιῶν αἷμα.

I Iv(5)V(A19)R(A61)M^PM^(A49)H^a^(A17)T(A71)L^c^(A 36)A^VA^(8) II V(Δ14)R(Δ27)M^PM^(Δ20)H^a^(Δ14)T(Δ27)
ποιεῖν]νοειν A^VA^ | ἀρεστὰ/παρὰ θεῷ]αρετον παρα κυριω M^M^(II); αρ. παρα κυριω M^M^(I); tr. A^VA^ | ἢ]pr. μαλλον II(sine M^M^)R(I)

21,4 (a) μεγαλόφρων ἐφ᾽ ὕβρει θρασυκάρδιος·
(b) λαμπτὴρ ἀσεβῶν ἁμαρτία.

I b: V(A12)M^PM^(A44)T(A66) II a: Ant.^Mi^(II72)

21,6 ὁ ἐνεργῶν θησαυρίσματα γλώσσῃ ψευδῆ
μάταια διώκει καὶ ἔρχεται ἐπὶ παγίδας θανάτου.

I R(Δ36) II V(Ψ1)R(Ψ4)M^P^(Ψ4)A^VA^(9)
ψευδῆ]ψευδει V^Mi^R(II)A^V^; δολια I | παγίδας]παγιδος V^EOVMi^

21,7 (a) ὄλεθρος ἀσεβέσιν ἐπιξενωθήσεται,
(b) οὐ γὰρ βούλονται πράσσειν δίκαια.

I ab: R(K9) II a: Iv(68)A^V^(84)

21,8a πρὸς τοὺς σκολιοὺς σκολιὰς ὁδοὺς ἀποστελεῖ ὁ

θεός.

I R(K17) II K(O3)V(O4)M^{P}(O4)L^{c}(O1) III Iv(33)V (Π18)R(Π42)M^{P}(Π38)$Ant.^{MiM}$(II86)

σκολιοὺς]σκολιας V^{OV*}(II)V^{V*}(III) | σκολιᾶς] pr. και L^{c}; ους σκολιαζων αι V^{O}(II) | ἀποστελεῖ]-στελλει KR(III)M^{P}(II,III)$Ant.^{MiM}$

21,9 (a) κρεῖσσον οἰκεῖν ἐπὶ γωνίας ὑπαίθρου
(bα) ἢ ἐν κεκονιαμένοις μετα ἀδικίας (bβ) ἢ ἐν οἴκῳ κοινῷ.

I ab: K(E13)T(E45); a.bβ: V^{EOVMi}(E24)H^{a}(E23 (1°))

κεκονιαμένοις]κονιαμ. K | ἢ 2°]και KT

21,10 ψυχὴ ἀσεβοῦς οὐκ ἐλεηθήσεται ὑπ' οὐδενὸς τῶν ἀνθρώπων.

I V(A12)M^{PM}(A44)H^{a}(A11)T(A66)$Ant.^{Mi}$(I2)

om. τῶν V^{WMi}

21,11 (a) ζημιουμένου ἀκολάστου πανουργότερος γίνεται ὁ κακός.
(b) συνιῶν σοφὸς δέξεται γνῶσιν.

I a: R(K17) II B: R(Π21)M^{P}(Π21) III A: K(Σ6) IV a: $Ant.^{MiA}$(I68)

ὁ κακός]ακακος IV

21,13 ὃς φράσσει τὰ ὦτα μὴ εἰσακοῦσαι ἀσθενοῦς· καὶ αὐτὸς ἐπικαλέσεται καὶ οὐκ ἔσται ὁ εἰσακούων.

I V(N2)R(N5)M^{PM}(N2)L^{c}(N5)A^{VA}(51)$Ant.^{MiA}$(I57) II $Ant.^{MiMA}$(I33)

φράσσει]αποφρ. II | μὴ]pr. του II $V^{WEOMi}$$A^{A}$ $Ant.^{MiA}$(I) | εἰσακοῦσαι]ακουσαι II $A^{VA}$$Ant.^{MiA}$ (I) | ἀσθενοῦς]πτωχον $Ant.^{MiM}$(II); του πτωχου $Ant.^{A}$(II) | καὶ αὐτὸς ἐπικαλέσεται]της δεησεως αυτου II | καὶ οὐκ ἔσται ὁ εἰσακούων]και ουκ εσται ο ακουων $A^{VA}$$Ant.^{MiA}$(I); ουκ εισακουσεται ο θεος II

21,14 (a) δόσις λαθραία ἀνατρέπει ὀργάς,

(b) δώρων δὲ ὁ φειδόμενος θυμὸν ἐγείρει ἰσχυ-
ρόν.

I ab: V^{W}(Δ30)M^{PM}(Δ35); a: R(Δ15)H^{c}(Δ12)T(Δ16) II b: V(E9)M^{PM}(E19)H^{a}(E9)T(E20) III a: V(Φ9)R (Φ17)M^{P}(Φ15) IV b: Iv(56)V(Φ10)R(Φ18)M^{P}(Φ16) A^{VA}(76)

δόσις]pr. η R(I) | λαθραία]λαθραιος R(I)M^{M}(I) H^{c}T(I); λαθραιως R(III)M^{P}(III) | om. δέ II Iv V^{WEOV}(IV)M^{P}(IV)A^{VA} | om. ὁ V^{Mi}(IV)R(IV) | ἰσχυρόν]-ροτερον M^{P}(II)

21,15 (a) εὐφροσύνη δικαίων ποιεῖν κρίματα,
(b) ὅσιος ἀκάθαρτος παρὰ κακούργοις.

I b: V(Δ8)R(Δ23)M^{PM}(Δ12)H^{a}(Δ8)T(Δ24) II a: Ant.^{Mi}(II7) III a: Iv(11)A^{VA}(16)Ant.^{MiLM}(II31)

κακούργοις]-γων H^{a}(vid.)

21,16 ἀνὴρ πλανώμενος ἀπὸ ὁδοῦ δικαιοσύνης
ἐν συναγωγῇ γιγάντων ἀναπαύσεται.

I R(Δ16)H^{c}(Δ13) II R(P2)

ἀπό]εξ II

21,17 ἀνὴρ ἐνδεὴς ἀγαπᾷ σωφροσύνην,
φιλῶν οἶνον καὶ ἔλαιον οὐ πλουτήσει.

I R(Π43) II Ant.^{MiMA}(I30)

σωφροσύνην]ευφροσυνην I | οἶνον.../ἔλαιον]tr. I | οὐ πλουτήσει]εις πλουτον I

21,18 περικάθαρμα δικαίῳ ἄνομος.

I R(M12)Ant.^{Mi}(II39)

21,19 κρεῖσσον οἰκεῖν ἐν ἐρήμῳ
ἢ μετὰ γυναικὸς μαχίμου καὶ γλωσσώδους καὶ ὀρ-
γίλου.

I Iv(54)V(Γ12)R(Γ18)M^{PM}(Γ12)H^{a}(Γ12)T(Γ16)A^{VA} (55)Ant.^{MiM}(II34)

κρεῖσσον]κρεισσων A^{A} | ὀργίλου]αναιδους R

21,21 ὁδὸς δικαιοσύνης καὶ ἐλεημοσύνης εὑρήσει ζωὴν
καὶ δόξαν.

I V(Δ14)R(Δ27)M^{PM}(Δ20)H^{a}(Δ14)T(Δ32)A^{VA}(4) $Ant.^{Mi}$(I13) II V(E8)M^{PM}(E18)H^{a}(E8)T(E19) III $Ant.^{Mi}$(I61)

ζωὴν.../δόξαν]tr. A^{VA} | ζωὴν]+αιωνιον R

21,22 πόλεσιν ὀχυραῖς ἐπέβη σοφὸς
καὶ καθεῖλεν τὸ ὀχύρωμα ἐφ' ᾧ ἐπεποίθεισαν οἱ ἀσεβεῖς.

I K(Π15)

21,23 ὃς φυλάσσει τὸ ἑαυτοῦ στόμα καὶ τὴν γλῶσσαν,
τηρεῖ ἐκ θλίψεως τὴν ψυχὴν αὐτοῦ.

I V(Γ14)R(Φ8)M^{PM}(Γ14)H^{a}(Γ14)T(Γ18)A(41)$Ant.^{MiA}$ (I73)$Ant.^{MiMA}$(I75)

ἑαυτοῦ στόμα]στομα αυτου $Ant.^{MiMA}$(I75) | om. καὶ τὴν γλῶσσαν $Ant.^{MiA}$(I73) | τηρεῖ]διατηρει R$Ant.^{MiA}$(I73)$Ant.^{MiMA}$(I75)

21,24 (a) θρασὺς καὶ αὐθάδης καὶ ἀλάζων λοιμὸς καλεῖται,
(b) ὃς μνησικακεῖ παράνομος.

I b: V(A11)H^{a}(A10)L^{c}(A8) II a: M^{M}(Θ15) III a: V^{WE}(Y11)R(Y16)M^{PM}(Y16)$Ant.^{Mi}$(II74) IV b: Iv (26)A^{VA}(98)$Ant.^{Mi}$(II54)

θρασύς]pr. πας ανηρ II | om. καὶ αὐθάδης II | λοιμός]μοιχος M^{M}(III) | ὃς μνησικακεῖ]ο μνησικακων $Ant.^{Mi}$(IV)

21,25 ἐπιθυμίαι ὀκνηρὸν ἀποκτενοῦσιν,
οὐ γὰρ αἱροῦνται αἱ χεῖρες αὐτοῦ ποιεῖν τι.

I Iv(24)R(M18)A^{V}(96)$Ant.^{MiM}$(II46)

ὀκνηρόν]-ρων Iv | ἀποκτενοῦσιν]-κτεννουσιν R; -κταινουσιν Iv$Ant.^{M}$

21,28a μάρτυς ψευδὴς ἀπολεῖται.

I Iv(6)V(Ψ1)R(Ψ4)M^{PM}(Ψ4)$Ant.^{MiA}$(I22)

21,29a ἀναιδὴς ἀνὴρ ἀναιδῶς ὑφίσταται προσώπῳ.

I Iv(32)V(Π15)M^{P}(Π37)A^{VA}(61)

ἀναιδῶς]αιδους Iv

21,31 ἵππος ἑτοιμάζεται ἐν ἡμέρᾳ πολέμου,
παρὰ δὲ κυρίου ἡ βοήθεια.

I K(Π15) II C(Σ1)V(Σ8)M^{P}(Σ22) III $Ant.^{Mi}$(I12)

ἐν ἡμέρᾳ]εις ημεραν III $V^{W}M^{P}$

22,1 αἱρετώτερον ὄνομα καλὸν ἢ πλοῦτος πολύς·
ὑπὲρ δὲ ἀργύριον καὶ χρυσίον χάρις ἀγαθή.

I K(O7)V(O5)R(O16)M^{P}(O15)L^{C}(O8)$Ant.^{MiM}$(II49)

αἱρετώτερον]+εστιν V^{O}

22,3ab πανοῦργος ἰδὼν πονηρὸν τιμωρούμενον
κραταιῶς αὐτὸς παιδεύεται.

I K(Σ6) II $Ant.^{MiA}$(I68)

22,4 γενεᾶ σοφῆ φόβος κυρίου
καὶ πλοῦτος καὶ δόξα καὶ ζωή.

I $Ant.^{Mi}$(I61)

22,5 τρίβολοι καὶ παγίδες ἐν ὁδοῖς σκολιαῖς,
ὁ δὲ φυλάττων τὴν ἑαυτοῦ ψυχὴν ἀφέξεται ἀπ᾽αὐ-
τῶν.

I K(O3)V(O4)R(O4)M^{P}(O4)L^{C}(O1) II V(Π18)M^{P}(Π38)
III V(Σ17)M^{P}(Σ27)

τρίβολοι]-λος V^{EOV}(I)L^{C} | φυλάττων]-σσων I |
ἀφέξεται]αφιξ. L^{C} | αὐτῶν]αυτου L^{C}

22,7 (a) πλούσιοι πτωχῶν ἄρξουσιν,
(b) οἰκέται σοφοὶ ἰδίοις δεσπόταις δανείσουσιν.

I b: V(Δ20)R(Δ39)M^{PM}(Δ25)H^{a}(Δ20)T(Δ37)$Ant.^{MiLM}$
(II23) II a: V(E9)M^{P}(E19)H^{a}(E9) III a: $Ant.^{MiA}$
(I31)

ἰδίοις δεσπόταις]om. ἰδίοις T; ιδιους δεσποτας
$Ant.^{MiLM}$(I) | δανείσουσιν]δανισουσιν M^{PM}; δανι-
σωσιν V^{E*OV}(I)H^{a}(I); δανησωσιν T

22,8a ὁ σπείρων φαῦλα θερίσει κακά.

I K(E1)V(E10)M(A24)H^{a}(A32) II R(K9) III K(M2)
V(M14)R(M8)M^{PM}(M4)M^{PM}(M11)

22,8A (a) ἄνδρα ἱλαρὸν καὶ δότην ἀγαπᾷ ὁ θεός,
(b) ματαιότητα δὲ ἔργων αὐτοῦ συντελέσει.

I a: V^{W}(A11apd.)M^{ML}(A5)H^{c}(A3)T(A5)L^{a}(A6apd.)
II a: Iv(1)V(E8)M^{PM}(E18)H^{a}(E8)T(E19)A^{V}(2)
Ant.^{MiMA}(I23) III b: K(E1)V(E10)M(A25)H^{a}(A32)
H^{a}(E10)T(A48) IV b: R(K9) V b: K(M12)V(M14)M^{PM}
(M4)M^{M}(M11) VI a: Iv(55)V(Φ9)M^{P}(Φ15)
δέ]δ K(V); om. V(V)R(V)M^{PM}(M4)M^{PM}(M11) | αὐτοῦ]
αυτω H^{a}(A32) | συντελέσει]-ση V^{EOV}(V)

22,9a ὃς δίδωσιν πτωχῷ αὐτὸς διατραφήσεται.
I V^{W}(A11apd.)R(A5)M^{ML}(A5)H^{c}(A3)T(A5)L^{a}(A6)
ὃς]ο H^{c} | πτωχῷ]pr. τω RL^{a}

22,9A νίκην καὶ τιμὴν περιποιεῖται ὁ διδοὺς δῶρα,
τὴν μέντοι ψυχὴν ἀφαιρεῖται τῶν κεκτημένων.
I V(Δ19)R(Δ36)M^{PM}(Δ24)H^{a}(Δ19)T(Δ36) II V^{W}(Δ30)
M^{PM}(Δ35)
νίκην]δικην R | τιμὴν]+εαυτω II | ὁ διδοὺς δῶ-
ρα]ο τα δωρα διδους M^{PM}(II); οταν δωρα διδους
V^{W}(II) | ἀφαιρεῖται/τῶν κεκτημένων]αφαιρει των
κ. $M^{P^{c}}$(I); αφ. τω κεκτημενω M^{M}(I); tr. II

22,10 (a) ἔκβαλε λοιμὸν ἐκ συνεδρίου, καὶ συνεξελεύ-
σεται αὐτῷ νεῖκος·
(b) ὅταν γὰρ καθίσῃ ἐν συνεδρίῳ πάντας ἀτιμάζει.
I ab: K(Σ12)V(Σ13)R(Σ13)M^{P}(Σ8) II ab: Iv(12)A^{A}
(50)Ant.^{Mi}(II32); a: A^{V}(50)Ant.^{M}(II32)
λοιμὸν/ἐκ συνεδρίου]tr. II | συνεξελεύσεται]συν-
εισελ. V^{WMi} | αὐτῷ/νεῖκος]tr. Ant.^{Mi}; om.
αὐτῷ R; om. νεῖκος A^{V}; αυτω οικως Iv | καθίσῃ]
καθησης Iv; καθηται V^{W}; καθησει M^{P}; καθηση
V^{EOV} | ἀτιμάζει]-ζη KA^{A}; ατιμασει A^{V}Ant.^{Mi}(non
Ge)

22,11 (a) ἀγαπᾷ κύριος ὁσίας καρδίας,
(b) δεκτοὶ δὲ αὐτῷ πάντες ἄμωμοι·
(c) χείλεσιν ποιμαίνει βασιλεύς.
I c: R(B2) II ab: V(K12)R(K15)M^{PM}(K11)Ant.^{Mi}
(II87)

22,13 προσφασίζεται καὶ λέγει ὁ ὀκνηρὸς
Λέων ἐν ταῖς ὁδοῖς, ἐν δὲ ταῖς πλατείαις φονευ-
ταί.

I Iv(24)V^{EOVMi}(M6)R(M18)A^{V}(96)Ant.^{MiM}(II46)

καὶ λέγει/ὁ ὀκνηρὸς]tr. Iv; om. ὁ Ant.^{MiM}; +λεγων A^{V} | ἐν δέ]και εν V^{Mi}

22,14 βόθρος βαθὺς στόμα παρανόμου,
ὁ δὲ μισηθεὶς ὑπὸ κυρίου ἐμπεσεῖται εἰς αὐτόν.

I Iv(50)V(Γ15)M^{PM}(Γ15)H^{a}(Γ15)T(Γ19)A^{V}(73)

ὑπὸ κυρίου]υπο θεου A^{V}; παρα θεου Iv

22,14A εἰσὶν ὁδοὶ κακαὶ ἐνώπιον ἀνδρός,
καὶ οὐκ ἀγαπᾷ ἀποστρέψαι ἀπ᾽ αὐτῶν·
ἀποστρέφειν δὲ δεῖ ἀπὸ ὁδοῦ σκολιᾶς καὶ κακῆς.

I K(O3)R(O4)M^{P}(O4)L^{c}(O1)

ἀποστρέψαι]pr. του K | om. δέ L^{c} | σκολιᾶς]σκοτεινης R

22,15 ἀνοίᾳ ἐξῆπται καρδία νέου,
ῥάβδος δὲ καὶ παιδεία μακρὰν ἀπ᾽ αὐτοῦ.

I R(N2)Ant.^{Mi}(II20)

22,17aα Λόγοις σοφῶν παράβαλε σὸν οὖς.

I K(Δ10)V(Δ13)R(A37)M(A29)H^{a}(A53)T(A51) II Iv(13)V(Σ16)M^{P}(Σ27)A^{V}(86)Ant.^{MiM}(II35)

Λόγοις]λογω Ant.^{Mi}; λογους V^{W}(II); λογον Ant.^{M}| σοφῶν]σοφω Ant.^{Mi}; σοφοις Iv; σοφον Ant.^{M} | παράβαλε]-βαλλε KIvV^{W}(I)M^{M}(I)$H^{a}A^{V}$; -λαβε V^{V}(II) | σὸν οὖς]σου τον νουν V^{Mi}(I); σον νουν Iv; το ους σου M^{L}(I)H^{a}

22,22a μὴ βιάζου πένητα, πτωχὸς γάρ ἐστιν.

I R(B7)T(B7) II V(Π21)M^{P}(Π40)

om. γάρ V^{W}

22,24 (a) μὴ ἴσθι ἑταῖρος ἀνδρὶ θυμώδει,
(b) φίλῳ δὲ ὀργίλῳ μὴ συναυλίζου.

I ab(1°loco): Iv(32)A^{V}(24); b(1°loco): A^{VA}(61) Ant.^{Mi}(II53) II ab(2°loco): Iv(32)V(Π15)R(Π41)

M^P(Π37)A^{VA}(24)A^V(61) III ab: V(Σ17)M^P(Σ27) Ant.^{MiM}(II36)

θυμώδει]-δης V^{OV}(II) | φίλῳ δὲ ὀργίλῳ μὴ συναυλίζου]μηδε συναυλιζου φιλω οργιλω Ant.^{MiM} (III); και ανδρι θυμωδει μη συναυλιζου I; om. δέ Iv(II)

22,25 μή ποτε μάθῃς τῶν ὁδῶν αὐτοῦ καὶ λάβῃς βρόχον τῇ σῇ ψυχῇ.

I Iv(32)V(Π15)R(Π41)M^P(Π37)A^{VA}(24)A^V(61)Ant.^{Mi} (II53) II V(Σ17)M^P(Σ27)Ant.^{MiM}(II36)

τῶν ὁδῶν]την οδον R; τας οδους A^{VA}(24)A^V(61) | βρόχον]βροχους A^{VA}(24)A^V(61)Ant.^{Mi}(I)Ant.^{MiM} (II); βροχων V^{OV}(II); χρονους Iv

22,26 μὴ δίδου ἑαυτὸν εἰς ἐγγύην, αἰσχυνόμενον πρόσωπον.

I K(E6)H^C(E25)T(E42)

22,27 ἐὰν γὰρ μὴ ἔχῃς πόθεν ἀποτίσῃς,
λήψονται τὸ στρῶμα τὸ ὑπὸ τὰς πλευράς σου.

I K(E6)H^C(E25)T(E42)

ἀποτίσῃς]-σεις H^C;-τισαι K | ὑπὸ τὰς πλευράς] υποκατωθεν των πλευρων K

22,28 μὴ μέταιρε ὅρια αἰώνια ἃ ἔθεντο οἱ πατέρες σου.

I K(O2)V(O3)R(O6)L^C(O12)

om. αἰώνια V^W | ἔθεντο]εθετο V^{OV}

22,29 (a) διορατικὸν ἄνδρα καὶ ὀξὺν ἐν τοῖς ἔργοις αὐτοῦ
(b) βασιλεῦσι δεῖ παραστῆναι,
(c) καὶ μὴ νωθροῖς.

I a-c: R(A13)H^C(A11)T(A13)L^a(A13) II ab: R(B2) III ab: H^C(E24)T(E41) IV ab: K(Σ4)

διορατικόν]ορατικον II IV | παραστῆναι]παρεσταναι R(I)H^C(I)L^a; παριστανναι T(I); παρασταναι III

23,1 ἐὰν καθίσῃς δειπνεῖν ἐπὶ τραπέζης δυνάστου,
νοητῶς νόει τὰ παρατιθέμενά σοι.

I K(Δ9)V(Δ27)R(Δ9)M^{PM}(Δ4)H^{a}(Δ27)

ἐάν - δειπνεῖν]om. R; om. δειπνεῖν M^{M} | καθί-σῃς]καθησης $V^{EOV}M^{P}$ | δυνάστου]-στων R

23,2 καὶ ἐπίβαλε τὴν χεῖρά σου,
εἰδὼς ὅτι τοιαῦτά σε δεῖ παρασκευάσαι·
εἰ δὲ ἀπληστότερος εἶ.

I R(Δ9)

23,3 μὴ ἐπιθύμει τῶν ἐδεσμάτων αὐτοῦ·
ταῦτα γὰρ ἔχεται ζωῆς ψευδοῦς.

I R(Δ9)

23,4 (a) μὴ παρεκτείνου πένης ὢν πλουσίῳ,
(b) τῇ δὲ σῇ ἐννοίᾳ ἀπόσχου.

I ab: V(Π21)R(Π44)M^{P}(Π40)$Ant.^{MiA}$(I33) II a: $Ant.^{MiA}$(I74) III a: $Ant.^{M}$(apd.)

μὴ]pr. και II | παρεκτείνου]-νω $V^{EOV}M^{P}$; συμ-παρεκτεινη $Ant.^{Mi}$(II); συμπαρεκτεινου $Ant.^{A}$(II) | πλουσίῳ]+μηδε ζητει των σοφων ειναι σοφωτε-ρος $Ant.^{MiA}$(II) | ἐννοίᾳ]ευνοια $Ant.^{MiA}$(I) | ἀπόσχου]-σχοι V^{W}(vid.)

23,5 ἐὰν ἐπιστῇς τὸ σὸν ὄμμα πρὸς αὐτόν, οὐδαμοῦ φανεῖται·
κατεσκεύασται γὰρ αὐτῷ πτέρα ὥσπερ ἀετοῦ,
καὶ ὑποστρέφει εἰς τὸν οἶκον αὐτοῦ προεστηκὼς ἑαυτοῦ.

I R(Δ28)H^{c}(Δ22)T(Δ26)

ἐπιστῇς]-στησης R | οὐδαμοῦ]μετ αυτου R | ἑαυ-τοῦ]αυτου R

23,6 μὴ συνδείπνει ἀνδρὶ βασκάνῳ, μηδὲ ἐπιθυμήσῃς τῶν βρωμάτων αὐτοῦ.

I K(Δ9)V(Δ27)R(Δ9)M^{PM}(Δ4)H^{a}(Δ27) II K(Φ2) V^{EOVMi}(Φ12)R(B6)R(Φ2)M^{PM}(Φ2)H^{c}(B6)T(B14)

συνδείπνει]-πνη V^{W}(I)V^{EOV*}(II)M^{PM}(II) | ἐπιθυ-μήσῃς]-σεις V^{EOV}(I,II)M^{P}(II)H^{a} | βρωμάτων]εδεσ-ματων K(I)V(I)M^{PM}(I)H^{a}

23,7 (23,7.8a) (a) ὃν τρόπον γὰρ εἴ τις καταπίοι τρίχα,
(b) οὕτως ἐσθίει καὶ πίνει·

(cα) μηδὲ πρὸς σὲ εἰσαγάγῃς αὐτόν
(cβ) καὶ φάγῃς τὸν ψωμόν σου μετ᾽ αὐτοῦ.

I abcα: R(Δ9); ab: K(Δ9)V(Δ27)M^{PM}(Δ4)H^{a}(Δ27) II a-c: R(B6)R(Φ2)M^{PM}(Φ2)H^{c}(B6)T(B14); ab: K (Φ2)V^{EOVMi}(Φ12)

om. γάρ H^{c} | καταπίοι]-πιει K(I,II)M^{M}(I,II) | φάγῃς]φαγη R(Φ2) | om. μετ᾽ αὐτοῦ R(Φ2)M^{PM}(II)

23,8 (a) ἐξεμέσει γὰρ αὐτὸν
(b) καὶ λυμανεῖται τοὺς λόγους σου τοὺς καλούς.

I ab: R(B6)H^{c}(B6)T(B14) II b: R(Δ9) III ab: R (Φ2)M^{PM}(Φ2)

ἐξεμέσει]-ση M^{M} | λυμανεῖται]λοιμ. $M^{PM}H^{c}$T

23,9 (a) εἰς ὦτα ἄφρονος μηδὲν λέγε,
(b) μή ποτε μυκτηρίσῃ τοὺς συνετούς σου λόγους.

I ab: R(A6)M^{ML}(A6)H^{c}(A4)T(A6)L^{c}(A6apd.) II ab: V^{WOVMi}(A24)R(A63)M^{PM}(A52)H^{a}(A22)T(A74) III a: R(Θ4) IV ab: R(M3) V ab: V(Σ6)M^{P}(Σ20)$Ant.^{MiM}$ (II60) VI ab: $Ant.^{MiMA}$(I48) VII ab: A^{VA}(17)

ἄφρονος]-νον M^{M}(II) | λέγε]λεγεται V^{O}(II); λεγετε V^{VMi}(II) | μυκτηρίσῃ]-σει V^{W}(II)V^{EOV}(V)M^{P} (V) | σου]ου V^{OV}(II); σους V^{Mi}(II)

23,10b εἰς κτῆμα ὀρφανῶν μὴ εἰσέλθῃς.

I K(O1)V(O2)R(O11)M^{P}(O8)L^{c}(O13)

23,11 ὁ γὰρ λυτρούμενος αὐτοὺς κύριος·
κραταιός ἐστιν, καὶ κρινεῖ τὴν κρίσιν αὐτῶν
μετὰ σοῦ.

I K(O1)V(O2)R(O11)M^{P}(O8)L^{c}(O13)

om. ἐστιν R$M^{P}L^{c}$ | om. καί $V^{W}M^{P}L^{c}$|αὐτῶν]αυτου $V^{EOVMi}M^{P}$

23,12a υἱέ, δὸς εἰς παιδίαν καρδίαν σου.

I V(M11)M^{PM}(M2)M^{M}(M8)

παιδίαν]παιδειαν $V^{WMi}M^{M}$(M2)M^{M}(M8)

23,13 μὴ ἀπόσχῃ νήπιον παιδεύειν,
ὅτι ἐὰν πατάξῃς αὐτὸν ῥάβδῳ, οὐ μὴ ἀποθάνῃ.

I V(Π24)R(Γ12)M^{P}(Π43)H^{a}(Γ16)Ant.^{MiLM}(II9)Ant.^{M}
(apd.)
ἀπόσχῃ]αποσχες Ant.$^{Mi(non\ Ge)}$; αποσχει V^{W} | νή-
πιον]νεον Ant.^{L} | οὐ μὴ]ουκ Ant.^{MiLM}Ant.^{M}(apd.)
| ἀποθάνῃ]-θανειται V^{Mi}RAnt.^{MiLM}Ant.^{M}(apd.)

23,14 σὺ μὲν γὰρ πατάξεις αὐτὸν ῥάβδῳ,
τὴν δὲ ψυχὴν αὐτοῦ ἐκ θανάτου ῥύσῃ.
I V(Π24)R(Γ12)M^{P}(Π43)H^{a}(Γ16)Ant.^{MiL}(II9)
om. γάρ M^{P}H^{a} | πατάξεις]-ξης V^{OV}H^{a} | ῥάβδῳ]+ου
μη αποθανει V^{V} | ἐκ θανάτου/ῥύσῃ]tr. H^{a}; εκ θ.
παταξης αυτον ρυση V^{O}

23,15 υἱέ, ἐὰν σοφὴ γένηται ἡ καρδία σου,
εὐφραίνῃς καὶ τὴν ἐμὴν καρδίαν.
K(K1)

23,17 (a) μὴ ζυλούτω σου ἡ καρδία ἁμαρτωλούς,
(b) ἀλλ' ἐν φόβῳ κυρίου ἴσθι ὅλην τὴν ἡμέραν.
I a: V(Z5)M^{PM}(Z4)T(Z5) II ab: V(K1)R(K23)M^{PM}
(K9); a: C(K2)
καρδία]ψυχη CR | ἁμαρτωλούς]pr. τους V^{Mi}(I)

23,20 (a) μὴ ἴσθι οἰνοπότης,
(b) μηδὲ ἐκτείνου συμβολαῖς,κρεῶν καὶ ἀγορασ-
μοῖς.
I ab: K(M1); a: V(M5)R(M1; 1°loco)M^{PM}(M1)A(45
apd.) II ab: R(M1; 2°loco); a: M^{P}(Ω3)
συμβολαῖς]συμβουλευσαι K | καί]τοις K

23,21 (a) πᾶς γὰρ μέθυσος καὶ πορνοκόπος πτωχεύσει,
(bα) καὶ ἐνδύσεται διερρηγμένα
(bβ) καὶ ῥακώδη πᾶς ὑπνώδης.
I ab: M^{M}(M1); abα: A(45apd.)Ant.^{MiMA}(I41); a:
K(M1)V(M5)R(M1; 1°loco) II ab: R(M1; 2°loco);
a: M^{P}(Ω3) III b: Iv(24)V^{EOVMi}(M6)A^{V}(96)Ant.^{Mi}
(II46) IV b: K(Y3)V(Y3)M^{PM}(Y4)Ant.^{MiMA}(I42)
om. γάρ M^{P}(II)Ant.^{MiMA}(I) | πορνοκόπος]-κοπους
K(I); -κοπης V^{Mi}(I) | om. πτωχεύσει Ant.^{MiMA}(I)
| om. καί III IV Ant.^{MiMA}(I) | ἐνδύσεται]-δυε-

ται II IV(sine M^{P})V^{EOVMi}(III)Ant.^{Mi}(III) | δι-
ερρηγμένα]διερρηγοτα A^{KV}; διερρωγοτα A^{A} | om.
καὶ ῥακώδη M^{M}(I)

23,22 ἄκουε, υἱέ, πατρὸς τοῦ γεννήσαντός σε,
καὶ μὴ καταφρόνει ὅτι γεγήρακέν σου ἡ μήτηρ.
I V(Π22)R(Π45)M^{P}(Π41)Ant.^{Mi}(II11)
om. υἱέ V^{VMi} | om. πατρός V^{EOVMi}

23,24 (a) καλῶς ἐκτρέφει πατὴρ δίκαιος,
(b) ἐπὶ δὲ υἱῷ σοφῷ εὐφραίνεται ἡ ψυχὴ αὐτοῦ.
I ab: V(Π24)R(Γ12)M^{P}(Π43)H^{a}(Γ16)Ant.^{MiL}(II9)
II b: Ant.^{Mi}(II13)
δίκαιος]+παιδευων $V^{EOVMi}H^{a}$ | ἐπί]εν V^{EOVMi} |
om. δέ II | om. υἱῷ V^{EOVMi} | εὐφραίνεται]εκ-
τρεφεται H^{a} | om. ἡ II | αὐτοῦ]πατρος II

23,25 εὐφραινέσθω ὁ πατὴρ καὶ ἡ μήτηρ ἐπὶ σοί,
καὶ χαιρέτω ἡ τεκοῦσά σε.
I V(Υ5)R(Υ12)M^{PM}(Υ12)Ant.^{Mi}(II13)
μήτηρ]+μητηρ V^{W}

23,27 (a) πίθος τετριμμένος ἀλλότριος οἶκος
(b) καὶ φρέαρ στενὸν ἀλλότριον.
I ab: R(O1)M^{PM}(O1) L^{C}(O3); a:K(Σ11)V^{EOVMi}(Σ20)
τετριμμένος]τετρημενος $V^{Mi}RL^{C}$; +εστιν $KV^{E}M^{M}$ |
om. καί $M^{P}L^{C}$

23,29 τίνι οὐαί; τίνι θόρυβος; τίνι κρίσις;
τίνι ἀηδίαι καὶ λέσχαι;
τίνι συντρίμματα διὰ κενῆς;
τίνος πελιδνοὶ οἱ ὀφθαλμοί;
I K(M1)V(M5)M^{PM}(M1)M^{P}(Ω3)Ant.^{MiA}(I41)
κρίσις]κρισεις V^{Mi}Ant.^{MiA} | ἀηδίαι]αιδιαι K
V^{EOV}; αδικα V^{W} | λέσχαι]λεσχη K; λεχαι V^{V} |
τίνος]τινι V^{Mi}Ant.^{Mi} | πελιδνοί]πελιδυοι V^{OV}

23,30 οὗ τῶν ἐγχρονιζόντων ἐν οἴνοις;
οὗ τῶν ἰχνευόντων ποῦ πότοι γίνονται;
I K(M1)V(M5)M^{PM}(M1)M^{P}(Ω3)Ant.^{MiA}(I41)
ἐγχρονιζόντων]ενχρ. $V^{EOV}M^{P}$(M1); χρονιζοντων K

M^{P}(Ω3) | οἴνοις]οινω M^{M}(M1)M^{P}(Ω3) | οὗ 2°]και M^{P}(Ω3)Ant.^{MiA} | om. τῶν 2^{o}(Ω3) | ἰχνευόντων] κατασκοπουντων M^{P}(Ω3); κατασκοπουμενων Ant.^{MiA}

23,31a.cd (aα) μὴ μεθύσκεσθε οἴνῳ,
(aβ) ἀλλὰ λαλεῖτε ἀνθρώποις δικαίοις,
(c) ἐὰν γὰρ εἰς τὰς φιάλας καὶ τὰ ποτήρια δῷς τοὺς ὀφθαλμούς σου,
(d) ὕστερον περιπατήσεις γυμνότερος ὑπέθρου.

I aβ: K(Δ10)V(Δ13)R(A37)M(A29)H^{a}(A53)H^{a}(Δ13)T (A51) II a.cd: K(M1)V^{EOVMi}(M5)M^{PM}(M1) III aβ: V(Σ16)M^{P}(Σ27) IV aα: Ant.^{M}(apd.)

om. ἀλλά I III | λαλεῖτε]λαλητε V^{OV}(III); λαλειται $V^{EOV^{txt}Mi}$(I)M^{P}(III)H^{a}(A53)H^{a}(Δ13); ομιλειτε K(II)V^{Mi}(II)M^{P}(II); ομιλητε V^{EOV}(II); ομιλειται M^{M}(II)| ἀνθρώποις]-ποι V^{VMi}(I) | om. τάς K(II)V^{Mi}(II) | δῷς]δος V^{EOV}(II)M^{PM}(II);+δε V^{O}(II) | περιπατήσεις]-σης K(II) | ὑπέθρου]υπαιθρου K(II)V^{Mi}(II); υπερου M^{P}(II)

24,1 υἱέ, μὴ ζηλώσῃς κακοὺς ἄνδρας,
μηδὲ ἐπιθυμήσῃς εἶναι μετ᾽ αὐτῶν.

I V(Z5)R(Z4)M^{PM}(Z5)T(Z5)Ant.^{Mi}(II66) II V(Σ17) M^{PM}(Σ27)Ant.^{Mi}(II36)

ζηλώσῃς]-σεις Ant.^{Ge}(I) | ἐπιθυμήσῃς]-σεις V^{EOV}(I)M^{P}(I,II)

24,2 ψεύδη γὰρ μελετᾷ ἡ καρδία αὐτῶν,
καὶ πόνους τὰ χείλη αὐτῶν λαλεῖ.

I R(Z4)Ant.^{Mi}(II66) II V(Σ17)M^{P}(Σ27)Ant.^{Mi}(II 36)

ψεύδη]ψευδῆ I

24,3 μετὰ σοφίας οἰκοδομεῖται οἶκος,
καὶ μετὰ συνέσεως ἀνορθοῦται.

I V(Σ18)A^{VA}(17)

οἰκοδομεῖται]-νομειται A^{VA} | ἀνορθοῦται]+πολις V^{W}

24,5 κρείσσων σοφὸς ἰσχυροῦ,

καὶ ἀνὴρ φρόνησιν ἔχων γεωργίου μεγάλου.

I A^{VA}(17)

24,6 μετὰ κυβερνήσεως γίνεται πόλεμος,
βοήθεια δὲ μετὰ καρδίας βουλευομένης.

I V(B12)R(B13)M^{PM}(B15)H^{a}(B12)T(B13) II K(Π15) R(Π11)

δέ]γαρ M^{P}T | βουλευομένης]βουλευτικης II R(I) M^{M}

24,8b ἀπαιδεύτοις συναντᾷ θάνατος.

I V^{OVMi}(A24)R(A63)M^{PM}(A52)H^{a}(A22)T(A74)

24,11 ῥῦσαι ἀγομένους εἰς θάνατον
καὶ ἐκπρίουν κτεινομένους μὴ φείσῃ.

I V^{W}(A11apd.)R(A5)M^{ML}(A5)H^{c}(A3)T(A5)L^{a}(A6) II K(A6)V^{WOVMi}(A17)R(B8)M^{PM}(B4)H^{a}(A15)H^{c}(B5)T(B 8)L^{c}(A17)

ἀγομένους]απαγ. V^{W}(I)V^{OVMi}(II)H^{a} | ἐκπρίουν] -πριων R(I,II)M^{ML}(I)L^{a}; -πριω V^{W}(I)H^{c}(I,II)T (I,II); -πριου V^{Mi}(II)M^{M}(II) | κτεινομένους] κτην. T(II); κτεν. L^{c} | φείσῃ] φησει T(II); φυσει H^{c}(II)

24,12 (a) ἐὰν δὲ εἴπῃς Οὐκ οἶδα τοῦτον,
(b) γίνωσκε ὅτι κύριος καρδίας πάντων γινώσκει·
(c) καὶ ὁ πλάσας πνοὴν πᾶσαν αὐτὸς οἶδεν πάντα,
(d) ὃς ἀποδώσει ἑκάστῳ κατὰ τὰ ἔργα αὐτοῦ.

I a-d: V^{W}(A11apd.)R(A5)M^{ML}(A5)H^{c}(A3)T(A5)L^{a}(A 6) II a-d: R(B8)H^{c}(B5)T(B8); ab.d: K(A6)V^{WOVMi} (A17)M^{PM}(B4)H^{a}(A15)L^{c}(A17) III c: C(A3)R(A47) H^{b}(A2) IV cd: C(K1)V(K11)R(K24)M^{PM}(K10)

κύριος/καρδίας πάντων γινώσκει]tr. I | ὁ]pr. και I R(II)H^{c}(II)T(II) | ὅς]και IV | ἀποδώσει] -διδωσιν V^{WOVMi}(II)M^{P}(II)H^{a}

24,15b μὴ ἀπατηθεὶς ἐν χορτασίᾳ κοιλίας.

I K(E3)V(E12)M^{PM}(E20)H^{a}(E12)T)E21)

ἀπατηθεὶς]-θης K$V^{Mi}M^{M}H^{a}$

24,16a ἑπτάκις πεσεῖται ὁ δίκαιος καὶ ἀναστήσεται.

I R(Δ12)H^{c}(Δ9)T(Δ13) II V(Δ16)M^{PM}(Δ21)H^{a}(Δ16) T(Δ33)A^{VA}(16) III Ant.^{MiA}(I17)

24,17 ἐὰν πέσῃ ὁ ἐχθρός σου, μὴ ἐπιχαρῇς αὐτῷ,
ἐν δὲ τῷ ὑποσκελίσματι αὐτοῦ μὴ ἐπαίρου.

I K(E5)V(E14)M^{PM}(E7)H^{a}(E14)T(E8) II Ant.^{Mi}(II 54)

24,18 ὅτι ὄψεται κύριος καὶ οὐκ ἀρέσει αὐτῷ,
καὶ ἀποστρέψει τὸν θυμὸν αὐτοῦ ἀπ'αὐτοῦ.

I K(E5)V(E14)M^{PM}(E7)H^{a}(E14)T(E8) II Ant.^{Mi}(II 54)

αὐτοῦ]αυτων K

24,19 (a) μὴ χαῖρε ἐπὶ κακοποιοῖς,
(b) μηδὲ ζήλου ἁμαρτωλούς.

I a: V(E14)M^{P}(E7)H^{a}(E14)T(E8) II ab: V(Z5)R(Z4)M^{PM}(Z5)T(Z5)Ant.^{Mi}(II66)

χαῖρε]επιχαιρε I | κακοποιοῖς]κακοις V(II)RM^{P}(II)T(II)Ant.^{Mi}; ικανους Ant.^{Ge} | ζήλου]ζηλωσης RAnt.^{Mi}

24,21 φοβοῦ τὸν θεόν, υἱέ, καὶ βασιλέα,
καὶ μηδετέρῳ αὐτῶν ἀπειθήσῃς.

I K(A7)V^{OVMi}(A21)H^{a}(A19) II R(A49)A^{VA}(12) Ant.^{Mi}(I3) III K(B6)V(B11)R(B4)M^{PM}(B14)H^{a}(B11) T(B3)

φοβοῦ τὸν θεόν,/υἱέ]tr. T | om. καί 1° $V^{V^{txt}}$(I) | βασιλέα]pr. τον V^{Vmg}(I)T | μηδετέρῳ]μηδε (μηδενι A^{A}) ετερω K(III)V^{V}(I)R(II)H^{a}(I)A^{VA}Ant.^{Mi} | αὐτῶν]αυτον K(I) | ἀπειθήσῃς]-σεις V^{OV}(I)V^{Mi}(III)R(II)M^{P}Ant.^{Mi}; αθετησης(-σεις A^{A})A^{VA}

24,22Ba μηδὲν ψεῦδος ἀπὸ γλώσσης βασιλέως λεγέσθω.

I R(A31)H^{c}(A28)T(A31) II Iv(15)V(B9)R(B2)M^{PM}(B12)H^{a}(B9)T(B2)A^{VA}(31)

μηδὲν]ουδεν $H^{c}T$(I) | ψεῦδος]ψευδες A^{VA} | ἀπὸ/
γλώσσης]tr. Iv; απο στοματος I

24,22c (a) μάχαιρα γλῶσσα βασιλέως καὶ οὐ σαρκίνη·
(b) ὃς δ' ἂν παραδοθῇ, συντριβήσεται.
I ab: R(B2); a: V(B9)M^{PM}(B12)H^{a}(B9)T(B2)Ant.^{Mi}
(II1)

24,24 τάδε λέγει ὁ ἀνὴρ τοῖς πιστεύουσιν θεῷ, καὶ
(30,1)c παύσομαι.
I R(Γ7)H^{c}(Γ1)T(Γ7)
om. ὁ H^{c}

24,25 ἀφρονέστατος γάρ εἰμι πάντων ἀνθρώπων,
(30,2) καὶ φρόνησις ἀνθρώπου οὐκ ἔστιν ἐν ἐμοί.
I R(Γ7)H^{c}(Γ1)T(Γ7)

24,27 τίς συνήγαγεν ἀνέμους ἐν κόλπῳ;
(30,4)b-d τίς συνέστρεψεν τὸ πᾶν ὕδωρ ἱματίῳ;
τίς ἐκράτησεν πάντων ἄκρων γῆς;
I K(A22)V^{WOVMi}(A30)M(A27)H^{a}(A28)T(A50)L^{c}(A18)
συνέστρεψεν]συνετριψεν V^{VMi} | ἱματίῳ]-τιων K |
γῆς]pr. της $V^{OVMi}H^{a}L^{c}$

24,28 (a) πάντες οἱ λόγοι κυρίου πεπυρωμένοι,
(30,5) (b) ὑπερασπίζει δὲ κύριος τῶν εὐλαβουμένων αὐ-
τόν.
I b: V^{EOVMi}(A4)R(A49)M(A39)T(A61)L^{c}(A6) II ab:
V(E1)M^{PM}(E1)H^{a}(E1)T(E1) III a: C(Θ1)V(Θ3)R(Θ7)
M^{PM}(Θ4)
om. οἱ III | κυρίου]θεου III | ὑπερασπίζει]-ζη
M^{M}(II)H^{a} | om. δέ I | κύριος]αυτος V^{W}(II)M^{PM}
(II)T(II) | τῶν εὐλαβουμένων]τους ευλαβουμε-
νους M^{PL}(I)T(I); των φοβουμενων M^{M}(II) | αὐτόν]
αυτων V^{OV}(I)V^{EOV}(II)M^{M}(I)H^{a}

24,30 δύο αἰτοῦμαι παρὰ σοῦ.
(30,7) μὴ ἀφείλῃς μου χάριν πρὸ τοῦ ἀποθανεῖν με.
I K(O7)

24,31 (a) μάταιον λόγον καὶ ψευδῆ μακρὰν ποίησον ἀπ'
(30,8) ἐμοῦ,

(b) πλοῦτον καὶ πενίαν μή μοι δῷς,
(c) σύνταξον δέ μοι τὰ δέοντα καὶ τὰ αὐτάρκη.

I bc: Iv(39)V^{WOVMi}(A26)R(O10)M^{PM}(A54)H^{a}(A24)L^{c}(A34)A^{VA}(22)A^{V}(66)Ant.^{MiMA}(I30) II bc: K(E2)V(E11)M^{PM}(E8)H^{a}(E11)H^{c}(E9)T(E9) III a: K(O7) IV a: V(Ψ1)R(Ψ4)M^{PM}(Ψ4)A^{VA}(9)Ant.^{MiA}(I22)

μάταιον λόγον]ματαιολογω M^{M}(IV) | ἀπ'ἐμοῦ]απο σου V^{OVMi}(IV)A^{VA}(IV) | δῷς]δος V^{OV}(I)V^{W}(II)M^{PM}(I)M^{P}(II)H^{c}TA^{A}(I)Ant.^{A}(I); +κυριε V^{Mi}(I)R(I)L^{c} Ant.^{MiMA}(I) | om. καί 2° Iv | om. τά 2° IvV^{W}(I)R(I)$H^{a}H^{c}A^{A}$(32)A^{V}(66)Ant.^{A}(I)

24,32 ἵνα μὴ πλησθεὶς ψευδὴς γένωμαι καὶ εἴπω Τίς με
(30,9) ὁρᾷ;
ἢ πενηθεὶς κλέψω καὶ ὀμόσω τὸ ὄνομα τοῦ θεοῦ.

I Iv(39)V^{WOVMi}(A26)R(O10)M^{PM}(A54)H^{a}(A24)L^{c}(A34)A^{VA}(32)A^{V}(66)Ant.^{MiA}(I30) II K(E2)V(E11)M^{PM}(E8)H^{c}(E9)T(E9)

πλησθείς]πλησθης V^{W}(II)M^{M}(II)H^{c}TA^{VA}(22); πλειςθεις V^{W}(I); πληθεις V^{OV}(I); πλουτισθεις A^{V}(66) | ψευδής]ψευδη V^{OV}(II) | γένωμαι]γινωμαι A^{A}(22)Ant.^{A} | om. ἤ πενηθείς L^{c} | κλέψω]βλεψω V^{OV}(II) | θεοῦ]+μου IvA^{A}(22)Ant.^{MiA}

24,33 μὴ παραδῷς οἰκέτην εἰς χεῖρας δεσπότου,
(30,10) μή ποτε καταράσηταί σε καὶ ἀφανισθῇς.

I K(Π11)V(Π30)R(Π49)M^{P}(Π46)

δεσπότου]+αυτου K | καταράσηται]-σεται V^{EOV}; -σσεται V^{W} | σε]σοι R

24,34 ἔγγονον κακὸν πατέρα καταρᾶται,
(30,11) τὴν δὲ μητέρα οὐκ εὐλογεῖ.

I V(Y6)M^{PM}(Y13)Ant.^{Mi}(II14)

ἔγγονον]εκγ. $V^{W}M^{M}$ | μητέρα]+αυτου M^{M}

24,35 ἔγγονον κακὸν δίκαιον ἑαυτὸν κρινεῖ.
(30,12)a

I H^{c}(A20)T(A23) II R(Δ6)H^{c}(Δ4) III V^{EOVMi}(Y6)M^{PM}(Y13) ἔγγονον]εκγ. $M^{M}H^{C}$(II) | κρινεῖ]κρίνει I; κρίνειν H^{C}(II)

24,36 (30,13) ἔγγονον κακὸν ὑψηλοὺς ὀφθαλμοὺς ἔχει,
τοῖς δὲ βλεφάροις αὐτοῦ ἐπαίρεται.

I V^{EOVMi}(Y6)M^{PM}(Y13)$Ant.^{Mi}$(II14)

ἔγγονον]εκγ. M^{M} | ἐπαίρεται]σπαιρεται $Ant.^{Mi}$

24,37 (30,14)a-c ἔγγονον κακὸν μαχαίρας τοὺς ὀδόντας ἔχει,
καὶ τὰς μύλας στομίδας, ὥστε ἀναλίσκειν
τοὺς ταπεινοὺς τῆς γῆς.

I V(A12)M^{PM}(A44)H^{a}(A11)T(A66)

ἔγγονον]εκγ. $V^{W}M^{PM}T$ | μαχαίρας]-ρα V^{Mi} | στομίδας]τομ. M^{M}

24,38(23)b αἰδεῖσθαι πρόσωπον ἐν κρίσει οὐ καλόν.

I Iv(21)V(Δ18)M^{PM}(Δ23)H^{a}(Δ18)T(Δ35)A^{VA}(92) $Ant.^{MiM}$(II7)

24,39(24) ὁ εἰπὼν τὸν ἀσεβῆ Δίκαιός ἐστιν,
ἐπικατάρατος λαοῖς ἔσται καὶ μισητὸς εἰς ἔθνη.

I V(Δ19)R(Δ36)M^{PM}(Δ24)H^{a}(Δ19)T(Δ36) II Iv(8)V (X2)M^{PM}(X5)A^{VA}(11)A^{VA}(50)$Ant.^{MiM}$(II40)

Δίκαιος]pr. οτι $Ant.^{Mi}$(II) | Δίκαιός ἐστιν]δικαιον εστιν V^{V}(II); δικαιον A^{VA}(50); pr. οτι $Ant.^{Mi (non Ge)}$ | λαοῖς]pr. εν M^{M}(I); om. V^{Mi} (II) | ἔσται]εστω H^{a} | εἰς ἔθνη]εθνει $Ant.^{MiM}$; om. εἰς Iv; εθνεσιν A^{V}(50); εν εθνεσιν A^{A}(50)

24,40(25) οἱ ἐλέγχοντες βελτίους φανοῦνται,
ἐπ᾽αὐτοὺς δὲ ἥξει εὐλογία ἀγαθή.

I K(E12)V(E31)M^{PM}(E29)H^{a}(E28)T(E29)

φανοῦνται]φαινονται $M^{PM}T$ | αὐτούς]αυτοις M^{P}

24,41(26) χείλη δὲ φιλήσουσιν ἀποκρινόμενα λόγους ὀρθούς.

I R(A24)H^{C}(A21)T(A24)L^{a}(A25) II R(Φ8)$Ant.^{MiA}$ (I75)

om. δὲ R(I,II)L^{a} | φιλήσουσιν]φιλει $Ant.^{Mi}$

24,42(27)ab ἑτοίμαζε εἰς τὴν ἔξοδον τὰ ἔργα σου,
καὶ παρασκευάζου εἰς τὸν ἀγρόν.

I K(Ω1)V(Ω)R(Ω1)M^{PM}(Ω1)

ἑτοίμαζε]-ζου M^{M}

24,43(28) (a) μὴ ἴσθι μάρτυς ψευδὴς ἐπὶ σὸν πολίτην,
(b) μὴ πλατύνου σοῖς χείλεσιν.

I b: K(A5)V(A11)H^{a}(A10)L^{c}(A8) II a: V(Ψ1)M(Ψ4) A^{VA}(9)

πολίτην]πολειται M^{L}

24,44(29) (a) μὴ εἴπῃς Ὃν τρόπον ἐχρήσατό μοι χρήσομαι αὐτῷ,
(b) ὑπὲρ ὧν με ἠδίκησεν.

I ab: K(A5)V(A11)H^{a}(A10)L^{c}(A4); a: A(36) II ab: T(E8)

εἴπῃς]ειποις L^{c} | χρήσομαι]-σωμαι II | ὑπὲρ ὧν] τεισομαι δε αυτω α II | με]μεθ L^{c} | ἠδίκησεν] εκδικησεν V^{OV}

24,45(30) ὥσπερ γεώργιον ἀνὴρ ἄφρων,
καὶ ὥσπερ ἀμπελὼν ἐνδεὴς φρενῶν.

I R(A63)

24,46(31) ἐὰν ἀφῇς αὐτόν, χερσωθήσεται
καὶ χορτομανήσει ὅλος, καὶ γίνεται ἐκλελειμένος,
οἱ δὲ φραγμοὶ τῶν λίθων αὐτοῦ κατασκάπτονται.

I R(A63)

24,47(32) ὕστερον ἐγὼ μετενόησα,
καὶ ἐπέστρεψα τοῦ ἐκλέξασθαι παιδείαν.

I R(Γ7)H^{c}(Γ1)T(Γ7) II R(M13)

ἐπέστρεψα]επεβλεψα II | ἐκλέξασθαι]εκδεξασθαι II

24,50 (30,15) τῇ βδέλλῃ τρεῖς θυγατέρες ἦσαν ἀγαπήσει,
καὶ αἱ τρεῖς αὗται οὐκ ἐνεπίμπλασαν αὐτήν,
καὶ ἡ τετάρτη οὐκ ἠρκέσθη εἰπεῖν Ἱκανόν.

I K(A30)

24,51 (30,16) ᾅδης καὶ ἔρως γυναικὸς
καὶ γῆ οὐκ ἐπιμπλαμένη ὕδατος
καὶ πῦρ οὐ μὴ εἴπωσιν Ἀρκεῖ.

I K(A30)

24,52 (30,17) ὀφθαλμὸν καταγελῶντα πατρὸς καὶ ἀτιμάζοντα γῆ-
ρας μητρός,
ἐκκόψειαν αὐτοῦ κόρακες ἐκ τῶν φαράγγων,
καὶ καταφάγοισαν αὐτὸν νεοσσοὶ ἀετῶν.

I V(K2) II V(Π23)R(Π46)M^{P}(Π42)

ὀφθαλμὸν]-μων V^{E}(I)V^{EOV*}(II) | καταγελῶντα]-γελωντας V^{E}(II); καταλαλουντα I | πατρὸς]πατερα V^{OVMi}(II) | φαράγγων]φαραγων V^{V}(II); φαρυγγων R; φαρυγων V^{W}(II) | αὐτόν 2°]αυτων V^{E}(I,II); αυτω V^{OV}(II)

24,53 (30,18) τρία ἐστὶν ἀδύνατά μοι νοῆσαι, καὶ τὸ τέταρτον
οὐκ ἐπιγινώσκω.

I K(A22)V^{WOVMi}(A30)R(A28)M(A26)H^{a}(A28)T(A28)L^{c}(A18)

om. ἐστίν RT

24,54 (30,19) (a) ἴχνη ἀετοῦ πετομένου,
(b) καὶ ὁδὸν ὄφεως ἐπὶ πέτρας,
(c) καὶ τρίβους νηὸς ποντοπορούσης,
(d) καὶ ὁδοὺς ἀνδρὸς ἐν νεότητι.

I a-d: K(A22)V^{WOVMi}(A30)M(A26)H^{a}(A28)T(A28)L^{c}(A18); ab.d: R(A28)

ὁδὸν]οδους $H^{a}L^{c}$T | ὁδοὺς]οδον $V^{Mi}H^{a}$; οδος V^{OV}

24,56 (30,21) διὰ τριῶν σείεται ἡ γῆ,
τὸ δὲ τέταρτον οὐ δύναται φέρειν.

I V(X3)R(X5)M^{PM}(X6)

24,57 (30,22) ἐὰν οἰκέτης βασιλεύσῃ,
καὶ ἄφρων πλησθῇ σιτίων.

I V(X3)R(X5)M^{PM}(X6)

βασιλεύσῃ]-σει $V^{EOV}M^{P}$ | σιτίων]σιτων $V^{W}M^{PM}$; σιτιαν V^{Mi}

24,58 (30,23) καὶ ἐὰν οἰκέτις ἐκβάλλῃ τὴν ἑαυτῆς κυρίαν,
καὶ μισητὴ γυνὴ ἐὰν τύχῃ ἀνδρὸς ἀγαθοῦ.

V(X3)R(X5)M^{PM}(X6)

ἐὰν οἰκέτις(-της M^{P})]οικετης(-τις V^{Mi})εανV^{OVMi} | ἐκβάλλῃ]-βαλη $V^{Mi}RM^{PM}$; λαβη V^{V} | ἑαυτῆς]εαυτου V^{V}

24,59 (30,24) τέσσαρά ἐστιν ἐλάχιστα ἐπὶ τῆς γῆς,
ταῦτα δέ ἐστιν σοφώτερα τῶν σοφῶν.

I K(Z1)V(Z2)R(Z2)M^{PM}(Z2)T(Z2)

24,60 (30,25) οἱ μύρμηκες οἷς ἔστιν ἰσχύς,
καὶ ἑτοιμάζεται θέρους τὴν τροφήν.

I K(Z1)V(Z2)R(Z2)M^{PM}(Z2)T(Z2)

μή]ουκ T | ἑτοιμάζεται]-ζονται $KM^{M}T$

24,61 (30,26) καὶ οἱ χυρογρύλλιοι, ἔθνος οὐκ ἰσχυρόν,
οἳ ἐποιήσαντο ἐν πέτραις τοὺς ἑαυτῶν οἴκους.

I K(Z1)V(Z2)R(Z2)M^{PM}(Z2)T(Z2)

χυρογρύλλιοι]χυρονγρ. V^{W}; χυρογυλλιοι M^{M}; σχυρογλ. V^{O}; σχυρολογλ. V^{V}; χυνογρ. V^{E}; χυρογρυλλοι T; χοιρογρυλλοι $V^{Mi}R$ | ἑαυτῶν οἴκους]οικους αυτων K

24,62 (30,27) ἀβασίλευτόν ἐστιν ἡ ἀκρίς,
καὶ ἐκστρατεύει ἀφ' ἑνὸς κελεύσματος.

I K(Z1)V(Z2)R(Z2)M^{PM}(Z2)T(Z2)

ἀβασίλευτον]-του T; -τος V^{Mi} | ἐστιν]εθνος R | om. καί V^{Mi}

24,63 (30,28) καὶ καλαβώτης χερσὶν ἐρειδόμενος καὶ εὐάλωτος ὤν,
κατοικεῖ ἐν ὀχυρώμασιν βασιλέων.

I K(Z1)V(Z2)R(Z2)M^{PM}(Z2)T(Z2)

καλαβώτης]-βοτης $V^{E}M^{M}$; καλοβοτης KV^{OV}; ασκαλαβωτης(-βοτης M^{P})$M^{P}T$ | ὤν]ουν M^{M} | κατοικεῖ]κατοικειν V^{OV}; οικει T

24,64 (30,29) τρία ἐστὶν ἃ εὐόδως πορεύονται,
καὶ τὸ τέταρτον ὃ καλῶς διαβαίνει.

I K(Z1)V(Z2)M^{PM}(Z2)T(Z2)

πορεύονται]-εται $M^{M}T$ | om. τό V^{Mi}

24,65 (30,30) σκύμνος λέοντος ἰσχυρότερος κτηνῶν,
ὃς οὐκ ἀποστρέφεται οὐδὲ καταπτήσσει κτῆνος.

I K(Z1)V(Z2)M^{PM}(Z2)T(Z2)

ἀποστρέφεται]-στρεψεται V^{OVMi} | καταπτήσσει] -πτησει V^{WMi}; -πταισει K

24,66 (a) καὶ ἀλεκτρύων ἐμπεριπατῶν θηλείαις εὔψυχος,
(30,31) (b) καὶ τράγος ἡγούμενος αἰπολίου,
(c) καὶ βασιλεὺς δημηγορῶν ἐν ἔθνει.

I a-c: K(Z1)T(Z2); ab: V(Z2)M^{PM}(Z2)

ἐμπεριπατῶν]ενπ. V^{V}; περιπ. K | θηλείαις]pr. ταις εαυτου T | εὔψυχος]εμψ. V^{EO}; εμψυχοι V^{V} | τράγος]pr. ο M^{M}; τρογος V^{E}; τραγοι V^{V}; τραγρος T

24,67 ἐὰν πρόῃς ἑαυτὸν εἰς εὐφροσύνην,
(30,32) καὶ ἐκτείνῃς τὴν χεῖρά σου μετὰ μάχης, ἀτιμασθήσῃ.

I R(Δ9)

24,68 (a) ἄμελγε γάλα, καὶ ἔσται βούτυρον·
(30,33) (b) ἐὰν δὲ ἐκπιέζῃς μυκτῆρας, ἐξελεύσεται αἷμα·
(c) ἐὰν δὲ ἐξελκύσῃς λόγους, ἐξελεύσεται κρίσις καὶ μάχη.

I c: Iv(48)V(Γ15)M^{PM}(Γ15)H^{a}(Γ15)T(Γ19)$Ant.^{MiMA}$(I74) II c: R(Π14) III a-c: $Ant.^{Mi}$(I65); ab: $Ant.^{A}$(I65)

om. δέ 2° I II | ἐξελκύσῃς]εξελκης $Ant.^{Mi}$(III) | λόγους]λογον I | ἐξελεύσεται κρίσις καὶ μάχη] εξελευσονται (εξελκυσονται $Ant.^{A}$) κρισεις και μαχαι II III $IvAnt.^{MiMA}$(I)

24,71 μὴ δῷς γυναικὶ τὸν σὸν πλοῦτον.
(31,3)a

I Iv(54)V^{W}(Γ12)R(Γ18)M^{PM}(Γ12)M^{M}(Γ12; 2°loco)T(Γ16)A^{VA}(55)$Ant.^{Mi}$(II34)

δῷς]δος $M^{P}TA^{A}$ | om. τὸν M^{M}(1° et 2°loco)

24,72 (a) μετὰ βουλῆς πάντα ποίει,
(31,4) (b) μετὰ βουλῆς οἰνοπότει·
(c) οἱ δυνασταὶ θυμώδεις εἰσίν,
(d) οἶνον μὴ πινέτωσαν.

I cd: Iv(20)R(A9apd.)R(N4)L^{a}(A9apd.)A^{VA}(91)$Ant.^{Mi}$(II6) II ab: V(B12)R(B13)M^{PM}(B15)H^{a}(B12)T(B13)$Ant.^{MiM}$(I10) III cd: R(O12)M^{P}(O9)L^{c}(O6)

24,73 ἵνα μὴ πίοντες ἐπιλάθωνται τῆς σοφίας,
(31,5) καὶ ὀρθὰ κρίνειν οὐ μὴ δύνωνται τοὺς ἀσθενεῖς.

I Iv(20)R(A9 apd.)R(N4)L^{a}(A9apd.)A^{VA}(91)Ant.^{Mi} (II6) II R(O12)M^{P}(O9)L^{c}(O6)

om. πίοντες A^{V} | οὐ μὴ δύνωνται]ου(om. A^{VA}) μη (om. Iv) δυνανται Iv$L^{c}A^{VA}$; επιλαθωνται R(A9 apd.)L^{a}

24,74 (31,6) δότε μέθην τοῖς ἐν λύπαις,
καὶ οἶνον πίνειν τοῖς ἐν ὀδύναις.

I V(Θ5)R(Θ9)M^{PM}(Θ6)T(Θ9) II K(O9)V(O7)R(O12) M^{PM}(O9)L^{c}(O6)

δότε]διδοτε R(II)M^{P}(II)L^{c} | μέθην]οινον V^{EOVMi} (II)M^{M}(II) | om. οἶνον V^{EOVMi}(II) | om. πίνειν V^{EOVMi}(II)R(II)M^{P}(II)L^{c} | ὀδύναις]+ουσιν V^{EOVMi}(II)M^{M}(II)

24,75 (31,7) ἵνα ἐπιλάθωνται τῆς πενίας, καὶ τῶν πόνων μὴ μνησθῶσιν ἔτι.

I V(Θ5)R(Θ9)M^{PM}(Θ6)T(Θ9) II K(O9)V(O7)R(O12) M^{PM}(O9)L^{c}(O6)

ἵνα]+πιοντες KR(II)M^{P}(II)L^{c}; +πινωντες M^{M}(I) | μὴ]ου K; pr. ου M^{M}(I) | om. ἔτι K

24,76 (31,8) ἄνοιγε σὸν στόμα λόγῳ θεοῦ,
καὶ κρῖνε πᾶσιν ὑγιῶς.

I V^{W}(Δ18)R(Δ35)M^{PM}(Δ23)T(Δ35)Ant.^{MiM}(II7)

κρῖνε]κριναι M^{M}Ant.^{M} | πᾶσιν]παντα M^{M}Ant.^{MiM}

24,77 (31,9)a ἄνοιγε σὸν στόμα καὶ κρῖνε πάντα δικαίως.

I V(Δ18)R(Δ35)M^{PM}_{txt}(Δ23)H^{a}(Δ18)T(Δ35)Ant.^{MiM}(II7)

κρῖνε]κριναι V^{O} M^{M}Ant.^{MGe}

25,2b δόξα βασιλέως τιμᾶν πρόσταγμα.

I V(B9)R(B2)M^{PM}(B12)H^{a}(B9)T(B2)

πρόσταγμα]-ματα RM^{P}T

25,3 οὐρανὸς ὑψηλός, γῆ δὲ βαθεῖα,
καρδία βασιλέως ἀνεξέλεγκτος.

I R(B2)

25,4 τύπτε αδόκιμον ἀργύριον,

καὶ καθαρισθήσεται καθαρὸν ἅπαν.

I R(B2)

25,5 κτεῖναι ἀσεβεῖς ἀπὸ προσώπου βασιλέως,
καὶ κατορθώσει ἐν δικαιοσύνῃ τὸν θρόνον αὐτοῦ.

I V(B9)R(B2)M^{PM}(B12)H^{a}(B9)T(B2)

κτεῖναι]κτεινε V^{Mi}RT | κατορθώσει]-ση V^{Mi}R

25,6 (a) μὴ ἀλαζονεύου ἐνώπιον βασιλέως,
(b) μηδὲ ἐν τόποις δυναστῶν ὑφίστατο.

I ab: R(B2)$Ant.^{Mi}$(II1); a: A^{VA}(31) II ab: R(K19) III a: Iv(30)A^{A}(101)

ἐνώπιον]παρα Iv

25,7 (a) κρεῖσσον γάρ σοι ῥηθῆναι Ἀνάβαινε πρὸς μέ,
(b) ἢ ταπεινῶσαί σε ἐν προσώπῳ δυναστῶν·
(c) ἃ εἶδον οἱ ὀφθαλμοί σου, λάλει.

I c: Iv(5)R(A61)A^{VA}(8)$Ant.^{MiA}$(I21) II ab: R(B2) $Ant.^{Mi}$(II1) III ab: R(K19)

σοι/ῥηθῆναι]tr. III | Ἀνάβαινε]αναβηθι III | ταπεινῶσαί σε]ταπεινωθηναι III | ἃ]ο A^{A} | λάλει]λεγε IvA^{VA}

25,8 (a) μὴ ἐπίχαιρε καὶ μὴ πρόσπιπτε εἰς μάχην ταχέως,
(b) ἵνα μὴ μεταμεληθῇς ἐπ' ἐσχάτων,
(c) ἡνίκα σε ὀνειδήσει ὁ σὸς φίλος.

I ab: R(M5) II ab: Iv(10)V^{EOVMi}(M7)A^{VA}(15) $Ant.^{Mi}$(II68) III c: Iv(51)V(Φ7)R(Φ15)M^{P}(Φ13) A^{VA}(74)

μή 1°]ουδ Iv(II) | καὶ μή]μηδε A^{VA}(II); om. μή $Ant.^{Mi}$(II) | ἐσχάτων]+σου $Ant.^{Mi}$ | om. σε M^{P} | ὀνειδήσει]-ση V^{Mi}(III)$M^{P}A^{A}$(III) | om. ὁ M^{P} | om. σός R(III)

25,9 ἀναχώρει εἰς τὰ ὀπίσω, μὴ καταφρόνει.

I Iv(51)V(Φ7)R(Φ15)M^{P}(Φ13)A^{VA}(74)

ἀναχώρει]-ρεῖ Iv

25,10 μή σε ὀνειδίσῃ μὲν ὁ φίλος·
ἡ δὲ μάχη σου καὶ ἡ ἔχθρα σου οὐκ ἀποστήσεται.

I Iv(51)V(Φ7)R(Φ15)M^{P}(Φ13)A^{VA}(74)

ὀνειδίσῃ]-σει IvV^{W} | om. μέν R | om. σου 2° Iv A^{VA}

25,10A (a) ἀλλ' ἔσται σοι ἴσα θανάτῳ·
(b) χάρις καὶ φιλία ἐλευθεροῖ,
(c) ἃς τήρησον σεαυτῷ, ἵνα μὴ ἐπονείδιστος ἔσῃ,
(d) φύλαξαι τὰς ὁδούς σου εὐσυναλλάκτως.

I d: K(Π3)V(Π32)R(Π50)M^{P}(Π47) II d: M^{P}(Σ3) III a: Iv(51)V(Φ7)R(Φ15)M^{P}(Φ13)A^{VA}(74) IV bc: V^{W}(X1)R(X1)M^{PM}(X1)Ant.^{Mi}(II49)

θανάτῳ]-του A^{V} | ἃς]αις M^{M}(IV) | τήρησον]τηρητεον M^{M}(II) | σεαυτῷ]-τον M^{M}(IV) | om. ἵνα Ant.^{Mi} | ἔσῃ]γενη Ant.^{Mi} | φύλαξαι]-ξον II K; φυλασσε V^{Mi} | εὐσυναλλάκτως]-τους K; pr. και V^{EOV}(I)

25,11a μῆλον χρυσέον ἐν ὁρμίσκῳ σαρδίου.

I R(Σ12)Ant.^{M}(II59) II M^{PM}(Y5)

σαρδίου]σαρδιω M^{M}

25,12b καὶ λόγος σοφὸς εἰς εὐήκοον οὖς.

I R(Σ12)Ant.^{M}(II59) II M^{PM}(Y5)

καὶ]ουτως R | σοφὸς]ευηκοον M^{M}

25,13 ὥσπερ ἔξοδος χιόνος ἐν ἀμήτῳ κατὰ καῦμα ὠφελεῖ,
οὕτως ἄγγελος πιστὸς τοὺς ἀποστείλαντας αὐτόν·
ψυχὰς γὰρ τῶν αὐτῷ χρωμένων ὠφελεῖ.

I K(A14)V^{WOVMi}(A28)R(A18)M(A21)M^{M}(A22)H^{a}(A26)T(A18)L^{a}(A19)L^{c}(A9)

κατὰ καῦμα]καυματι I | τοὺς ἀποστείλαντας]αποστειλαντα V^{Mi} | αὐτῷ]αυτων $V^{OV}$$M^{L}$(A21)$M^{M}$(A22)$L^{a}$ L^{c}; αυτον H^{a}

25,14 ὥσπερ ἄνεμοι καὶ νέφη καὶ ὑετοὶ ἐπιφανέστατοι,
οὕτως οἱ καυχώμενοι ἐπὶ δόσει ψευδεῖ.

I R(Δ36)

25,15 (a) ἐν μακροθυμίᾳ εὐοδία βασιλεῦσιν,
(b) γλῶσσα μαλακὴ συντρίβει ὀστᾶ.

I b: H^{c}(A21)T(A24) II a: R(B2) III b: R(Γ2)H^{b}(Γ2)T(Γ2) IV b: Iv(49)V(Γ14)R(Φ8)M^{PM}(Γ14)H^{a}(Γ14)A^{V}(72)Ant.^{MiA}(I75) V b: R(Π40)Ant.^{MiM}(II84) γλῶσσα μαλακή]γ. απειλη R(IV)Ant.^{A}(IV); γ. μεγαλη H^{a}; λογος μαλακος R(V)Ant.^{MiM}(V) | συντρίβει]-βη IvV^{OV*}(IV)M^{P}(IV); -ψει I; συντηρει R(III)T(III); συγκλαει Ant.^{Mi}(V); συγκλαυει Ant.^{MGe}(V); συγκλαυοι R(V) | om. ὀστᾶ R(III)H^{b}

25,16 μέλι εὑρὼν φάγε τὸ ἱκανόν,
μή ποτε πλησθεὶς ἐξεμέσῃς.

I Iv(39)V^{OVMi}(A26)M^{PM}(A54)H^{a}(A24)T(A76)L^{c}(A34) A^{V}(22)A^{V}(66)Ant.^{MiMA}(I30) II R(Σ16)M^{P}(Σ15)

μέλι]pr. υιε IvA^{V}(22; 66) | φάγε/τὸ ἱκανόν]tr. IvA^{V}(22;66) | μή ποτε]μητε A^{V}(66); μηπως R | ἐξεμέσῃς]-σεις M^{P}(I)

25,17 σπάνιον εἴσαγαγε σὸν πόδα πρὸς σὸν φίλον,
μή ποτε πλησθείς σου μισήσῃ σε.

I R(O1)M^{PM}(O1)L^{c}(O3)

εἴσάγαγε]εισαγε RM^{P} | μισήσῃ]-σει M^{PM}

25,18 ῥόπαλον καὶ μάχαιρα καὶ τόξον ἠκονημένου ἀκηλίδωτον,
οὕτως ἀνὴρ καταμαρτυρῶν τοῦ φίλου αὐτοῦ μαρτυρίαν ψευδῆ.

I V(Φ8)R(Φ16)M^{PM}(Φ14)

μάχαιρα]-ραν M^{M} | τόξον]τοξευμα V^{EOVMi} | ἀκηλίδωτον]ακιδωτον V^{Mi}

25,19 ὁδὸς κακοῦ καὶ ποὺς παρανόμου ὀλεῖται ἐν ἡμέρᾳ κακῇ.

I Iv(68)V(A12)R(A71)M^{PM}(A44)H^{a}(A11)T(A66)A^{V}(84)

κακοῦ]κακων R | παρανόμου]-μων R | ὀλεῖται]απολειται V^{EOVMi}H^{a}

25,20 ὥσπερ ὄξος ἕλκει ἀσύμφορον,
οὕτω προσπεσὸν πάθος σώματι καρδίαν λυπεῖ.

I L^{c}(N5)

25,20A ὥσπερ σὴς ἱματίῳ καὶ σκώληξ ξύλῳ,

οὕτως λύπη ἀνδρὸς βλάπτει καρδίαν.

I V(Θ5)R(Θ9)M^{PM}(Θ6)T(Θ9) II Ant.^{MiA}(I72)

ἱματίῳ]-τιων M^{M}T | οὕτως]ουτω και M^{M} | καρδίαν] -διας M^{P}

25,21 ἐὰν πεινᾷ ὁ ἐχθρός σου, ψώμιζε αὐτόν,
καὶ ἐὰν διψᾷ, πότιζε αὐτόν.

I K(A5)V(A11)H^{a}(A10)L^{c}(A8)A(37) II K(E5)V(E14) M^{PM}(E7)H^{a}(E14)

om. καί K(I,II)$M^{PM}L^{c}A^{KA}$

25,22 τοῦτο γὰρ ποιῶν ἄνθρακας πυρὸς σωρεύσεις ἐπὶ τὴν κεφαλὴν αὐτοῦ,
καὶ κύριος ἀνταποδώσει σοι ἀγαθά.

I K(A5)V(A11)H^{a}(A10)A(37) II K(E5)V(E14)M^{PM}(E 7)H^{a}(E14)

om. πυρός A^{K} | σωρεύσεις]-σης K(II) | om. σοι V^{W}(II)

25,23 (a) ἄνεμος βορρᾶς ἐξεγείρει νέφη,
(b) πρόσωπον δὲ ἀναιδὲς γλῶσσαν ἐριθίζει.

I ab: R(Π9) II ab: Iv(32)V(Π15)R(Π41)M^{P}(Π37)A (39)A^{V}(61)Ant.^{Mi}(II72); b: Ant.^{M}(II72)

βορρᾶς]βορεας I; βορρεας M^{P} | ἐξεγείρει]-ρη A^{V} (39); εξεγειρε Iv; εγερει I | om. δέ Ant.^{A} | ἀναιδές]αναισχυντον Ant.^{M}

25,24 κρεῖττον οἰκεῖν ἐπὶ γωνίας δώματος
ἢ μετὰ γυναικὸς λοιδόρου ἐν οἰκίᾳ κοινῇ.

I K(Λ2)V(Λ2)M^{PM}(Λ1)

25,25 ὥσπερ ὕδωρ ψυχρὸν ψυχῇ διψώσῃ προσηνές,
οὕτως ἀγγελία ἀγαθὴ ἐκ γῆς μακρόθεν.

I K(A12)V(A33)R(A19)M(A22)H^{a}(A31)H^{c}(A17)T(A19) L^{a}(A20)L^{c}(A10)

ψυχρόν]ψυχρουν H^{c}T | ψυχῇ]γη RH^{c}TL^{a} | διψώσῃ] -σει M^{M}T; διδωσι V^{OV} | οὕτως]ουτω K$V^{WOVMi}H^{a}$

25,26 ὡς εἴ τις πηγὴν φράσσοι καὶ ὕδατος διέξοδον λυμαίνοιτο,
οὕτως ἄκοσμον δίκαιον πεπτωκέναι ἐνώπιον ἀσε-

βοῦς.

I R(A31)H^{c}(A28)T(A31) II V(Δ5)M^{PM}(Δ9)H^{a}(Δ5)H^{c} (Δ20)T(Δ21) III R(Δ23)T(Δ24)

εἴ]η T(I,II) | φράσσοι]φρασσει $V^{EOV}H^{a}$; φρασσων R(I) | om. καί R(I) | om. ὕδατος H^{c}(II) | λυμαίνοιτο]-νεται R(I); λοιμ. $V^{EOV}M^{M}H^{a}$T(II,III) | οὕτως]ουτος V^{OV} | πεπτωκέναι]εκπεπτ. M^{PM}T(II)

25,27 (a) ἐσθίειν μέλι πολὺ οὐ καλόν,
(b) τιμᾶν χρὴ λόγους ἐνδόξους.

I a: Iv(39)V^{WOVMi}(A26)M^{PM}(A54)H^{a}(A24)T(A76)L^{c} (A34)A^{V}(66) II b: K(Λ1) III a: K(Σ1)V(Σ2)

πολύ]πολην Iv; πολλην M^{M}

25,28 ὥσπερ πόλις τὰ τείχη καταβεβλημένη ἀτείχιστος,
οὕτως ἀνὴρ ὃς οὐ μετὰ βουλῆς πάντα πράττει.

I V(B12)M^{PM}(B15)H^{a}(B12)T(B13) II R(B14)$Ant.^{Mi}$ (I11)

om. ἀτείχιστος II | πάντα]απαντα M^{M}; pr. τα $V^{EOVMi}H^{a}$ | πράττει]πρασσει II

26,2 ὥσπερ ὄρνεα πέτανται καὶ στρουθοί,
οὕτως ἀρὰ ματαία οὐκ ἐπελεύσεται οὐδενί.

I K(A26)V(A47)R(A36)M(A28)H^{a}(A44)T(A36)

πέτανται]pr. α $V^{OVMi}M^{P}$ | om. καί M^{M}

26,3 μάστιξ ἵππῳ καὶ κέντρον ὄνῳ,
ῥάβδος δὲ οἰκέτῃ ἄφρονι.

I R(Δ40)$Ant.^{MiLM}$(II24)

κέντρον]κεντρω $Ant.^{L}$ | ὄνῳ]βοι $Ant.^{L}$

26,4 μὴ ἀποκρίνου ἄφρονι πρὸς τὴν ἀφροσύνην αὐτοῦ,
ἵνα μὴ ὅμοιος γένῃ αὐτῷ.

I V^{WOVMi}(A24)R(A63)M^{PM}(A52)H^{a}(A22)T(A74) II H^{c} (E28)

πρός]κατα II R | ἀφροσύνην αὐτοῦ]εκεινου αφροσυνην II | ὅμοιος(-οι II) γένῃ(γενοι H^{a}) αὐτῷ (αυτο T)]γενη ομ. αυτω R; ομ. αυτω γενη V^{W}

26,5 ἀλλὰ ἀποκρίνου ἄφρονι κατὰ τὴν ἀφροσύνην αὐτοῦ,

ἵνα μὴ φαίνηται σοφὸς ἑαυτῷ.

I V^{WOVMi}(A24)R(A63)M^{PM}(A52)H^{a}(A22)T(A74) II H^{c} (E28)

ἀλλά]αλλ T | κατά]προς II RM^{M} | φαίνηται/σοφός]φαινεται σ. V^{W}; γενηται σ. R; tr. M^{M} | ἑαυτῷ] pr. παρ II RM^{M}

26,6 ἐκ τῶν ἑαυτοῦ ὁδῶν ὄνειδος περιποιεῖται
ὁ ἀποστέλλων δι' ἀγγέλου ἄφρονος λόγον.

I K(A14)V^{WOVMi}(A28)R(A18)M(A21)H^{a}(A26)T(A18) L^{a}(A19)L^{c}(A9)

ἐκ τῶν ἑαυτοῦ ὁδῶν]οδων M^{PL}; ιδιον M^{M} | περιποιεῖται]ποιειται RTL^{a} | ἀγγέλου]-λων M^{M}

26,11 (aα) ὥσπερ κύων ὅταν ἐπέλθῃ ἐπὶ τὸν ἑαυτοῦ ἔμετον
(aβ) καὶ μισητὸς γένηται,
(b) οὕτως ἄφρων τῇ ἑαυτοῦ κακίᾳ ἀναστρέψας ἐπὶ τὴν ἑαυτοῦ ἁμαρτίαν.

I ab: V^{WOVMi}(A14)M^{PM}(A64)H^{a}(A12)A^{VA}(29)Ant.^{MiA} (I18)Ant.^{Mi}(II44); aα: Ant.^{M}(I18)

ἐπέλθῃ]επιστρεψη M^{M} | ἑαυτοῦ 1°]ιδιον Ant.^{MiMA} (I18) | om. καί Ant.^{Mi}(II44) | γένηται]γινεται Ant.^{Mi}(II44) | ἑαυτοῦ 2°]αυτου V^{OVMi}M^{P} | τὴν.. ἁμαρτίαν]τη ... αμαρτια Ant.^{Mi}(II44) | ἑαυτοῦ 3°]αυτου A^{VA}; om. V^{Mi}

26,12 εἶδον ἄνθρωπον δόξαντα φρόνιμον εἶναι παρ'ἑαυτῷ,
ἐλπίδα δὲ ἔχει μᾶλλον ὁ ἄφρων αὐτοῦ.

I K(06) II Ant.^{M}(apd.)

εἶδον]ιδον I | ἄνθρωπον]ανδρα I | δόξαντα]δοξαζοντα I | φρόνιμον εἶναι παρ'ἑαυτῷ]παρ εαυτω σοφον ειναι I | δέ]μεντοι I | ἔχει]εσχε I | ὁ ἄφρων]αφρονα I

26,14 ὥσπερ θύρα στρέφεται ἐπὶ τοῦ στρόφιγγος,
οὕτως ὀκνηρὸς ἐπὶ τῆς κοίτης αὐτοῦ.

I Iv(24)V^{EOVMi}(M6)R(M18)A^{VA}(96)Ant.^{Mi}(II46)

ἐπί 1°]υπο Iv | ὀκνηρός]pr. ο V^{OVMi}

26,15 κρύψας ὀκνηρὸς τὴν χεῖρα ἐπὶ τὸν κόλπον αὐτοῦ,
οὐ δύναται ἐπενεγκεῖν ἐπὶ τὸ στόμα αὐτοῦ.

I V^{EOVMi}(M6)

26,16a σοφώτερος ἑαυτῷ φαίνεται ὀκνηρός.

I $Ant.^{Mi}$(II46)

26,17 (a) ὥσπερ ὁ κρατῶν κέρκου κυνός,
(b) οὕτως ὁ προεστὼς ἀλλοτρίας κρίσεως.

I b.a: M^{M}(E10) II b.a: Iv(38)V^{EOVMi}(Σ19) III ab: K(E15)V(E16)R(E46)M^{PM}(E21)H^{a}(E16)T(E22) IV ab: M^{PM}(Φ6)

v.17a/v.17b]tr.I II | ὥσπερ]ως I II | om. ὁ 1° V^{EOVMi}(II) | κυνός]τινος Iv | om. οὕτως I II | προεστώς]προισταμενος III(sine M^{M}); κρατων M^{M} (III)

26,20 (a) ἐν πολλοῖς ξύλοις θάλλει πῦρ,
(b) ὅπου οὐκ ἔνι δίθυμος, ἡσυχάζει μάχη.

I a: V(Γ15)M^{PM}(Γ15)H^{a}(Γ15)T(Γ19) II b: Iv(32) A^{VA}(61)$Ant.^{Mi}$(II72)

θάλλει]θαλει V^{OVMi}; θαλπει T | ἔνι]εστιν IvA^{V} | ἡσυχάζει]-ζη A^{V}

26,21 ἐσχάρα ἄνθραξιν καὶ ξύλα πυρί,
ἀνὴρ δὲ λοίδορος εἰς ἀρχὴν μάχης.

I K(Λ2)R(Λ1)

ἀρχὴν]ταραχην K

26,22 λόγοι κερκόπων μαλακοί,
οὗτοι δὲ τύπτουσιν εἰς ταμεῖα σπλάγχνων.

I K(K6)V(K4)M(A25)H^{c}(A19)T(A22)A^{KV}(35)$Ant.^{MiA}$ (I52) II R(Π17)M^{P}(Π17) III $Ant.^{MiM}$(II86)

κερκόπων]κερκωπων III $V^{WMi}M^{L}$(I)$Ant.^{Mi}$(I) | ταμεῖα]ταμιεια KM^{P}(II); ταμιαι M^{M}(I) | σπλάγχνων] κοιλιας M^{M}(I)

26,23a ἀργύριον διδόμενον μετὰ δόλου ὥσπερ ὄστρακον
ἡγητέον.

I V(Δ19)R(Δ36)M^{PM}(Δ24)H^{a}(Δ19)T(Δ36)A^{VA}(93)

Ant.^{Mi}(II8)

ὥσπερ]ως A^{VA} | ἡγητέον]κλητεον A^{VA}

26,24 χείλεσιν πάντα ἐπινεύει ἀποκλαιόμενος ὁ ἐχθρός,
ἐν δὲ τῇ καρδίᾳ τεκτείνεται δόλους.

I K(Y1)

26,26 (a) ὁ κρύπτων ἔχθραν συνίστησιν δόλον,
(b) ἐκκαλύπτει τὰς ἑαυτοῦ ἁμαρτίας εὔγνωστος ἀνὴρ ἐν συνεδρίῳ.

I a: V(A11)H^{a}(A10)L^{c}(A8)Ant.^{Mi}(II56) II b: R(Γ7)H^{c}(Γ1)T(Γ7) III b: Iv(26)V(M3)R(M13)M^{PM}(M6)A^{VA}(6) IV a: Iv(10)A^{VA}(15)

ἐκκαλύπτει]εκβαλε εκκαλυπτων A^{A} | ἀνὴρ]εστει A^{A}(vid.)

26,27 (a) ὁ ὀρύσσων βόθρον τῷ πλησίον ἐμπεσεῖται εἰς αὐτόν.
(b) ὁ δὲ κυλίων λίθον ἐφ᾽ἑαυτὸν κυλιεῖ.

I ab: K(E8)V(E13)M^{PM}(E9)H^{a}(E13)T(E10) II a: Ant.^{Mi}(I13)

om. ὁ 1° II | τῷ πλησίον]τω πλησιω V^{EOVMi}M^{M}; το πλησιον V^{W}M^{P}; +αυτου Ant.^{Ge} | ἐμπεσεῖται/εἰς αὐτὸν]tr. M^{M}(εμπεσηται) | ὁ δέ]και ο M^{M} | κυλιεῖ]κυλίει V^{EOV}

26,28 (a) γλῶσσα ψευδὴς μισεῖ ἀλήθειαν,
(b) στόμα ἄστεγον ποιεῖ ἀκαταστασίας.

I b: Iv(50)V(Γ15)M^{PM}(Γ15)H^{a}(Γ15)T(Γ19)A^{V}(73) Ant.^{MA}(I76)Ant.^{M}(apd.) II a: Iv(6)V(Ψ1)R(Ψ4)M^{P}(Ψ4)A^{VA}(9)Ant.^{MiA}(I22)

στόμα]+δε V^{EOVMi}(I)H^{a}T

27,1 μὴ καυχῶ τὰ εἰς αὔριον,
οὐ γὰρ οἶδας τί τέξεται ἡ ἐπιοῦσα.

I V(K7)M^{PM}(K4)

καυχῶ]καυχασθω V^{OV}

27,2 ἐγκωμιαζέτω σε ὁ πέλος καὶ μὴ τὸ σὸν στόμα,
ἀλλότριος καὶ μὴ τὰ σὰ χείλη.

I H^{c}(E3)T(E3) II K(Φ3)V^{EOVMi}(Φ13)M(A26)H^{c}(A20)

T(A23)Ant.^{MiM}(II75)
σὸν στόμα]στομα το σον M^{M} | ἀλλότριος]-τριοι I H^{c}(II)T(II); -τρια Ant.^{MiM}

27,3 βαρὺ λίθος καὶ δυσβάστακτον ἄμμος,
ὀργὴ δὲ ἄφρονος βαρυτέρα ἀμφοτέρων.

I V^{WOVMi}(A24)R(A63)M^{PM}(A52)H^{a}(A22)T(A74)Ant.^{Mi}(II53) II V(Π15)M^{P}(Π37)Ant.^{MiM}(II72)
βαρὺ]βαρυς V^{VMi}(I)H^{a} | δυσβάστακτον]-στακτος V^{OVMi}(I)M^{PM}(I)H^{a}; -στατον Ant.^{Mi}(I)

27,4b οὐδὲν ὑφίσταται ζηλῶν.

I K(Φ2)

27,6 ἀξιοπιστότερα τραύματα φίλου
ἢ ἑκούσια φιλήματα ἐχθροῦ.

I K(O12) II Iv(51)V(Φ7)M^{PM}(Φ13)A^{V}(74)
φίλου]φιλων M^{M} | ἑκούσια]ακουσια I | ἐχθροῦ] εχθρων M^{M}

27,7 ψυχὴ ἐν πλησμονῇ οὖσα κηρίοις ἐμπαίζει,
ψυχῇ δὲ ἐνδεεῖ καὶ τὰ πικρὰ γλυκέα φαίνεται.

I Iv(42)V(Γ13)M^{M}(Γ13)H^{a}(Γ13)T(Γ17)A(45) Ant.^{MiMA}(I39) II T(E35)
ψυχὴ]ουχι A^{KV} | οὖσα]ουσαν V^{OV*}; ουση Iv | ἐμπαίζει]-ζη II V^{EOV}M^{M}T | om. δέ II | om. ψυχῇ δὲ ἐνδεεῖ IvA | πικρὰ]μικρα V^{Mi} | γλυκέα]γλυκεια II IvTA^{KA} | πικρά.../γλυκέα]tr. A^{A}

27,8 ὥσπερ ὄρνεον ὅταν πετασθῇ ἀπὸ τῆς ἰδίας νοσσιᾶς,
οὕτως ἄνθρωπος δουλοῦται ὅταν ἀποξενωθῇ ἐκ τῶν ἰδίων τόπων.

I K(Ξ1)V(Ξ3)R(Ξ1)M^{PM}(Ξ1)L^{c}(Ξ3)
πετασθῇ]καταπετασθη V | om. ἀπό RM^{P}L^{c} | ἄνθρωπος]pr. ο V^{OVMi} | δουλοῦται]ταπεινουται RM^{PM} L^{c} | ἀποξενωθῇ]ξενωθη V^{W} | om. ἐκ RM^{PM}L^{c}

27,9 μύροις καὶ οἴνοις καὶ θυμιάμασιν τέρπεται καρδία,
καταρρήγνυται δὲ ὑπὸ συμπτωμάτων ψυχῆς.

I R(Λ4)

27,10 (a) φίλον σὸν ἢ φίλον πατρῷον σου μὴ ἐγκαταλίπῃς,
(b) εἰς δὲ οἶκον τοῦ ἀδελφοῦ σου μὴ εἰσέλθῃς ἀτυχῶν·
(c) κρεῖσσον φίλος ἐγγὺς ἢ ἀδελφὸς μακρὰν οἰκῶν.

I c: K(A2)V(A44)M^{PM}(A57)H^{a}(A41)T(A79)L^{c}(A19) II b: R(K10) III b: R(O1)M^{PM}(O1)L^{c}(O3) IV a-c: Iv(51)V(Φ7)R(Φ15)M^{PM}(Φ13)A^{VA}(74)

om. φίλον 2° A^{V} | πατρῷον]πατριον IvA^{VA}; πατρος R(IV) | σου 1°]σον M^{P}(IV); om. A^{VA} | ἐγκαταλίπῃς]-λειπης V^{WEOV*}(IV)M^{P}(IV) | om. δέ II III | οἶκον]pr. τον II $V^{WEOV^{c}Mi}$(IV)R(IV)M^{M}(IV) | om. σου 2°II | κρεῖσσον]κρεισσων IvV^{VMi}(I) V^{Mi}(IV)R(IV) | φίλος]φιλοι A^{V} | ἐγγὺς ἢ ἀδελφὸς]εγγυησει M^{M}(IV) | οἰκῶν]οικον Iv; οικου M^{M}(IV); om. K

27,11aα.b σοφὸς γίνου υἱέ,
ἀπόστρεψον ἀπὸ σοῦ ἐπονειδίστους λόγους.

I aα.b: R(O2)M^{P}(O2)L^{c}(O7); b: K(O10)V(O9) II aα.b: R(Y12)

ἀπόστρεψον]pr. και II R(I)M^{P}(I)

27,12 πανοῦργος κακῶν ἐπερχομένων ἀπεκρύβη,
ἄφρονες δὲ ἐπελθόντες ζημίαν τίσουσιν.

I R(Θ2) II K(K4)R(K22)

27,13b ὑβριστὴς ὅστις τὰ ἀλλότρια λυμαίνεται.

I R(E45)

27,14 ὃς εὐλογεῖ φίλον τῷ πρωὶ μεγάλῃ τῇ φωνῇ,
καταρωμένου οὐδὲν διαφέρει.

I Iv(52)V(Φ8)M^{PM}(Φ14)A^{VA}(75)

φίλον τῷ πρωί]φ. το πρωι IvV^{W}; πρωι φιλον V^{EOVMi} | om. τῇ $IvV^{VMi}A^{VA}$

27,15 σταγόνες ἐκβάλλουσιν ἄνθρωπον ἐν ἡμέρᾳ χειμερινῇ ἐκ τοῦ οἴκου αὐτοῦ·

ὡσαύτως καὶ γυνὴ λοίδορος ἐκ τοῦ ἰδίου οἴκου
ἄνδρα ἐκβάλλει.

I Iv(54)V(Γ12)R(Γ18)M^{PM}(Γ12)H^{a}(Γ12)T(Γ16)A^{VA} (55)

ἐκβάλλουσιν]εκβαλοῦσιν Iv | ἐν ἡμέρᾳ χειμερινῇ/ἐκ τοῦ οἴκου αὐτοῦ]tr. R | om. ὡσαύτως A^{A} | ἐκ τοῦ ἰδίου οἴκου/ἄνδρα]tr. A^{A} | ἐκβάλλει]εκβαλεῖ M^{M}; om. IvRA^{VA}

27,17 σίδηρος σίδηρον ὀξύνει,
ἀνὴρ δὲ παροξύνει πρόσωπον ἑτέρου.

I Iv(10)V^{EOVMi}(M7)A^{VA}(15)$Ant.^{Mi}$ (II68) II R(Π 14) III $Ant.^{Mi}$(II71)

πρόσωπον]-πω Iv | ἑτέρου]εταιρου V^{EO}

27,18 (a) ὃς φυτεύσει συκῆν φάγεται τοὺς καρποὺς αὐτῆς,
(b) ὃς φυλάσσει τὸν ἑαυτοῦ κύριον τιμηθήσεται.

I a: R(Γ1)H^{b}(Γ1)T(Γ1) II b: R(Δ39) III a: V(Φ 5)R(Φ14)M^{PM}(Φ11)

φυτεύσει]φυτευει V^{E}R(I,III)M^{M} | τοὺς καρποὺς] του καρπου V^{WEMi}R(III)

27,19 ὥσπερ οὐχ ὅμοια πρόσωπα προσώποις,
οὕτως οὐδὲ αἱ καρδίαι τῶν ἀνθρώπων ὅμοιαι.

I K(Δ4)V(Δ15)R(Δ11)M^{PM}(Δ5)H^{a}(Δ15)H^{c}(Δ8) II V(Φ 3)R(Φ13)M^{PM}(Φ11)

om. οὕτως M^{M}(II) | om. αἱ V^{EOVMi}(II) | ὅμοιαι] ισαι V(II)R(II)M^{P}(II); ισα M^{M}(II)

27,20 (a) ᾅδης καὶ ἀπώλεια οὐκ ἐμπίπλαται,
(b) ὡσαύτως καὶ οἱ ὀφθαλμοὶ τῶν ἀνθρώπων ἄπληστοι.

I ab: K(A16)V(A43)R(A41)M(A32)H^{a}(A40)T(A41) II a: V(Θ6)M^{PM}(Θ7)

ἐμπίπλαται]εμπιπλανται V^{EOVMi}(II)M^{PM}(II); εμπιμπλανται V^{W}(I) | ἄπληστοι]απλειστοι M^{M}(I)

27,20Ab οἱ ἀπαίδευτοι ἀκρατεῖς γλώσσῃ.

I V^{OVMi}(A24)R(A64)M^{PM}(A52)H^{a}(A22)T(A74) II V

(Γ15)R(Φ9)M^{PM}(15)H^{a}(Γ15)T(Γ19)$Ant.^{MiMA}$(I74)
οἱ ἀπαίδευτοι]ο απαιδευτος M^{M}(II); απαιδευτος V^{V*}(II) | ἀκρατεῖς]-της M^{M}(II) | γλώσσῃ]γλωσσης V^{W}(II)

27,21 δοκίμιον ἀργύριον καὶ χρυσίον πύρωσις,
ἀνὴρ δὲ δοκιμάζεται διὰ στόματος ἐγκωμιαζόντων αὐτόν.

I K(E4)V(E28)M^{PM}(E3)M^{PM}(E26)H^{a}(E25)H^{c}(E3)T(E3) $Ant.^{MiMA}$(I51)
δοκίμιον]δοκιμον $V^{OVMi}$$Ant.^{M}$ | ἀργύριον]-ριω K; -ριου $V^{W}$$M^{M}$(E3)$H^{c}$$Ant.^{MiMA}$ | χρυσίον]-σιου $V^{W}$$M^{M}$(E3)$H^{c}TAnt.^{MiMA}$; -σιω K | πύρωσις]-σεις V^{EOVMi} $H^{a}$$Ant.^{MA}$ | αὐτόν]αυτων $V^{E}$$M^{M}$(E26)T

27,21A (a) καρδία ἀνόμου ἐκζητεῖ κακά,
(b) καρδία εὐθὴς ἐκζητεῖ γνῶσιν.

I b: R(K15) II a: V(K13)R(K16)M^{PM}(K12)

27,22 ἐὰν μαστιγοῖς τὸν ἄφρονα ἐν μέσῳ συνεδρίου,
οὐ μὴ περιέλῃς τὴν ἀφροσύνην αὐτοῦ.

I R(A63)H^{a}(A55)$Ant.^{Mi}$(II48)
οὐ μὴ περιέλῃς]pr. ατιμαζων R; +ατιμαζων $Ant.^{Mi}$

27,23 Γνωστὸς ἐπιγνώσῃ ψυχὰς ποιμνίου σου,
καὶ ἐπιστήσεις καρδίαν σου σαῖς ἀγέλαις.

I R(A11)H^{c}(A9)T(A11)L^{a}(A11) II V(E17)M^{PM}(E22) H^{a}(E17)T(E23)$Ant.^{MiL}$(II3)
Γνωστός]γνωστως $V^{WMi}$$RM^{PM}$T(I,II) | ἐπιγνώσῃ] -σει $V^{WEOV}$$Ant.^{L}$ | ποιμνίου]-νιων $M^{M}$$Ant.^{L}$ | ἐπιστήσεις]-σις T(II); -σης M^{P}; -σῃ H^{a}; -σει V^{EOV} | καρδίαν]καρδια $Ant.^{L}$

27,24 οὐκ εἰς τὸν αἰῶνα ἀνδρὶ κράτος καὶ ἰσχύς.
οὐδὲ διασώσει ἐκ γενεᾶς εἰς γενεάν.

I H^{c}(E9)T(E9)

27,25 ἐπιμελοῦ τῶν ἐν πεδίῳ χλωρῶν καὶ κερεῖς πόαν,
σύναγε χόρτον ὀρεινόν.

I K(Γ3)V(Γ5)R(Γ1)M^{PM}(Γ1)H^{a}(Γ5)T(Γ1)

πεδίῳ]pr. τω M^{M} | κερεῖς]κειρεις M^{M}; κεριεις V^{W} | σύναγε]συναγαγε KH^{a}; και συναγαγε RT | ὀρεινὸν]θερινον K

27,26 ἵνα ἔχῃς πρόβατα εἰς ἱματισμόν·
τίμα δὲ πεδίον, ἵνα ὦσίν σοι ἄρνες.

I K(Γ3)V^{EOVMi}(Γ5)R(Γ1)M^{PM}(Γ1)H^{a}(Γ5)T(Γ1)

ἔχῃς]σχης K; ωσι σοι RT | om. δὲ R | πεδίον] παιδιον $V^{OV}R^{c}M^{M}$ | σοι]pr. οι K

28,1 (a) Φεύγει ἀσεβὴς μηδενὸς διώκοντος,
(b) δίκαιος ὥσπερ λέων πέποιθεν.

I a: V(A12)M^{PM}(A44)H^{a}(A11)T(A66)Ant.^{MiM}(I2) II a: R(Δ7)H^{c}(Δ5) III b: R(Θ1) IV b: L^{c}(Π2apd.) V b: Iv(11)A^{VA}(16)Ant.^{MiL}(II31)

ἀσεβὴς]pr. ο $H^{a}H^{c}$Ant.^{M}(I) | μηδενὸς διώκοντος] ουδενος δ. H^{c}; ουδεν διωκοντος αυτον V^{W} | ὥσπερ]ως IV Ant.^{L}(V)

28,3a ἀνδρεῖος ἐν ἀσεβείαις συκοφαντεῖ πτωχούς.

I R(Ψ4)

28,4b οἱ ἀγαπῶντες τὸν νόμον περιβαλοῦσιν ἑαυτοῖς τεῖχος.

I V^{WOVMi}(E1)M^{PM}(E1)H^{a}(E1)T(E1)

τεῖχος]στοιχειον M^{M}

28,5b οἱ ζητοῦντες τὸν κύριον συνήσουσιν ἐν παντί.

I C(Z1)R(Z1)

om. ἐν R

28,6 κρεῖσσον πτωχὸς πορευόμενος ἐν ἀληθείᾳ πλουσίου ψεύστης.

I V(Π21)M^{P}(Π40)

κρεῖσσον]κρεισσων V^{Mi} | ψεύστης]ψευστου M^{P}

28,8 ὁ πληθύνων πλοῦτον αὐτοῦ μετὰ τόκων καὶ πλεονασμῶν
τῷ ἐλεοῦντι πτωχοὺς συνάγει αὐτόν.

I V(Δ9)R(Δ44)M^{PM}(Δ30)H^{a}(Δ9)H^{a}(Δ31)T(Δ42) II Ant.^{MiL}(II26) om. ὁ Ant.^{Mi} | πλοῦτον]pr. τον RM^{M}H^{a}(Δ31) Ant.^{Mi} | τόκων]τοκου V^{Mi} | πλεονασμῶν]-μου V^{Mi} | αὐτόν]αυτω Ant.^{L}

28,10 (a) ὃς πλανᾷ εὐθεῖς ἐν ὁδῷ κακῇ
(b) εἰς διαφθορὰν αὐτὸς ἐμπεσεῖται,
(c) οἱ ἄνομοι διελεύσονται ἀγαθὰ
(d) καὶ οὐκ εἰσελεύσονται εἰς αὐτά.

I cd: R(A61)Ant.^{MiM}(II94) II ab: K(Y1)V^{WE}(Y4)

28,11 (a) σοφὸς παρ᾽ ἑαυτῷ ἀνὴρ πλούσιος,
(b) πένης νοήμων καταγνώσεται ἑαυτοῦ.

I a: K(Φ3)R(A22)M(A26)L^{a}(A5) II b: K(Γ2)V^{W}(Γ7) R(Γ7)T(Γ7) III a: V(E9)M^{PM}(E19)H^{a}(E9)T(E20)
σοφός]σοφως V^{E}(III)T(III) | om. ἀνήρ V^{Mi}(III)

28,12 (a) διὰ βοήθειαν δικαίων πολλὴ γίνεται δόξα,
(b) ἐν τόποις ἀσεβῶν ἀναλίσκονται ἄνθρωποι.

I a: V^{EOVMi}(Δ7)M^{PM}(Δ11)H^{a}(Δ7)H^{c}(Δ19)T(Δ23) II b: K(Π7)V(Π31)
ἀναλίσκονται]αλισκ. V^{W}(II)

28,13 (a) ὁ ἐπικαλύπτων ἀσέβειαν αὐτοῦ οὐκ εὐοδωθή-
σεται,
(b) ὁ ἐξηγούμενος καὶ λέγων ἀγαπηθήσεται.

I a: R(Γ7)T(Γ7) II b: K(Δ2) III a: V(M4)R(M14) M^{P}(Ω2)A^{VA}(99)Ant.^{MiA}(I19)
ὁ 1°]+δε I | ἀσέβειαν αὐτοῦ]την εαυτου ασεβει-αν I | εὐοδωθήσεται]εβοδοθησεται V^{O}; εδοθησε-ται V^{V}

28,14 (a) μακάριος ἀνὴρ ὃς καταπτήσσει πάντα δι᾽ εὐ-
λάβειαν,
(b) ὁ δὲ σκληρὸς τὴν καρδίαν ἐμπεσεῖται κακοῖς.

I b: V(K13)R(K16)M^{PM}(K12)A^{V}(95)Ant.^{Mi}(II88) II a: R(K22) III ab: Iv(31)V(Π13)M^{P}(Π36)A^{VA}(24) A^{VA} (85)Ant.^{MiM}(II84); a: R(Π40) IV b: V(Π15)
μακάριος]πραυθυμος A^{V}(24) | om. ἀνήρ R(III) Ant.^{MiM} (III) | καταπτήσσει]pr. ου M^{P}(III); -πτησει II V^{WEOV}(III)M^{P}(III)A^{A}(24;85); -πεισει

Iv | πάντα]παντας Iv | om. δέ I IV | τὴν καρδί-
αν]τη καρδια V^{W}(I)R(I)

28,15 λέων πεινῶν καὶ λύκος διψῶν
ὃς τυραννεῖ πτωχὸς ὢν ἔθνους πενιχροῦ.

I R(Π44)

28,16 (a) βασιλεὺς ἐνδεὴς προσόδων μέγας συκοφάντης,
(b) ὁ μισῶν ἀδικίαν μακρὸν βιώσεται χρόνον.

I a: V(B10)R(B3)M^{PM}(B13)H^{a}(B10) II b: Iv(7)R(M
12)A^{VA}(10)

28,17 ἄνδρα τὸν ἐν αἰτίᾳ φόνου ὁ ἐγγυώμενος
φυγὰς ἔσται καὶ οὐκ ἐν ἀσφαλείᾳ.

I K(E6)H^{C}(E42)T(E25) II K(Φ5)R(Φ3)M^{PM}(Φ3)
om. ἄνδρα H^{C}T

28,17A (a) παίδευε υἱὸν καὶ ἀγαπήσει σε,
(b) καὶ δώσει κόσμον τῇ ψυχῇ σου·
(c) οὐ μὴ ὑπακούσῃς ἔθνει παρανόμῳ.

I c: M^{PM}(Δ7)H^{a}(Δ35)H^{c}(Δ13)T(Δ17) II c: K(Π6)V
(Π26)M^{P}(Π44) III ab: Ant.^{Mi}(II9)
ὑπακούσῃς]-σεις M^{P}(II); -ση KM^{M}(I) | παρανόμῳ]
-μων M^{P}(I,II)$H^{a}H^{c}$T

28,18 (a) ὁ πορευόμενος δικαίως βοηθηθήσεται·
(b) σκολιαῖς ὁδοῖς ὁ πορευόμενος ἐμπλακήσεται.

I a: V(O4)M^{P}(O3)L^{c}(O1) II b: V^{EOVMi}(Π18)M^{P}(Π
38)Ant.^{MiM}(II86) III a: Iv(67)A^{VA}(83)Ant.^{Mi}(II
93)
om. ὁ 1° IvA^{V} | δικαίως]εν δικαιοσυνη IvA^{VA} |
βοηθηθήσεται]βοηθησεται V^{OV}(I) | σκολιαῖς]pr.
ο Ant.^{MiM}(II) | ὁ πορευόμενος 2°]εμπορευομενος
Ant.^{MiM}(II)

28,20 (a) ἀνὴρ ἀξιόπιστος πολλὰ εὐλογηθήσεται,
(b) ὁ κακὸς οὐκ ἀτιμώρητος ἔσται.

I a: R(B12)H^{C}(B7)T(B15) II a: K(Π5)V(Π37)R(Π
23)M^{P}(Π23) III b: Ant.^{MiM}(II32)

28,21 (a) ὃς οὐκ αἰσχύνεται πρόσωπα δικαίων οὐκ ἀγα-

θός,
(bα) ὁ τοιοῦτος (bβ) ψωμοῦ ἄρτου ἀποδώσεται
ἄνδρα.

I a: V(Δ5)M^PM(Δ9)H^a(Δ5)T(Δ21) II ab: H^c(Δ20)T (Δ34); abα: R(Δ23)

οὐκ αἰσχύνεται]καταισχυνει II | πρόσωπα δικαίων]προσωπον δικαιον T(II); προσωπον δικαιου R; προς παν δικαιον M^M | ἄρτου]αρτον H^c

28,22 σπεύδει πλουτεῖν ἀνὴρ βάσκανος,
καὶ οὐκ οἶδεν ὅτι ἐλεήμων κρατήσει αὐτοῦ.

I K(Φ2)V^EOVMi(Φ12)R(B6)H^c(B6)T(B12)

σπεύδει]-δη V^EOV*H^c

28,23 ὁ ἐλέγχων ἀνθρώπου ὁδοὺς
χάριτας μᾶλλον ἕξει τοῦ γλωσσοχαριτοῦντος.

I K(E12)V(E31)M^PM(E29)H^a(E28)T(E29)

ἀνθρώπου]ανθρωπον V^OV

28,24 ὃς ἀποβάλλεται πατέρα ἢ μητέρα καὶ δοκεῖ μὴ ἁμαρτάνειν,
οὗτος κοινωνός ἐστιν ἀνδρὸς ἀσεβοῦς.

I V(Π23)R(Π46)M^P(Π42)Ant.^Mi(II12)

κοινωνός]κοινων R

28,25 (a) ἄπληστος ἀνὴρ κρινεῖ εἰκῇ,
(b) ὃς πέποιθεν ἐπὶ κύριον ἐν ἐπιμελείᾳ ἔσται.

I a: R(Δ46) II b: V(E5)M^PM(E18)T(E16)

ὅς]ο M^M | ἐν ἐπιμελείᾳ]ευελπις M^M

28,26a ὃς πέποιθεν θρασείᾳ καρδίᾳ, ὁ τοιοῦτος ἄφρων.

I R(A25)L^a(A26apd.) ὅς]ως L^a

28,27 (a) ὅσοι δίδωσιν πτωχοῖς οὐκ ἐνδεηθήσονται,
(b) ὃς ἀποστρέφει τὸ πρόσωπον αὐτοῦ ἀπὸ πτωχοῦ.

I a: V(E8)M^PM(E18)H^a(E8)T(E19) II b: V(E9)R(E 45)M^PM(E19)H^a(E9)T(E20)

ὅσοι]ος V^W(I)M^PM(I)T(I) | δίδωσιν]διδουσι V^Mi (I) | ἐνδεηθήσονται]-σεται V^W(I)M^M(I)T(I) | ἀποστρέψει]-στρεφει R(II) | ἀπορίᾳ]πτωχεια V^W

(II)

28,28 ἐν τόποις ἀσεβῶν στένουσιν δίκαιοι,
ἐν δὲ τῇ ἐκείνων ἀπωλείᾳ πληθυνθήσονται δίκαι-
οι.

I T(Δ24)Ant.^{Mi}(II38)

29,1a κρείσσων ἀνὴρ ἐλέγχων ἀνδρὸς σκληροτραχήλου.

I K(E12)V(E31)M^{PM}(E29)H^{a}(E28)T(E29) II Ant.^{MiA} (I52) III R(Π35)Ant.^{Mi}(II55)

κρείσσων]κρεισσον $V^{W}M^{PM}$TAnt.^{A}(II)Ant.^{Mi}(III) | ἀνὴρ ἐλέγχων ἀνδρός]ανηρ ελ. του Ant.^{Mi}(II); ανδρος ελεγχοντος υπερ αλλου Ant.^{AGe}(II) | σκληροτραχήλου]κολακευοντος II

29,2 (a) ἐγκωμιαζομένου δικαίου εὐφρανθήσονται λαοί,
(b) ἀρχόντων ἀσεβῶν στένουσιν ἄνδρες.

I b: Iv(20)R(A9apd.)L^{a}(A9apd.)A^{VA}(91) II a: V (Δ29)R(Δ24)M^{PM}(Δ13)H^{a}(Δ29)T(Δ25)

ἐγκωμιαζομένου δικαίου]εγκωμιαζομενων δικαιων V^{W}R(II)M^{P}T | λαοί]+πολλοι $V^{EOVMi}{}_{H}{}^{a}$

29,3 (a) ἀνδρὸς φιλοῦντος σοφίαν εὐφραίνεται ὁ πα-
τήρ,
(b) ὃς ποιμαίνει πόρνας ἀπολέσει πλοῦτον.

I b: V^{EOVMi}(Π11)R(Π38)M^{P}(Π34) II a: V^{EOVMi}(Σ18) III a: V(Y5)R(Y12)M^{PM}(Y12)Ant.^{Mi}(II13)

ἀπολέσει]απολει R(I)M^{P}(I)

29,4a βασιλεὺς δίκαιος ἀνίστησιν χώραν.

I V(B9)R(B2)M^{PM}(B12)H^{a}(B9)T(B2)

χώραν]χωρας V^{W}

29,5 ὃς παρασκευάζεται ἐπὶ πρόσωπον τοῦ ἑαυτοῦ φί-
λου δίκτυον,
περιβαλεῖ αὐτὸ τοῖς ἑαυτοῦ ποσίν.

I K(E8)V(E13)M^{PM}(E9)H^{a}(E13)T(E10)

ἐπί]εις T | περιβαλεῖ]-βαλλει $V^{WMi}{}_{M}{}^{M}{}_{H}{}^{a}$T | αὐτὸ] εαυτω $V^{W}{}_{M}{}^{M}$; om. $V^{EOVMi}{}_{H}{}^{a}$

29,6b δίκαιος ἐν χαρᾷ καὶ εὐφροσύνῃ ἔσται.

I V(Δ7)H^a(Δ7) II V^{EOVMi}(Δ28)R(Δ21)M^{PM}(Δ10)H^a (Δ28)T(Δ22)

εὐφροσύνῃ]pr. εν V^{EOVMi}(I)H^a(I)

29,8a ἄνδρες ἀσεβεῖς ἐξέκαυσαν πόλιν.

I K(Π7)V(Π31) II K(T2)V^{EOVMi}(T3)

29,9a σοφὸς κρινεῖ ἔθνη.

I A^{VA}(17)

29,10a ἄνδρες αἱμάτων μέτοχοι μισήσουσιν ὅσιον.

I V(Δ8)R(Δ23)M^{PM}(Δ12)H^a(Δ8)T(Δ24) II Iv(8)V(X 2)M^{PM}(X5)A^{VA}(11)A^{VA}(50)Ant.^{MiM}(II38) III Ant.^{M} (apd.)

om. ἄνδρες A^A(11) | μισήσουσιν]μισουσιν V(I) V^{WE}(II)M^M(I)H^a | ὅσιον]δικαιον V^{EOVMi}(I)M^M(II) $H^a A^{VA}$(50)

29,11b σοφὸς δὲ ταμιεύεται κατὰ μέρος.

I Ant.^{Mi}(II53)

29,12 βασιλέως ὑπακούοντος λόγον ἄδικον,
πάντες οἱ ὑπ᾽ αὐτὸν παράνομοι.

I R(A8)H^c(A6)T(A8)L^a(A8) II V(B10)R(B3)M^{PM}(B13) H^a(B10)Ant.^{Mi}(II2)

ὑπακούοντος]-ντες V^{Mi} | om. οἱ V^{Mi} | αὐτὸν]αυτων $V^{EOV}H^cT$

29,13 δανειστοῦ καὶ χρεοφειλέτου ἀλλήλοις συνελθόντων,
ἐπισκοπὴν ἀμφοτέρων ποιεῖται ὁ κύριος.

I V(Δ9)R(Δ43)M^{PM}(Δ30)H^a(Δ9)T(Δ42)Ant.^{MiLM}(II25)

χρεοφειλέτου]-φελετου M^P; χρεωφ. RAnt.^{MiLM}; χρειοφιλετου V^VT; χρειωφειλετου V^{Mi} | ἀλλήλοις/συνελθόντων]tr. R; αλληλων συνελθ. Ant.^{L} | ἀμφοτέρων/ποιεῖται]tr. M^M; αμφοτεροις ποιειται V^W | om. ὁ RAnt.^{MiM}

29,14 βασιλέως ἐν ἀληθείᾳ κρίνοντος πτωχούς,
ὁ θρόνος αὐτοῦ εἰς μαρτύριον κατασταθήσεται.

I V(B9)R(B2)M^{PM}(B12)H^{a}(B9)T(B2)Ant.^{Mi}(II1)

29,15 (a) πληγαὶ καὶ ἔλεγχοι διδόασιν σοφίαν,
(b) παῖς πλανώμενος αἰσχύνει μητέρα αὐτοῦ.

I a: K(E12)V(E31)M^{PM}(E29)H^{a}(E28)T(E29) II a: V (Π24)R(Γ12)M^{P}(Π43)Ant.^{MiM}(II9)Ant.^{M}(apd.) III b: K(P1)V(P1) IV b: V^{WEOV}(Y6)M^{PM}(Y13)

πληγαί]+γαρ Ant.^{M}Ant.^{M}(apd.) | ἔλεγχοι]-χος V^{VMi}(II) | παῖς]υιος III | πλανώμενος]πλανωμενωμενος V^{O}(III); πεπλανωμενος V^{Mi}(III) | αἰσχύνει]-νη M^{M}(IV)

29,16 (a) πολλῶν ὄντων ἀσεβῶν πολλαὶ γίνονται ἁμαρτίαι,
(b) οἱ δίκαιοι καταπιπτόντων ἀσεβῶν ἔμφοβοι γίνονται.

I a: R(A14)H^{c}(A12)T(A14)L^{a}(A15) II a: R(K17) III a: R(Π26) IV b: K(Σ6)

ἀσεβῶν 1°]pr. των III | οἱ δίκαιοι/καταπιπτόντων ἀσεβῶν]tr. K^{mg}

29,17 παίδευε υἱὸν καὶ ἀναπαύσει σε,
καὶ δώσει κόσμον τῇ ψυχῇ σου.

I V(Π24)R(Γ12)M^{P}(Π43)H^{a}(Γ16)

υἱόν]+σου R | ἀναπαύσει]αγαπησει RH^{a}

29,18a οὐ μὴ ὑπάρξῃ ἐξηγητὴς ἔθνει παρανόμῳ.

I R(A6)M^{ML}(A6)H^{c}(A4)T(A6)L^{a}(A6apd.) II R(A15) H^{c}(A13)T(A15)L^{a}(A16) III K(Π7)V(Π31)

ὑπάρξῃ]-ξει KV^{EOV} | ἔθνει]εθνη $V^{EOV}M^{M}H^{c}$(I)T(I.II) | παρανόμῳ]-νομα H^{c}(I)

29,19 (a) λόγοις οὐ παιδευθήσεται οἰκέτης σκληρός·
(b) ἐὰν γὰρ καὶ νοήσῃ, ἀλλ' οὐχ ὑπακούσεται.

I ab: Iv(66)V(Δ21)R(Δ40)H^{a}(Δ21)A^{VA}(60)Ant.^{Mi}(II24); a: Ant.^{L}(II24)

νοήσῃ]-σει IvV^{WE}; νοεισει V^{OV} | om. ἀλλ' R | ὑπακούσεται]-ακουεται V^{OVMi}

29,20 ἐὰν ἴδῃς ἄνδρα ταχὺν ἐν λόγοις,

γίνωσκε ὅτι ἐλπίδα ἔχει μᾶλλον ὁ ἄφρων αὐτοῦ.
I M^{PM}(Φ8) II Iv(48)Ant.^{MiA}(I47)
λόγοις]+αυτου I | ἔχει/μᾶλλον]tr. Iv

29,21 (a) ὃς κατασπατλᾷ ἐκ παιδὸς οἰκέτης ἔσται,
(b) ἔσχατον δὲ ὀδυνηθήσεται ἐφ' ἑαυτῷ.
I a: Iv(42)V(Γ13)R(Π29)M^{M}(Γ13)H^{a}(Γ13)T(Γ17)A (45)Ant.^{MiA} (I39) II ab: Ant.^{Mi}(I40);a:Ant.^{MA} (I40)
παιδός]παιδοθεν RAnt.^{MiA} (I); +ασωτως Ant.^{Mi} (II)

29,22 ἀνὴρ θυμώδης ὀρύσσει νεῖκος,
ἀνὴρ δὲ ὀργίλος ἐξώρυξεν ἁμαρτίας.
I V^{EOVMi}(Π15)M^{P}(Π37)Ant.^{Mi}(II72)
ἁμαρτίας]-τιαν Ant.^{Mi}

29,23 (a) ὕβρις ἄνδρα ταπεινοῖ,
(b) τοὺς ταπεινοφρονοῦντας ἐγερεῖ δόξῃ κύριος.
I v:Iv(29)V^{WE}(T5)R(T7)M^{P}(T6)A^{VA}(26)Ant.^{MiM}(II 73) II a: K(Y2) III Ant.^{M}(apd.)
ὕβρις]συκοφαντια III | ἐγερεῖ]εγείρει M^{P} | δόξῃ κύριος]δ. ο κυριος IvRA^{A}; κυριος εις δοξαν Ant.^{Mi}; κυριος δοξαν Ant.^{M}

29,24 (a) ὃς μερίζεται κλέπτῃ, μισεῖ τὴν ἑαυτοῦ ψυχήν·
(b) ἐὰν ὅρκου προτεθέντος ἀκούσαντες μὴ ἀναγγείλωσιν.
I a: V(K5)M^{PM}(K7) II b: Iv(63)R(O9)A^{VA}(27) Ant.^{Mi}(II64)
προτεθέντος]προστ. A^{V} | ἀκούσαντες]ακουσοντες R

29,25 (a) φοβηθέντες καὶ αἰσχυνθέντες ἀνθρώπους ὑπεσκελίσθησαν·
(b) ὁ πεποιθὼς ἐπὶ κύριον εὐφρανθήσεται.
I b: V(E5)M^{PM}(E15)H^{a}(E5) II a: Iv(63)R(O9)A^{VA} (27)Ant.^{Mi}(II64)
καὶ αἰσχυνθέντες]η αισχ. Ant.^{Mi}; om. Iv

29,26 πολλοὶ θεραπεύουσιν πρόσωπα ἡγουμένων,
παρὰ δὲ κυρίου γίνεται τὸ δίκαιον.

I R(A22)H^{c}(A19)T(A22)L^{a}(A5) II C(K1)V(K11)R(K 24)M^{PM}(K10)

πρόσωπα]-πον R(I)L^{a} | δὲ/κυρίου]tr. M^{P} | δίκαιον]+ανδρι I

29,27 (a) βδέλυγμα δίκαιος ἀνδρὶ ἀδίκῳ.
(b) βδέλυγμα ἀνόμων κατευθύνουσα ὁδός.

I a: R(Δ23)T(Δ24) II b: Iv(12)A^{V}(50)

29,28 (a) Γυναῖκα ἀνδρείαν τίς εὑρήσει;
(31,10) (b) τιμιωτέρα δέ ἐστιν λίθων πολυτελῶν.

I ab: V(Γ11)R(Γ17)M^{PM}(Γ11)H^{a}(Γ11)T(Γ15)Ant.^{Mi} (II33); a: Ant.^{M}(II33)

om. δέ $V^{EOVMi}H^{a}$Ant.^{Mi} | fin.]+η τοιαυτη Ant.^{Mi}

29,29 θαρρεῖ ἐπ' αὐτῇ ἡ καρδία τοῦ ἀνδρὸς αὐτῆς,
(31,11) ἡ τοιαύτη καλῶν σκύλων οὐκ ἀπορήσει.

I R(Γ17)Ant.^{Mi}(II33)

θαρρεῖ]θαρσει Ant.^{Mi} | αὐτῇ]αυτη Ant.^{Mi}

29,30 ἐνεργεῖ γὰρ τῷ ἀνδρὶ αὐτῆς ἀγαθὸν καὶ οὐ κακὸν
(31,12) πάντα τὸν βίον.

I R(Γ17)Ant.^{Mi}(II33)

om. γάρ Ant.^{Mi} | om. αὐτῆς Ant.^{Mi} | ἀγαθὸν]-θα Ant.^{Mi} | κακόν]κακα Ant.^{Mi} | om. πάντα τὸν βίον Ant.^{Mi}

29,31 μὴ ῥυομένη ἔρια καὶ λίνον ἐποίησεν εὔχρηστα
(31,13) ταῖς χερσὶν αὐτῆς.

I R(Γ17)

29,32 ἐγένετο ὡσεὶ ναῦς ἐμπορευομένη μακρόθεν·
(31,14) συνάγει αὐτῆς τὸν πλοῦτον.

I R(Γ17)

29,33 καὶ ἀνίσταται ἐκ νυκτῶν·
(31,15) καὶ ἔδωκεν βρώματα τῷ οἴκῳ
καὶ ἔργα ταῖς θεραπαίναις.

I R(Γ17)

29,34 θεωρήσασα γεώργιον ἐπρίατο,
(31,16) ἀπὸ δὲ καρπῶν χειρῶν αὐτῆς κατεφύτευσεν κτῆμα.

I R(Γ17)

29,35 (a) ἀναζωσαμένη ἰσχυρῶς τὴν ὀσφὺν αὐτῆς
(31,17) (b) ἤρεισεν αὐτῆς τοὺς βραχίονας εἰς ἔργον.

I ab: R(Γ17) II b: V(Φ5)R(Φ14)M^{PM}(Φ12)Ant.^{Mi} (II45)

ἤρεισεν]ερεισεν V^{W}M^{P}; ερισεν V^{EOV} | αὐτῆς/τοὺς βραχίονας]tr. I R(II)Ant.^{Mi}

29,36 (a) καὶ ἐγεύσατο ὅτι καλὸν τὸ ἐργάζεσθαι,
(31,18) (b) καὶ οὐ κατασβέννυται ὁ λύχνος αὐτῆς ὅλην τὴν νύκτα.

I ab: R(Γ17) II ab: R(Φ14)Ant.^{Mi}(II45); a: V (Φ5)M^{PM}(Φ12)

καλόν]+εστιν I R(II)Ant.^{Mi} | om. ὅλην τὴν νύκτα I

29,37 τοὺς πήχεις αὐτῆς ἐκτείνει ἐπὶ τὰ συμφέροντα,
(31,19) τὰς δὲ χεῖρας αὐτῆς ἐκτείνει εἰς ἄτρακτον.

I R(Γ17) II V(Φ5)R(Φ14)M^{P}(Φ12)

τοὺς πήχεις]τας χειρας I | ἐκτείνει 1°]-νη V^{EOV} | τὰς δὲ χεῖρας]τους δε πηχεις I | ἐκτείνει 2°]-νη V^{EOV}; ερειδει I V^{W}R(II)M^{P}| ἄτρακτον]αδρακτον I R(II)

29,38 χεῖρας δὲ αὐτῆς διήνοιξεν πένητι,
(31,20) καρπὸν δὲ ἐξέτεινεν πτωχῷ.

I R(Γ17)

29,39 (a) οὐ φροντίζει τῶν ἐν τῷ οἴκῳ ὁ ἀνὴρ αὐτῆς ὅταν που ἔξω χρονίζῃ,
(31,21) (b) πάντες γὰρ οἱ παρ' αὐτῷ ἐνδεδυμένοι εἰσίν.

I ab: R(Γ17); a: Ant.^{Mi}(II33)

om. τῷ Ant.^{Mi} | om. ὁ Ant.$^{Mi(non\ Ge)}$ | om. ἔξω Ant.^{Mi}

29,40 (a) δισσὰς χλαίνας ἐποίησεν τῷ ἀνδρὶ αὐτῆς,
(31,22) (b) ἐκ βύσσου καὶ πορφύρας ἑαυτῇ ἐνδύματα.

I ab: R(Γ17); a: Ant.^{Mi}(II33)

29,41 (a) περίβλεπτος δὲ γίνεται ἐν πύλαις ὁ ἀνὴρ
(31,23) αὐτῆς,

(b) ἡνίκα ἂν καθίσῃ ἐν συνεδρίῳ μετὰ πρεσβυτέ-
ρων τῆς γῆς.

I b.a: R(Γ17); b: Ant.^{Mi}(II33)

v.41a/v.41b]tr. R | πρεσβυτέρων]pr. των Ant.^{Mi} | om. τῆς γῆς Ant.^{Mi}

29,43 (31,26) στόμα διήνοιξεν προσεχόντως καὶ ἐννόμως,
καὶ τάξιν διεστείλατο τῇ γλώσσῃ αὐτοῦ.

I R(Γ17)Ant.^{Mi}(II33)

διεστείλατο]ενετειλατο Ant.^{Mi} | αὐτοῦ]αυτης Ant.^{Mi}

29,44 (31,25) ἰσχὺν καὶ εὐπρέπειαν ἐνεδύσατο,
καὶ εὐφράνθη ἐν ἡμέραις ἐσχάταις.

I R(Γ17)

29,45 (31,27) (a) στεναὶ δὲ διατριβαὶ οἴκων αὐτῆς,
(b) σῖτα δὲ ὀκνηρὰ οὐκ ἔφαγεν·
(c) στόμα δὲ αὐτῆς ἀνοίγει σοφῶς,
(d) αἱ δὲ ἐλεημοσύναι αὐτῆς.

I a-d: R(Γ17); ab: Ant.^{Mi}(II33); b: Iv(53)A^{VA}(54)

om. δέ 1° R | σῖτα δέ]αι τοιαυται σιτα A^{A}

29,46 (31,28) ἀνέστησαν τὰ τέκνα αὐτῆς καὶ ἐπλούτησαν,
καὶ ὁ ἀνὴρ αὐτῆς ᾔνεσεν αὐτήν.

I R(Γ17)

29,47 (31,29) Πολλαὶ θυγατέρες ἐκτήσαντο πλοῦτον,
πολλαὶ ἐποίησαν δύναμιν·
σὺ δὲ ὑπέρκεισαι καὶ ὑπερῆρας πάσας.

I Iv(53)R(Γ17)A^{V}(54)Ant.^{Mi}(II33)

om. ἐκτήσαντο - πολλαί 2° R

29,48 (31,30) ψευδεῖς ἀρέσκειαι καὶ μάταιον κάλλος, οὐκ ἔ-
στιν ἐν σοί,
γυνὴ συνετὴ εὐλογεῖται,
φόβος δὲ κυρίου αὐτὴν αἰνείτω.

I Iv(53)R(Γ17)A^{V}(54)Ant.^{Mi}(II33)

ἀρέσκειαι]-σκιαι Iv | γυνή]+δε R | φόβος]φοβον Iv; φοβω A^{V} | om. δέ Iv | αὐτήν]αῦτη A^{V}

29,49 (a) δότε αὐτῇ ἀπὸ καρπῶν χειρῶν αὐτῆς,
(31,31) (b) καὶ αἰνείσθω ἐν πύλαις ὁ ἀνὴρ αὐτῆς.

I ab: R(Γ17)Ant.^{Mi}(II33); a: Iv(53)A^{V}(54) II a: K(E1)V(E10)R(A21)M(A25)H^{a}(A52)H^{a}(E10)T(A48) L^{a}(A22)

δότε]τοτε L^{a} | αὐτῇ]αυτης V$^{V^{txt}}$ | καρπῶν]pr. των V^{Mi} | χειρῶν]χειλεων (+χειλεων Iv) I

Ε Κ Κ Λ Η Σ Ι Α Σ Τ Η Σ

1,2b Ματαιότης ματαιοτήτων, τὰ πάντα ματαιότης.

I K(A4)V(A10)R(A56)T(A65)A(43) II H^{a}(B6)T(B5)
III C(Π1)

1,3 τίς περισσεία τῷ ἀνθρώπῳ
ἐν παντὶ μόχθῳ αὐτοῦ ᾧ μοχθεῖ ὑπὸ τὸν ἥλιον;

I R(A56) II H^{a}(B6)T(B5) III C(Π1)

1,5 ἀνατέλλει ὁ ἥλιος καὶ δύνει ὁ ἥλιος
καὶ εἰς τὸν τόπον αὐτοῦ ἕλκει·
ἀνατέλλων αὐτὸς ἐκεῖ.

I C(H2)

1,6 πορεύεται πρὸς νότον
καὶ κυκλοῖ πρὸς βορρᾶν·
κυκλοῖ κυκλοῦν, πορεύεται τὸ πνεῦμα,
καὶ ἐπὶ κύκλους αὐτοῦ ἐπιστρέφει τὸ πνεῦμα.

I C(H2)

1,7 (a) πάντες οἱ χείμαρροι πορεύονται εἰς τὴν θά-
λασσαν,
(b) καὶ ἡ θάλασσα οὐκ ἔστιν πιμπλαμένη·
(c) εἰς τὸν τόπον οὗ οἱ χείμαρροι πορεύονται,
(d) ἐκεῖ αὐτοὶ ἐπιστρέψουσιν τοῦ πορευθῆναι.

I ab: K(Θ1)V(Θ9)R(Θ13)M^{PM}(Θ10); a-d: T(Θ3)
οἱ 1°]αι V^{E} | πορεύονται 1°]-σονται R | om.
καὶ ἡ θάλασσα M^{M} | ἔστιν πιμπλαμένη]ε. εμπιμπ.
V^{W}T; εσται εμπιμπλ. K; εμπιμπλ. εσται M^{M}

1,8a.cd (a) πάντες οἱ λόγοι ἔγκοποι·
(c) οὐκ ἐμπλησθήσεται ὀφθαλμὸς τοῦ ὁρᾶν,
(d) καὶ οὐ πληρωθήσεται οὖς ἀπὸ ἀκροάσεως.

I a: K(Λ1) II cd: K(A16)V(A43)M(A32)H^{a}(A40)
III cd: K(A22)R(A28)H^{c}(A25)T(A28)L^{c}(A18)
οὐκ ἐμπλησθήσεται]ου πλησθ. M^{M}(II) | ὀφθαλμὸς]
pr. ο K(III) | om. ἀπό K(II)

1,9c οὐκ ἔστιν πᾶν πρόσφατον ὑπὸ τὸν ἥλιον.

I R(K1)

1,10 ὃς λαλήσει καὶ ἐρεῖ Ἴδε τοῦτο καινόν ἐστιν,
ἤδη γέγονεν ἐν τοῖς αἰῶσιν

τοῖς ἔμπροσθεν ἡμῶν.

I R(K1)

1,13d-f περισπασμὸν πονηρὸν
ἔδωκεν ὁ θεὸς τοῖς υἱοῖς τῶν ἀνθρώπων
τοῦ περισπᾶσθαι ἐν αὐτῷ.

I K(B1)V(B6)M^{PM}(B11)H^{a}(B6)T(B5)

1,14 εἶδον σύμπαντα τὰ ποιήματα
τὰ πεποιημένα ὑπὸ τὸν ἥλιον,
καὶ ἰδοὺ πάντα ματαιότης καὶ προαίρεσις πνεύματος.

I K(A3) II M(A18)

σύμπαντα]παντα I | τὰ ποιήματα]om.I M^{P}; om. τὰ M^{M} | πάντα]pr. τα I | om. καί - fin. M^{L}

1,15 διεστραμμένον οὐ δυνήσεται τοῦ ἐπικομισθῆναι,
καὶ ὑστέρημα οὐ δυνήσεται τοῦ ἀριθμηθῆναι.

I K(A22)R(A28)H^{c}(A25)T(A28)L^{c}(A18)

ἐπικομισθῆναι]κοσμηθηναι K

1,17a καρδία μου ἴδεν πολλά, καὶ σοφίαν καὶ γνῶσιν.

I K(K2)

1,18 (a) ἐν πλήθει σοφῶν πλῆθος γνώσεως,
(b) ὁ προστιθεὶς γνῶσιν προστίθησιν ἄλγημα.

I a: A^{VA}(17) II b: C(A4)V(A3)M(A38)T(A60)L^{c}(A 32)

προστίθησιν]προσθησει C; προσεθηκεν T

2,2a τῷ γέλωτι εἶπον περιφοράν.

I R(Γ3)H^{b}(Γ3)T(Γ3)

τῷ]ω T

2,11a-d ἐπέβλεψα ἐγὼ ἐν πᾶσιν
οἷς ἐποίησαν αἱ χεῖρές μου,
καὶ ἐν μόχθῳ ᾧ ἐμόχθησα τοῦ ποιεῖν,
καὶ ἰδοὺ τὰ πάντα ματαιότης καὶ προαίρεσις πνεύματος.

I R(A56) II H^{a}(B6)T(B5)

om. ᾧ I

2,15g.f (g) ἄφρων ἐκ περισσεύματος λαλεῖ·
(f) καί γε τοῦτο ματαιότης.

I R(A39)H^{c}(A35)T(A39)L^{c}(A27) II M^{PM}(Φ8)

2,17 ἐμίσησα σὺν τὴν ζωήν,
ὅτι πονηρὸν ἐπ᾽ ἐμὲ τὸ ποίημα
τὸ πεποιημένον ὑπὸ τὸν ἥλιον,
ὅτι τὰ πάντα ματαιότης καὶ προαίρεσις πνεύματος.

I M^{ML}(A1)H^{c}(A1) II H^{a}(B6)T(B5) III C(Π1)

om. σύν M^{M}: sub rasura

2,18 (a) καὶ ἐμίσησα ἐγὼ σύμπαντα μόχθον μου·
(b) ὃν ἐγὼ μοχθῶ ὑπὸ τὸν ἥλιον,
(c) ὅτι ἀφίω αὐτὸν τῷ ἀνθρώπῳ τῷ γενησομένῳ μετ᾽ ἐμέ.

I a.c: C(Π1) II a-c: Ant.^{Mi}(II77)

om. καί II | ἀφίω]αφιημι Ant.$^{Mi(non\ Ge)}$ | om. τῷ 1° II | om. γενησομένῳ II

2,19 (a) καὶ τίς οἶδεν εἰ σοφὸς ἔσται ἢ ἄφρων;
(b) καὶ εἰ ἐξουσιάζεται ἐν παντὶ μόχθῳ μου
(c) ᾧ ἐμόχθησα καὶ ὡς ἐφεισάμην ὑπὸ τὸν ἥλιον;
(d) καί γε τοῦτο ματαιότης.

I a-d: C(Π1) II a: Ant.^{Mi}(II77)

οἶδεν]ειδεν II

2,20 καὶ ἐπέστρεψα ἐγὼ τοῦ ἀποτάξασθαι τῇ καρδίᾳ μου
ἐπὶ παντὶ μόχθῳ μου ᾧ ἐμόχθησα ὑπὸ τὸν ἥλιον.

I R(A56) II H^{a}(B6)T(B5)

om. καί II | ἐπί]εν I | om. μου 2° I

2,21 (a) ὅτι ἐστὶν ἄνθρωπος, ὅτι μόχθος αὐτοῦ
(b) ἐν σοφίᾳ καὶ ἐν γνώσει καὶ ἐν ἀνδρείᾳ·
(c) καὶ ἄνθρωπος ὃς οὐκ ἐμόχθησεν ἐν αὐτῷ,
(d) δώσει αὐτῷ μερίδα αὐτοῦ·
(e) καί γε τοῦτο ματαιότης καὶ πονηρία μεγάλη.

I a-e: R(A56) II a-e: H^{a}(B6)T(B5) III a-d: R (Δ30)H^{c}(Δ17)T(Δ31)

om. ὅτι 1° III | μόχθος]pr. ο II | ὅς]ω II | om. ἐν 4° II | αὐτῷ 2°]αυτον II

2,22 ὅτι γίνεται τῷ ἀνθρώπῳ ἐν παντὶ μόχθῳ αὐτοῦ
καὶ ἐν προαιρέσει καρδίας αὐτοῦ
ᾧ αὐτὸς μοχθεῖ ὑπὸ τὸν ἥλιον.

I R(A56) II H^{a}(B6)T(B5)

μοχθεῖ]εμοχθει I

2,23 ὅτι πᾶσαι αἱ ἡμέραι αὐτοῦ
ἀλγημάτων καὶ θυμοῦ περισπασμὸς αὐτοῦ·
καί γε ἐν νυκτὶ οὐ κοιμᾶται ἡ καρδία αὐτοῦ·
καί γε τοῦτο ματαιότης ἐστίν.

I V^{EOVMi}(A10)R(A56)M(A43)T(A65) II H^{a}(B6)T(B5)

om. ὅτι I(sine R) | αὐτοῦ 1°]αυτων MT(I) | ἀλγημάτων]αλγηδων R | θυμοῦ]θυμος M^{M}; +και II | om. αὐτοῦ 2° V^{EOVMi}M | γε 2°]γαρ V^{Mi}

2,24ab.d (a) Οὐκ ἔστιν ἀγαθὸν ἀνθρώπῳ,
(b) εἰ μὴ ὃς φάγεται καὶ πίεται καὶ ὃς δείξει ἀγαθὸν τῇ ψυχῇ αὐτοῦ·
(d) καί γε τοῦτο ἐκ χειρὸς θεοῦ ἔστιν.

I K(Δ9)V(Δ27)R(Δ9)M^{PM}(Δ4)H^{a}(Δ27)

μὴ]μοι R | ὃς 1°]ο KM^{P}; ως M^{M} | ὃς 2°]ως V^{VMi}; ο KM^{P} | δείξει]-ξη V^{EOVMi} | γε]+γαρ K(vid.) | ἐκ]pr. οτι K | θεοῦ]pr. του K; κυριου M^{M}

2,26 (a) τῷ ἀνθρώπῳ τῷ ἀγαθῷ
(b) πρὸ προσώπου αὐτοῦ ἔδωκεν σοφίαν
(c) καὶ γνῶσιν καὶ εὐφροσύνην·
(d) τῷ ἁμαρτάνοντι ἔδωκεν περισπασμὸν
(e) τοῦ προσθεῖναι καὶ τοῦ συναγαγεῖν:
(f) τοῦ δοῦναι τῷ ἀγαθῷ πρὸ προσώπου τοῦ θεοῦ.

I a-c: V(Δ16)R(K25)M^{PM}(Δ21)H^{a}(Δ16)T(Δ33)Ant.^{Mi}(II31) II d-f: H^{c}(E11)T(E11); d: V^{W}(E25)M^{M}(E 10) III d-f: Ant.^{Ge}(II77); de: Ant.^{M}(II77); d: Iv(38)V^{EOVMi}(Σ19)A^{VA}(65) IV d: A(38)

πρὸ προσώπου αὐτοῦ/ἔδωκεν σοφίαν]tr. R(I) Ant.^{Mi}(I); pr. ο κυριος V^{W}(I) | περισπασμόν]-μων M^{M}(II)T(II) | προσθεῖναι]πρωσθηναι T(II) Ant.^{Ge}(III)

3,1 (a) Τοῖς πᾶσιν ὁ χρόνος,
(b) καιρὸς τῷ παντὶ πράγματι ὑπὸ τὸν ἥλιον.

I ab: R(K2); b: K(K5)V(K3)M^{PM}(K1)

καιρός]pr. και R | om. ὑπὸ τὸν ἥλιον R

3,2 καιρὸς τοῦ τεκεῖν καὶ καιρὸς τοῦ ἀποθανεῖν,

καιρὸς τοῦ φυτεῦσαι καὶ καιρὸς τοῦ ἐκτεῖλαι τὸ πεφυτευμένον.

I K(K5)V(K3)R(K2)M^{PM}(K1)

ἐκτεῖλαι]-τιλαι V^{Mi}; -τιλλαι R | πεφυτευμένον] φυτ. M^{P}

3,3 (a) καιρὸς τοῦ ἀποκτεῖναι καὶ καιρὸς τοῦ ἰάσασθαι,
(b) καιρὸς τοῦ καθελεῖν καὶ καιρὸς τοῦ οἰκοδομεῖν.

I ab: R(K2); b: K(K5)V(K3)M^{PM}(K1)

καθελεῖν]καθαιρειν K | om. καί 2° K | οἰκοδομεῖν]-δομησαι M^{PM}

3,4 (a) καιρὸς τοῦ κλαῦσαι καὶ καιρὸς τοῦ γελάσαι,
(b) καιρὸς τοῦ κόψασθαι καὶ καιρὸς τοῦ ὀρχήσασθαι.

I ab: R(K2); a: K(K5)V(K3)M^{PM}(K1)

καιρός 1°]pr. και V^{V} | om. καί 1° K

3,5b καιρὸς τοῦ περιλαβεῖν καὶ καιρὸς τοῦ μακρυνθῆναι,

I R(K2)

3,6 καιρὸς τοῦ ζητῆσαι καὶ καιρὸς τοῦ ἀπολέσαι,
καιρὸς τοῦ φυλάξαι καὶ καιρὸς τοῦ ἐκβαλεῖν.

I K(K5)V(K3)R(K2)M^{PM}(K1)

om. καί 1°2° K

3,7 καιρὸς τοῦ ῥῆξαι καὶ καιρὸς τοῦ ῥάψαι,
καιρὸς τοῦ λαλεῖν καὶ καιρὸς τοῦ σιγᾶν.

I K(K5)V(K3)R(K2)M^{PM}(K1)

om. καί 1°2°(sub rasura) K | λαλεῖν.../σιγᾶν] tr. R

3,8 καιρὸς τοῦ φιλῆσαι καὶ καιρὸς τοῦ μισῆσαι,
καιρὸς πολέμου καὶ καιρὸς εἰρήνης.

I K(K5)V(K3)R(K2)M^{PM}(K1)

φιλῆσαι.../μισῆσαι]tr. R | om. καί 1° K | πολέμου]pr. του M^{M} | καὶ καιρὸς εἰρήνης]επι παντι ποιηματι R(ex 3,17?); om. καί K

3,11 (a) σύμπαντα ἐποίησεν ὁ κύριος καλὰ ἐν καιρῷ

αὐτῶν·
(b) καί γε σὺν τὸν αἰῶνα ἔδωκεν ἐν καρδίᾳ αὐτῶν,
(c) ὅπως μὴ εὕρῃ ἄνθρωπος
(d) τὸ ποίημα ὃ ἐποίησεν ὁ θεὸς ἀπ᾽ἀρχῆς μέχρι τέλους.

I a-d: H^c(A15)T(A17)L^c(A21) II a: C(Δ2)R(Δ30)

ἐποίησεν 1°]pr. α TL^c | κύριος]θεος II

3,12 ἔγνων ὅτι οὐκ ἔστιν ἀγαθὸν ἐν αὐτοῖς,
εἰ μὴ τῷ εὐφρανθῆναι καὶ τῷ ποιῆσαι ἀγαθὸν ἐν ζωῇ αὐτοῦ.

I V(E8)M^M(E18)H^a(E8)T(E19)

τῷ 1°]το $V^W H^a$T; του V^{Mi} | τῷ 2°]το $M^M H^a$T; του V^{Mi}; om. V^W

3,18 εἶπα ἐγὼ ἐν καρδίᾳ μου
περὶ λαλιᾶς υἱῶν ἀνθρώπου,
ὅτι διακρίνει αὐτοὺς ὁ θεός,
καὶ τοῦ δεῖξαι ὅτι αὐτοὶ κτήνη εἰσίν.

I R(A56) II H^a(B6)T(B5)

εἶπα]ειπον I | υἱῶν]pr. των I | ἀνθρώπου]pr. του I | διακρίνει]-κρινεῖ I

3,19a-d.fg (a) καίγε αὐτοῖς συνάντημα τῶν υἱῶν τοῦ ἀνθρώπου
(b) καὶ συνάντημα τοῦ κτήνους;
(c) συνάντημα ἓν αὐτοῖς·
(d) ὡς ὁ θάνατος τούτου, καὶ ὁ θάνατος τούτου,
(f) τί περιέσευσεν ἀνθρώπῳ παρὰ τὸ κτῆνος;
(g) οὐδέν, ὅτι πάντα ματαιότης.

I fg: K(A4)V^{EOVMi}(A10)M(A33)T(A65)A(43) II a-d: R(A56) III a-d: H^a(B6)T(B5) IV a-d: M^P (Σ16)

om. καί γε αὐτοῖς IV | συνάντημα 1°]pr. οτι II| τῶν υἱῶν]om. τῶν IV; αυτων III | ἐν αὐτοῖς]εν τοις πασι αυτοις II; εαυτοις IV | καί 3°]pr. ουτως II; om. IV | περιέσευσεν]-εσσευσεν M^{PM}(I) T(I); επερισσευσεν $KV^{Mi}M^L$(I)A^V | ἀνθρώπῳ]pr. τω M^MA; ανθρωπος K | παρά]υπερ M^M(I)

3,20bc τὰ πάντα ἐγένετο ἀπὸ τοῦ χοός,
καὶ τὰ πάντα ἐπιστρέφει εἰς τὸν χοῦν.

I K(A1)V^{WOVMi} (A8)R(A1)M^{ML} (A1)L^{a} (A1)L^{c} (A40) II V^{W} (Ω1) M^{PM}(Ω1)

ἀπὸ τοῦ]εκ του V^{WOVMi} (I)L^{c}; om. τοῦ V^{W} (II)RM^{ML} (I)M^{P}(II)L^{a} | ἐπιστρέφει]-ψει V^{WOVMi} (I)L^{c} | εἰς]επι L^{a}| τὸν χοῦν]την γην V^{WOVMi} (I)RL^{a}

3,21 καὶ τίς οἶδεν τὸ πνεῦμα υἱῶν τοῦ ἀνθρώπου,
εἰ ἀναβαίνει αὐτὸ εἰς ἄνω;
καὶ τὸ πνεῦμα τοῦ κτήνους,
εἰ καταβαίνει αὐτὸ κάτω εἰς τὴν γῆν;

I V^{W} (Ω1)M^{PM}(Ω1)

καταβαίνει2°]pr. και M^{P} | om. αὐτό 2° M^{P}

4,1a-e ἐπέστρεψα ἐγὼ καὶ εἶδον
σου πάσας τὰς συκοφαντίας
τὰς γινομένας ὑπὸ τὸν ἥλιον·
καὶ ἰδοὺ δάκρυον τῶν συκοφαντομένων,
καὶ οὐκ ἔστιν αὐτοῖς ὁ παρακαλῶν.

I R(Ψ4)

4,2 (a) ἐπῄνεσα ἐγὼ τοὺς τεθνηκότας
(b) τοὺς ἤδη ἀποθανόντας ὑπὲρ τοὺς ζῶντας,
(c) ὅσοι αὐτοὶ ζῶσιν ἕως τοῦ νῦν.

I a-c: R(A1)M^{ML}(A1)H^{c}(A1)L^{a}(A1) II ab: K(A4) V^{EOVMi} (A10)M(A43)T(A65)A(43)

ἐπῄνεσα/ἐγὼ]tr. M^{M}(II); επ. γαρ V^{OVMi} | τοὺς 1°]pr. συν RM^{M*L}(I)$H^{c}L^{a}$ | om. τοὺς ἤδη ἀποθ. A | ὅσοι]ως οι RM^{M}(I)L^{a}

4,3 καὶ ἀγαθὸς ὑπὲρ τοὺς δύο τούτους
ὅστις οὔπω ἐγένετο,
ὃς οὐκ οἶδεν σύμπαν τὸ ποίημα
τὸ πεποιημένον ὑπὸ τὸν ἥλιον.

I R(A1)M^{ML}(A1)H^{c}(A1)L^{a}(A1) II K(A4)V^{EOVMi} (A10) M(A43)T(A65)A(43)

om. τούς V^{Mi} | om. τούτους K | οἶδεν]ειδεν (ιδεν KM^{M}T) $KV^{E}RM^{ML}$(II)TL^{a} | σύμπαν]συν M^{L}(I)H^{c} | ποίημα]+το πονηρον M^{ML}(I)H^{c} | τὸ πεποιημένον] om. τό M^{M}(I)H^{c}; τω πεποιημενω A^{K}

4,4c τῷ ἀνδρὶ ὁ ζῆλος παρὰ τοῦ ἑταίρου αὐτοῦ.

I Ant.^{MiMA}(I62)

4,6ab κρεῖσσον πλήρωμα δρακὸς ἀναπαύσεως
ὑπὲρ πλήρωμα δύο δρακῶν ἐν μόχθῳ.

I Iv(39)V^{WOVMi}(A26)R(O10)M^{PM}(A54)H^{a}(A24)L^{a}(A 34)Ant.^{MiMA}(I30)

κρεῖσσον]κρεισσων M^{P}; pr. αγαθον L^{c} | ἀναπαύσεως]pr. μετα V$^{WV^{mg}Mi}$Ant.^{Mi}(μετ) | ἐν μόχθῳ] εμοχθων M^{M}

4,7 καὶ ἐπέστρεψα ἐγὼ καὶ εἶδον ματαιότητα ὑπὸ τὸν ἥλιον.

I R(M8)

4,8a-d.gh (a) ἔστιν εἷς καὶ ἔστιν δεύτερος,
(b) καί γε υἱὸς καί γε ἀδελφὸς οὐκ ἔστιν αὐτῷ·
(c) καὶ οὐκ ἔστιν περασμὸς τῷ μόχθῳ αὐτοῦ,
(d) καί γε ὀφθαλμὸς αὐτοῦ οὐκ ἐμπιπλᾶται πλούτου.
(g) καί γε τοῦτο ματαιότης
(h) καὶ περισπασμὸς πονηρός.

I R(M8)

4,9 ἀγαθοὶ οἱ δύο ὑπὲρ τὸν ἕνα,
οἷς ἔστιν αὐτοῖς ὁ μισθὸς ἀγαθὸς ἐν μόχθῳ αὐτῶν.

I R(Σ2)M^{P}(Σ2) II Iv(51)V(Φ7)M^{PM}(Φ13)A^{VA}(74) III Ant.^{Mi}(II43)

ἀγαθοί]αγαθον III | om. οἱ IvM^{P}(I,II)A^{VA} | οἷς]εις A^{VA} | om. ὁ IvA^{VA} | om. ἀγαθός - fin. A^{VA} | ἀγαθός]om. I Iv; αγαθοι M^{M}

4,10 ὅτι ἐὰν πέσωσιν οἱ δύο, ὁ εἷς ἐγερεῖ τὸν μέτοχον αὐτοῦ·
καὶ οὐαὶ τῷ ἑνὶ ὅταν πέσῃ
καὶ μὴ ᾖ δεύτερος ἐγεῖραι αὐτόν.

I R(Σ2)M^{P}(Σ2) II Iv(51)V(Φ7)M^{PM}(Φ7)A^{VA}(74) III Ant.^{Mi}(II43)

om. οἱ δύο I III | ἐγερεῖ]εγείρει M^{PM}(II); εγεροι αυτου ηγουν A^{A} | καὶ οὐαί]+και ουαι V^{OV} | ἐγεῖραι]pr. του V^{W}M^{M}; εγειρων I

4,11 καί γε ἐὰν κοιμηθῶσιν οἱ δύο καὶ θέρμη αὐτοῖς·

καὶ ὁ εἷς πῶς θερμανθῇ;

I R(Σ2)M^{P}(Σ2)

4,12 (a) καὶ ἐὰν ἐπικραταιωθῇ ὁ εἷς,
(b) οἱ δύο στήσονται κατέναντι αὐτοῦ,
(c) καὶ τὸ σπαρτίον τὸ ἔντριτον οὐ ταχέως ἀ-
πορραγήσεται.

I c: R(A60) II a-c: R(Σ2)M^{P}(Σ2) III c: V(Φ7) M^{PM}(Φ13)

om. καί 2° I III | σπαρτίον]σχοινιον I

4,13 (a) ʼΑγαθὸς παῖς πένης καὶ σοφὸς
(b) ὑπὲρ βασιλέα πρεσβύτερον καὶ ἄφρονα,
(c) ὃς οὐκ ἔγνω τοῦ προσέχειν ἔτι.

I a-c: R(B3); ab: $Ant.^{Mi}$(II2) II a-c: H^{C}(Δ15) T(Δ19) III a-c: H^{C}(E9)T(E9) IV ab: V^{EOVMi}(N1) R(N1)M^{PM}(N1)L^{C}(N1) V ab: V(Σ18)M^{P}(Σ28) VI ab: V(Y5)R(Y12)M^{PM}(Y12)$Ant.^{MiL}$(II13)

παῖς/πένης καὶ σοφός]tr. R(VI); om. παῖς I | πένης]+πενης $Ant.^{L}$ | βασιλέα πρεσβύτερον καὶ ἄφρονα]βασιλεως πρεσβυτερου και αφρονος $Ant.^{L}$; βασιλεα πρεσβυτην και αφρονα V^{W}(VI) | om. τοῦ II

4,14 ὅτι ἐξ οἴκου τῶν δεσμῶν ἐξελεύσεται τοῦ βασι-
λεῦσαι,
ὅτι καί γε ἐν βασιλείᾳ αὐτοῦ ἐγενήθη πένης.

I R(B3) II H^{C}(Δ15)T(Δ19) III H^{C}(E9)T(E9)

om. τοῦ I | ἐγενήθη]εγεννηθη I |πένης]πονος II

4,17 (a) Φύλαξον τὸν πόδα σου ἐν ᾧ ἂν πορεύῃ εἰς
οἶκον θεοῦ,
(b) καὶ ἔγγυσον τοῦ ἀκούειν·
(c) ὑπὲρ δόμα τῶν ἀφρόνων θυσία σου,
(d) ὅτι οὐκ εἰσὶν εἰδότες ποιῆσαι καλόν.

I a-d: C(E1)H^{b}(E1) II ab: K(N3)

πορεύῃ]-ση II | ἔγγυσον]εγγυς II

5,1a-d (aα) μὴ σπεῦδε (aβ) ἐπὶ στόματί σου,
(b) καὶ ἡ καρδία σου μὴ ταχυνάτω
(c) τοῦ ἐξενεγκεῖν λόγον πρὸ προσώπου τοῦ θεοῦ·
(d) ὅτι ὁ θεὸς ἐν τῷ οὐρανῷ ἄνω, καὶ σὺ ἐπὶ

τῆς γῆς κάτω.

I a-c: C(A6)V(A5)R(A51)M(A40)T(A62)L^C(A44) II a.c: Iv(48)V(Γ15)M^PM(Γ15)H^a(Γ15)T(Γ19)A^A(71); aα.cd: Ant.^Mi(II70)

σπεῦδε]σπευδαι V^W(II); σπευσης Ant.^Mi | στόματι]-τος M^ML(I)T(I) | ταχυνάτω]-νετω V^WE(I)M(I) L^CT(I); ταχυνεται V^OV(I); ταχυνηται V^Mi(I);+σε M^M(II) | om. τοῦ 1° Ant.^Mi | ἐξενεγκεῖν]εξενεγκαι (-κε M^M)M^M(I)A^A | λόγον]ρημα Ant.^Mi | τοῦ θεοῦ]κυριου CR

5,2 (a) παραγίνεται ἐνύπνιον ἐν πλήθει πειρασμοῦ,
(b) φωνὴ ἄφρονος ἐν πλήθει λόγοων.

I b: H^C(A35)T(A39)L^C(A26) II b: R(Λ2) III b: M^PM(Φ8)Ant.^MiA(I74) IV a: Ant.^MiA(I43)

ἐν πλήθει 2°]επλησθη II

5,3ab καθ' ὃ ἂν εὔξῃ εὐχὴν τῷ θεῷ,
μὴ χρονίσῃς τοῦ ἀποδοῦναι αὐτήν.

I C(Y1)R(Y19)

θεῷ]κυριω R | om. τοῦ R

5,4 ἀγαθὸν τὸ μὴ εὔξασθαί σε,
ἢ τὸ εὔξασθαί σε καὶ μὴ ἀποδοῦναι.

I C(Y1)V(Y10)R(Y19)

τό 1°]του C | om. σε 1° V^Mi | τό 2°]του V^W | om. σε 2° V^EOVMi

5,5 μὴ δῷς τὸ στόμα σου ἐξαμαρτεῖν εἰς τὴν σάρκα σου,
καὶ μὴ εἴπῃς πρὸ προσώπου τοῦ θεοῦ ὅτι Ἀγνόημά ἐστιν·
ἵνα μὴ ὀργισθῇ ὁ θεὸς ἐπὶ φωνῇ σου
καὶ διαφθείρῃ τὰ ποιήματα χειρῶν σου.

I H^C(E12)T(E13)

δῷς]δος H^C | φωνῇ]φωνης H^C

5,7 Ἐὰν συκοφαντίαν πένητος καὶ ἁρπαγὴν κρίματος καὶ δικαιοσύνης ἴδῃς ἐν χώρᾳ,
μὴ θαυμάσῃς ἐπὶ τῷ πράγματι·
ὅτι ὑψηλὸς ἐπάνω ὑψηλοῦ φυλάξει.

I R(Δ36) II V(Π21)R(Π43)M^{P}(Π40)
ἁρπαγὴν]αναγκην V^{Mi} | δικαιοσύνης]-νην V^{E} | θαυμάσῃς]-σεις $V^{EOV}M^{P}$ | ὑψηλὸς]pr. ο I | φυλάξει]-ξαι M^{P}; ορα I

5,8b ἐπὶ παντί ἐστιν βασιλεὺς τοῦ ἀγροῦ εἰργασμένου.

I R(Φ11)M^{PM}(Φ9)
εἰργασμένου]-μενος M^{M}

5,9a ὁ ἀγαπῶν ἀργύριον οὐ πλησθήσεται ἀργυρίου.

I Iv(40)V(E9)M^{PM}(E19)H^{a}(E9)T(E20)A^{VA}(23)
ἀργυρίου]αυτου T

5,11ab γλυκὺς ὁ ὕπνος τοῦ δούλου
εἰ ὀλίγον καὶ εἰ πολὺ φάγεται.

I Iv(65)V(Δ20)M^{PM}(Δ25)H^{a}(Δ20)T(Δ37)A^{VA}(59) $Ant.^{MiM}$(II23) II K(Y3)V(Y3)M^{PM}(Y4)
om. ὁ M^{M}(I) | εἰ 1°]ειτε $A^{A}Ant.^{MiM}$; εις Iv | καὶ εἰ]ειτε και $Ant.^{MiM}$; και η V^{E}(I); om. εἰ A^{VA}

5,12 (a) ἔστιν ἀρρωστία ἣν εἶδον ὑπὸ τὸν ἥλιον,
(b) πλοῦτον φυλασσόμενον τῷ παρ᾽ αὐτοῦ εἰς κακίαν αὐτοῦ.

I ab: Iv(56)V(Φ10)R(Φ18)M^{PM}(Φ16)A^{V}(76) $Ant.^{MiA}$(I28); a: A^{A}(76) II ab: A^{VA}(23)
ἀρρωστία]-στεια A^{V}(II) | εἶδον]ιδον $V^{W}M^{P}$ | τῷ] το II $IvAnt.^{Ge}$; om. $Ant.^{Mi}$ | αὐτοῦ]εαυτου $V^{W}M^{P}$ | om. εἰς κακίαν αὐτοῦ Iv

5,13a καὶ ἀπολεῖτει ὁ πλοῦτος ἐκεῖνος ἐν περισπασμῷ πονηρῷ.

I Iv(56)V(Φ10)R(Φ18)M^{P}(Φ16)A^{V}(76)$Ant.^{MiA}$(I28) II A^{VA}(23)
πλοῦτος]+αυτου $V^{EOVMi}Ant.^{A}$ | περισπασμῷ]πειρασμω $V^{EOVMi}M^{P}A^{A}$ | πονηρῷ]-ρων $V^{W}M^{P}Ant.^{Mi}$

5,14 καθὼς ἐξῆλθεν ἀπὸ γαστρὸς μητρὸς αὐτοῦ γυμνός,
ἐπιστρέψει τοῦ πορευθῆναι ὡς ἥκει,
καὶ οὐδὲν λήψεται ἐν μόχθῳ αὐτοῦ,

ἵνα πορευθῇ ἐν τῇ χειρὶ αὐτοῦ.

I K(A4)V(A10)R(A56)M(A43)T(A65) II K(Θ2;2°)V(Θ7)R(Θ11)M^{PM}(Θ8)T(Θ11) III C(Π1) IV V^{WVMi}(Ω)R(Ω1)M^{PM}(Ω1)

μητρὸς αὐτοῦ]om. R(II); om. αὐτοῦ I | γυμνός] om. V^{V}(IV)M^{M}(IV) | ἐπιστρέψει]pr. ουτος M^{M}(IV)| ὡς ἥκει]ωσει και K(I)T;ως εικει V^{W}(I)V^{OV}(II); ως εικη V^{EOV}(I)M(I)M^{PM}(IV) | ἵνα]και M^{L}(I) | om. τῇ II III

5,15 (a) καί γε τοῦτο πονηρὰ ἀρρωστία·
(b) ὥσπερ γὰρ παρεγένετο, οὕτως καὶ ἀπελεύσεται·
(c) καὶ τίς ἡ περίσσεια αὐτοῦ ᾗ μοχθεῖ εἰς ἄνεμον.

I a-c: K(A4); ab: V(A10)R(A56)M(A43)T(A65) II a: C(Π1) III a-c: V^{WVMi}(Ω1)R(Ω1)M^{PM}(Ω1)

οὕτως]ουτω V^{W}(I)V^{WV}(III)R(III)M^{PM}(III) | om. καί 2° V^{VMi}(III) | om. ἡ K | ᾗ]ω K

5,16 καί γε πᾶσαι αἱ ἡμέραι αὐτοῦ ἐν σκότει καὶ ἐν πένθει
καὶ ἐν θυμῷ πολλῷ καὶ ἀρρωστίᾳ καὶ χολῷ.

I K(A4) II V^{WVMi}(Ω1)R(Ω1)M^{PM}(Ω1)

καί 1°]pr. οτι M^{M} | om. ἐν 2° M^{M} | om. ἐν 3° V^{W} M^{PM} | θυμῷ]pr. παροξυσμω και V^{VMi}R | om. καί 4° R

6,1 (a) Ἔστιν πονηρία ἣν εἶδον ὑπὸ τὸν ἥλιον,
(b) καὶ πολλή ἐστιν ἐπὶ τὸν ἄνθρωπον.

I a: V(E9)M^{PM}(E19)H^{a}(E9)T(E20) II ab: Iv(56)V(Φ10)R(Φ18)M^{P}(Φ16)A^{V}(76); b: A^{A}(76)

εἶδον]ιδον V^{EV}(I)V^{W}(II)M^{P}(I,II)T | ἥλιον]+πλουτον φυλασσομενον R(ex praec. 5,12?)| τὸν ἄνθρωπον]των ανθρωπων V^{EOVMi}(II)A^{V}

6,2 (a) ἀνὴρ ᾧ δώσει αὐτῷ ὁ θεὸς
(b) πλοῦτον καὶ ὑπάρχοντα καὶ δόξαν,
(c) καὶ οὐκ ἔστιν ὑστερῶν τῇ ψυχῇ αὐτοῦ
(d) ἀπὸ πάντων ὧν ἐπιθυμεῖ·

(e) καὶ ὅτι οὐκ ἐξουσιάσει αὐτῷ ὁ θεὸς τοῦ φαγεῖν ἀπ'αὐτοῦ,
(f) ὅτι ἀνὴρ ξένος φάγεται αὐτόν·
(g) καί γε τοῦτο ματαιότης καὶ ἀρρωστία πονηρά ἐστιν.

I g: R(A1)M^{ML}(A1)H^{c}(A1)L^{a}(A1) II a-f: V^{EO}(E9) M^{PM}(E19)H^{a}(E9)T(E20)A^{VA}(23); a-d.f: V^{VMi}(E9) III a-f: Iv(56)V(Φ10)M^{P}(Φ16)A^{V}(56); a-g: R(Φ18) ὑστερῶν]-ρον V^{W}(III)R(III); pr. ο M^{P}(II)T; ο υστερει M^{M}(II) | ἐξουσιάσει]-ζει V^{Mi}(III) |τοῦ φαγεῖν]το φαγειν αυτου Iv; +αυτον A^{VA}(II) |ἀπ' αὐτοῦ]απ αυτων M^{M}(II)T; αυτον A^{V}(III) | ὅτι2°] αλλ R(III); pr. και V^{VMi}(II)H^{a} | αὐτόν]αυτα V^{W} (III)M^{M}(II)T | om. ἐστιν 2° R(III)

6,3 ἐὰν γεννήσῃ ἀνὴρ ἑκατόν, καὶ ἔτη πολλὰ ζήσεται,
καὶ πλῆθος ὅ τι ἔσονται αἱ ἡμέραι ἐτῶν αὐτοῦ,
καὶ ἡ ψυχὴ αὐτοῦ οὐκ ἐμπλησθήσεται ἀγαθωσύνης,
καί γε ταφὴ οὐκ ἐγένετο αὐτῷ,
καὶ εἶπα Ἀγαθὸν ὑπὲρ αὐτὸν τὸ ἔκτρωμα.

I R(A1)M^{ML}(A1)H^{c}(A1)L^{a}(A1)
ἔτη]ετι M^{M} | om. αἱ M^{M} | ἐμπλησθήσεται]εμπλησθηση M^{L} | om. καί 5° $M^{ML}H^{c}$

6,4 ὅτι ἐν ματαιότητι ἦλθεν καὶ ἐν σκότει πορεύεται,
καὶ ἐν σκότει ὄνομα αὐτοῦ.

I R(A1)M^{ML}(A1)H^{c}(A1)L^{a}(A1)

6,7 (a) πᾶς μόχθος τοῦ ἀνθρώπου εἰς τὸ στόμα αὐτοῦ,
(b) καί γε ψυχὴ οὐ πλησθήσεται.

I a: K(A4)V(A10)M(A43)T(A65)A(43) II ab: K(A16) om. τό T

6,11(11a) εἰσὶν λόγοι πολλοὶ πληθύνοντες ματαιότητα.

I R(A39)H^{c}(A35)T(A39)L^{c}(A26) II K(Λ1) III R(T1) IV M^{PM}(Φ8)
ματαιότητα]ματαια M^{M}

7,2(1) (a) Ἀγαθὸν ὄνομα ὑπὲρ ἔλεον ἀγαθόν,
(b) ἀγαθὴ ἡμέρα θανάτου ἀνθρώπου ὑπὲρ ἡμέραν γεννήσεως αὐτοῦ.

I b: R(A1)M^{ML}(A1)L^{a}(A1) II b: K(Θ2;2°)V(Θ7)M^{PM}(Θ8)T(Θ11) III a: K(O7)V(O5)M^{P}(O15)L^{c}(O8) Ant.^{Mi}(II49) IV b: V^{W}(Ω1)M^{PM}(Ω1)

ὄνομα]+καλον K(III) | ἔλεον]ελαιον V^{EOVMi}(III) Ant.^{Mi} | ἀγαθή]αγαθον IV | om. θανάτου RL^{a} | ἀνθρώπου]om. V^{Mi}(II)M^{M}(IV); αυτου II(sine V^{Mi}) | γεννήσεως]γενεσεως M^{M}(I,IV) | om. αὐτοῦ M^{M}(II)M^{PM}(IV)

7,3(2)a-c (a) ἀγαθὸν πορευθῆναι εἰς οἶκον πένθους
(b) ἢ εἰς οἶκον πότου,
(c) διότι τοῦτο τέλος παντὸς ἀνθρώπου.

I ab: K(Θ2;2°)V(Θ7)R(Θ11)M^{PM}(Θ8)T(Θ11) II ab: K(M1)V(M5)M^{PM}(M1)A^{VA}(45apd.) III a-c: V^{W}(Ω1)M^{PM}(Ω1)

ἢ]+πορευθῆναι V(II)V^{W}(III)M^{P}(III) | om. παντός M^{M}(III)

7,4(3) (a) ἀγαθὸν θυμὸς ὑπὲρ γέλωτα,
(b) ὅτι ἐν κακίᾳ προσώπου ἀγαθυνθήσεται καρδία.

I ab: K(K6)V(K4)R(A22)M(A25)H^{c}(A19)T(A49)L^{a}(A5) II a: A^{V}(46)

καρδία]pr. η $M^{L}H^{c}$

7,5(4) καρδία σοφῶν ἐν οἴκῳ πένθους,
καὶ καρδία ἀφρόνων ἐν οἴκῳ εὐφροσύνης.

I K(Θ2;2°)V(Θ7)R(Θ11)M^{PM}(Θ8)T(Θ11) II V^{W}(Ω1)M^{PM}(Ω1)

σοφῶν]σοφου K | καὶ καρδία]καρδια δε I M^{M}(II) | ἀφρόνων]-νος KM^{M}(II)

7,6(5) ἀγαθὸν ἀκοῦσαι ἐπιτίμησιν σοφοῦ
ὑπὲρ ἄνδρα ἀκούοντα ᾆσμα ἀφρόνων.

I H^{c}(E28)T(E46) II K(O12)

7,7(6) (a) ὥσπερ φωνὴ ἀκανθῶν ὑπὸ τὸν λέβητα,
(b) οὕτως ὁ γέλως τῶν ἀφρόνων·
(c) καί γε τοῦτο ματαιότης.

I ab: V(A24)M^{PM}(A52)H^{a}(A22)T(A74) II a-c: R(Γ

3)H^{b}(Γ3)T(Γ3); ab: Ant.^{A}(I63) III ab: K(K6)V(K 4)R(A22)M(A25)H^{c}(A19)T(A49)L^{a}(A5)A^{V}(46)
ὥσπερ]ως I II | ἀκανθῶν]pr. των M^{M}(III)Ant.^{A} |
ὑπό]υπερ K | γέλως]+ο M^{M}(I)

7,8(7) ἡ συκοφαντία περιφέρει σοφὸν
καὶ ἀπολεῖ τὴν καρδίαν εὐτονίας αὐτοῦ.
I V(Ψ1)R(Ψ4)M^{PM}(Ψ4)A^{VA}(9)
om. τήν R | om. εὐτονίας A^{A}

7,10(9) μὴ σπεύσῃς ἐν πνεύματί σου θυμοῦσθαι,
ὅτι θυμὸς ἐν κόλπῳ ἀφρόνων ἀναπαύεται.
I Iv(32)V(Π15)R(Π41)M^{P}(Π37)A^{V}(61)Ant.^{MiM}(II72)
σπεύσῃς]-σεις M^{P} | θυμός]pr. ο V^{WEOV} | κόλπῳ] κολποις Ant.^{MiM} | ἀφρόνων]-νος V^{W} | ἀναπαύεται] -σεται $IvM^{P}A^{V}$; pr. και αυλιζεται Ant.^{MiM}

7,11(10) μὴ εἴπῃς Τί ἐγένετο
ὅτι αἱ ἡμέραι αἱ πρότεραι ἦσαν ἀγαθαὶ ὑπὲρ ταύτας;
ὅτι οὐκ ἐν σοφίᾳ ἐπερώτησας περὶ τούτου.
I R(H2)T(H2)

7,15(14)abα ἐν ἡμέρᾳ ἀγαθωσύνης
ζῆθι ἐν ἀγαθῷ.
I K(H2)V(H1)R(H1)T(H1)

7,16(15)b εἶδον δίκαιον ἀπολλύμενον ἐν τῷ δικαιώματι αὐτοῦ·
καί γε τοῦτο ματαιότης.
I R(M17)Ant.^{Mi}(II44) II K(O6)V(O6)L^{c}(O2apd.)
τῷ δικαιώματι]τη δικαιοσυνη L^{c}; τη ματαιοτητι Ant.^{Mi}

7,17(16) μὴ γίνου δίκαιος πολὺ
καὶ μὴ σοφίζου περισσά, μή ποτε ἐκπλαγῇς.
I M^{P}(O10)L^{c}(O2) II K(Σ1)V(Σ2)M^{P}(Σ15)
γίνου]εσο M^{P}(II) | καὶ μή]μηδε I M^{P}(II) | ἐκπλαγῇς]εκπαγις V^{OV}; εκπαγης V^{E}

7,18(17) (αα) καὶ μὴ ἀσεβέσῃς πολὺ (αβ) καὶ μὴ γίνου σκληρός,

(b) ἵνα μὴ ἀποθάνῃς ἐν οὐ καιρῷ σου.

I ab: R(Π9) II ab: K(Σ1)V(Σ2); aβb: M^{P}(Σ15)

om. καί 1° I | ἀσεβέσῃς]-σεις V^{EOV} | οὐ]τω V^{Mi} | om. σου I

7,19(18)a.c (a) ἀγαθὸν τὸ ἀντέχεσθαί σε τούτῳ,
(c) ὅτι ὁ φοβούμενος τὸν θεὸν διελεύσεται τὰ πάντα.

I M^{P}(Σ15)

7,21(20) ἄνθρωπος οὐκ ἔστιν δίκαιος ἐν τῇ γῇ,
ὃς ποιήσει ἀγαθὸν καὶ οὐχ ἁμαρτήσεται.

I C(A5)V^{WOVMi}(A13)R(A57)M^{PM}(A45)H^{b}(A4)T(A67) L^{C}(A41)

7,22(21) (a) εἰς πάντας τοὺς λόγους οὓς λαλήσουσιν
(b) μὴ θῇς καρδίαν σου,
(c) ὅπως μὴ ἀκούσῃς τοῦ δούλου σου καταρωμένου σε.

I a-c: R(Δ37)Ant.^{Mi}(II21) II ab: R(Φ7)M^{PM}(Φ7)

III a-c: Ant.^{M}(apd.)

λαλήσουσιν]λεγουσιν R(I) | ἀκούσῃς]-ση III

7,26(25)d ὀχληρίαν καὶ περιφοράν.

I V^{W}(E25)M^{M}(E10)H^{C}(E11)T(E11) II V^{EOVMi}(Σ19)

7,27(26)ab εὑρίσκω ἐγὼ αὐτήν,
πικρότερον ὑπὲρ θανάτου.

I V^{W}(E25)M^{M}(E10)H^{C}(E11)T(E11) II V^{EOVMi}(Σ19)

εὑρίσκω]pr. και $M^{M}H^{C}$T | om. ἐγώ II | αὐτήν]αυτα II | πικρότερον]-ρα II; -ραν V^{W} | θανάτου] -τον II M^{M}

7,28(27) ἴδε τοῦτο εὗρον, εἶπεν ὁ ἐκκλησιαστής,
μία τῇ μιᾷ, τοῦ εὑρεῖν λογισμόν.

I R(Π23)M^{P}(Π23)

7,29(28) ὃν ἐπεζήτησεν ἡ ψυχή μου, καὶ οὐχ εὗρον·
καὶ ἄνθρωπον ἕνα ἀπὸ χιλίων,
καὶ γυναῖκα ἐν πᾶσι τούτοις οὐχ εὗρον.

I R(Π23)M^{P}(Π23)

7,30(29) πλὴν ἴδε τοῦτο ἴδον ὃ ἐποίησεν ὁ θεὸς

τὸν ἄνθρωπον εὐθῆ·
αὐτοὶ δὲ ἐζήτησαν λογισμοὺς πολλούς.

I C(02) II V^{W}(Ψ1)M^{PM}(Ψ1)

ἴδε]ιδον M^{M} | ἴδον]ιδιον $V^{W}M^{P}$; om. M^{M} | πολλούς]πονηρους M^{M}

8,1b(c) ἀναιδὴς προσώπῳ αὐτοῦ μισηθήσεται.

I Iv(32)A(39)A^{V}(61)Ant.^{Mi}(II72)

om. αὐτοῦ Ant.^{Mi}

8,2(2.3a) (a) στόμα βασιλέως φύλαξον,
(b) περὶ λόγου ὅρκου μὴ σπουδάσῃς.

I a: K(A7)V^{OVMi}(A21)M^{PM}(A50)H^{a}(A19) II a: V(B 9)R(B2)M^{PM}(B12)H^{a}(B9)T(B2)Ant.^{Mi}(II1) III b: Iv(63)A^{VA}(27)

ὅρκου]ορκον A^{VA}

8,3 (a) καὶ ἀπὸ τοῦ προσώπου αὐτοῦ πορεύσῃ,
(b) μὴ στῇς ἐν λόγῳ πονηρῷ·
(c) ὅτι πᾶν ὃ ἐὰν θελήσῃ ποιῆσαι.

I a.c: K(A7)V^{OVMi}(A21)M^{PM}(A50)H^{a}(A19) II c: R (B2)Ant.^{Mi}(II1) III b: Iv(50)V(Γ15)M^{PM}(Γ15)H^{a}(Γ15)A^{V}(73) IV b: K(05)R(07)L^{C}(09)

πονηρῷ]λυπηρω IvA^{V}; +μηδε εναπομεινης τοις κακως βουλευθεισιν R(IV)L^{C} | πᾶν ὅ]παντα ο V^{OV}(I); παντα οσα V^{Mi}(I) | θελήσῃ]-σει V^{OV}(I); θελη II; λαλησει M^{P}(I) | ποιῆσαι]ποιηση K(I); ποιησει II M^{P}(I); om. M^{M}(I)

8,4 καθὼς βασιλεὺς ἐξουσιάζων,
καὶ τίς ἐρεῖ αὐτῷ Τί ποιεῖς;

I K(A7)V^{OVMi}(A21)M^{PM}(A50)H^{a}(A19) II R(B2) Ant.^{Mi}(II1)

καθὼς βασιλεὺς ἐξουσιάζων]+ποιει $V^{OVMi}H^{a}$; εξουσιαζων λαλει II | ποιεῖς]ποιησεις KM^{PM}

8,5 (a) ὃς φυλάσσει ἐντολὴν οὐ γνώσεται ῥῆμα πονηρόν,
(b) καιρὸν κρίσεως γινώσκει καρδία σοφοῦ.

I a: T(E1) II b: K(K2) III b: K(K5)R(K2)

8,6a ὅτι παντὶ πράγματί ἐστιν καιρὸς καὶ κρίσις.

I K(K5)R(K2)

om. καί K

8,7 οὐκ ἔστιν τις γινώσκων τί τὸ ἐσόμενον,
ὅτι καθὼς ἔσται τίς ἀναγγελεῖ αὐτῷ;

I R(A17)H^c(A15)T(A17)L^a(A18)L^c(A21)

ἔστιν]εσται RL^a | om. τις H^cL^c

8,8 (a) οὐκ ἔστιν ἄνθρωπος ἐξουσιάζων ἐν πνεύματι
(b) τοῦ κωλῦσαι σὺν τὸ πνεῦμα·
(c) καὶ οὐκ ἔστιν ἐξουσιάζων ἐν ἡμέρᾳ θανάτου,
(d) καὶ οὐκ ἔστιν ἀποστολὴ ἐν ἡμέρᾳ πολέμου,
(e) καὶ οὐ διασώζει ἀσεβεῖς τὸ παράπαν.

I a-d: K(A22); a-e: H^c(A25)T(A28)L^c(A18)

om. σύν K | τὸ πνεῦμα]τω πνευματι L^c | διασώζει]-ζη H^c

8,10 (a) ἴδον ἀσεβεῖς εἰς τάφους εἰσαχθέντας,
(b) καὶ ἐκ τοῦ ἁγίου·
(c) καὶ ἐπορεύθησαν καὶ ἐπαινέσθησαν ἐν τῇ πόλει,
(d) ὅτι οὕτως ἐποίησαν·
(e) καί γε τοῦτο ματαιότης.

I a-e: V^W(Ω1)M^P(Ω1); a.c-e: M^M(Ω1)

ἴδον]ειδον M^M | πόλει]πολλη M^M

8,11 (a) ὅτι οὐκ ἔστιν γινομένη ἀντίρρησις
(b) ἀπὸ τῶν ποιούντων τὸ πονηρὸν ταχύ,
(c) διὰ τοῦτο ἐπληροφορήθησαν αἱ καρδίαι υἱῶν ἀνθρώπου
(d) ἐν αὐτοῖς τοῦ ποιῆσαι τὸ πονηρόν.

I a-d: R(Δ5)H^c(Δ3) II a-d: H^c(E5)T(E5) III a-d:C(O2); ab: R(O18) IV a-d: K(Π1)

γινομένη]-νον H^c(I) | om. τῶν R(I) | om. ταχύ III | ἐπληροφορήθησαν αἱ καρδίαι]om. αἱ II; επληροφορηθη καρδια I | ἀνθρώπου]-πων IV C | ποιῆσαι]ποιουντος R(I)

8,12cd καί γε γινώσκω
ὅτι ἐστὶν ἀγαθὸν τοῖς φοβουμένοις αὐτόν.

I R(A49)

8,13bc οὐ μακρύνει ἡμέραν ἐπὶ σκιᾶν
ὃς οὐκ ἔστι φοβούμενος ἀπὸ προσώπου τοῦ θεοῦ.

I R(A50)

8,14 ἔστιν ματαιότης ἣ πεποίηται ἐπὶ τῆς γῆς,
ὅτι εἰσὶ δίκαιοι ὅτι φθάνει πρὸς αὐτοὺς
ὡς ποίημα τῶν ἀσεβῶν·
καί εἰσιν ἀσεβεῖς ὅτι φθάνει πρὸς αὐτοὺς
ὡς ποίημα τῶν δικαίων·
εἶπα καί γε τοῦτο ματαιότης.

I K(Σ13) II R(Σ17)M^{P}(Σ16)

πεποίηται]γινεται I

8,17 (a) εἶδον σύμπαντα τὰ ποιήματα τοῦ θεοῦ,
(8,17; (b) ὅτι οὐ δυνήσεται ἄνθρωπος
9,1ab) (c) τοῦ εὑρεῖν σύμπαν τὸ ποίημα
(d) τὸ πεποιημένον ὑπὸ τὸν ἥλιον·
(e) ὅσα ἐὰν μοχθήσῃ ἄνθρωπος τοῦ ζητῆσαι,
(f) καὶ οὐχ εὑρήσει·
(g) καί γε ὅσα ἐὰν εἴπῃ ὁ σοφὸς τοῦ γνῶναι,
(h) οὐ δυνήσεται τοῦ εὑρεῖν·
(i) ὅτι σύμπαν τοῦτο ἔδωκα ἐν τῇ καρδίᾳ μου,
(l) καὶ ἡ καρδία μου σύμπαν εἶδε τοῦτο.

I a-h: C(A4) II a-k: R(A17)H^{c}(A15)T(A17)L^{a}(A 18)L^{c}(A21)

εἶδον]ιδον T | σύμπαν 1°]συν I $H^{c}L^{c}$ | τοῦ ζητῆσαι]ου ζησεται RL^{a} | ἐάν 2°]αν I | ἔδωκα]δεδωκα RL^{a} | om. μου 2° RL^{a} | εἶδε]ιδε H^{c}T; οιδε L^{c}

9,1e(2) καὶ προὴ ἐν τοῖς πᾶσιν.

I M^{P}(Σ16)

9,2 συνάντημα ἓν τῷ δικαίῳ καὶ τῷ ἀσεβεῖ,
τῷ ἀγαθῷ καὶ τῷ κακῷ,
τῷ καθαρῷ καὶ τῷ ἀκαθάρτῳ,
τῷ θυσιάζοντι καὶ τῷ μὴ θυσιάζοντι·
ὡς ὁ ἀγαθός, ὁ ἁμαρτάνων,
ὡς ὁ ὀμνύων, καθὼς ὁ τὸν ὅρκον φοβούμενος.

I K(B1)V(B6)M^{PM}(B11)H^{a}(B6)T(B5) II R(Σ17)M^{P} (Σ16)

ὁ ἀγαθός]om. ὁ $V^{E}M^{PM}$(I); ο μη αγαθος V^{OV} | ὁ 2°] pr. ως II | om. ὁ 3° V^{EOVMi} | καθώς]ουτως M^{P}

(II) | τὸν ὅρκον]των ορκων V^{O}

9,3 (a) τοῦτο πονηρὸν ἐν παντὶ πεποιημένῳ ὑπὸ τὸν ἥλιον
(b) ὅτι συνάντημα ἓν τοῖς πᾶσιν·
(c) καρδία υἱῶν ἀνθρώπων ἐπληρώθη πονηροῦ,
(d) καὶ περφέρεια ἐν καρδίᾳ αὐτῶν ἐν ζωῇ αὐτῶν,
(e) τάδε τελευτεῖα αὐτῶν πρὸς τοὺς νεκρούς.

I c-e: R(A56) II ab: K(B1)V(B6)M^{PM}(B11)H^{a}(B6 1° loco)T(B5) III c-e: H^{a}(B6 2° loco)T(B5) IV cd: T(E11); d: H^{c}(E11) V c-e: R(P2) VI ab: R (Σ17)M^{P}(Σ16)

τοῦτο]+ουτω M^{P}(IV) | πεποιημένῳ]-νον M^{PM}(II); pr. τω VI | καρδία]pr. και γε T(IV) | υἱῶν] pr. των T(IV) | ἀνθρώπων]-που I; του ανθρωπου T(IV) | ἐληρώθη]πληρωθη I | περιφέρεια]-φορα IV; περιφερει τα R(V) | ζωῇ]pr. τη IV

9,4bc ἔστιν ἐλπίς· ὅτι ὁ κύων ὁ ζῶν αὐτὸς ἀγαθὸς
ὑπὲρ τὸν λέοντα τὸν τεθνηκότα.

I R(M9) II R(Σ17)M^{P}(Σ16)

τεθνηκότα]νεκρον I

9,5b-d οἱ νεκροὶ οὐκ εἰσὶν ἔτι γινώσκοντες οὐδέν·
καὶ οὐκ ἔστιν ἔτι τόπος,
ὅτι ἐπελήσθη ἡ μνήμη αὐτῶν.

I K(Θ3)

9,6 καί γε ἀγάπη αὐτῶν καί γε μῖσος αὐτῶν
καί γε ζῆλος αὐτῶν ἤδη ἀπώλετο,
καὶ μερὶς οὐκ ἔστιν αὐτοῖς ἔτι εἰς τὸν αἰῶνα
ἐν παντὶ τῷ πεποιημένῳ ὑπὸ τὸν ἥλιον.

I K(Θ3)

9,7a δεῦρο φάγε ἐν εὐφροσύνῃ τὸν ἄρτον σου.

I K(Δ8)V^{EOVMi}(Δ27)M^{PM}(Δ4)H^{a}(Δ27)

om. τὸν K

9,8a ἐν παντὶ καιρῷ ἔστωσαν τὰ ἱμάτιά σου λευκά.

I K(I3)V(I6)M^{PM}(I2)T(I2)

9,10 (a) πᾶν ὃ ἐὰν εὕρῃ ἡ χείρ σου τοῦ ποιῆσαι,

(b) ποίησον ὅση σοὶ δύναμις,
(c) ὅτι οὐκ ἔστιν ποίημα καὶ λογισμὸς καὶ γνῶσις
(d) καὶ σοφία ἐν ᾅδῃ, ὅπου σὺ πορεύσῃ ἐκεῖ.

I a-d: V^{W}(A11apd.)R(A5)M^{ML}(A5)H^{c}(A3)T(A5)L^{a}(A6) II ab: V(E8)M^{M}(E18)H^{a}(E8)T(E19) III cd: K(Θ3)

πᾶν ὅ]παντα οσα V^{W}(I)M^{ML}(I)H^{c}T(I) | ἐάν]αν M^{ML}(I) | om. ἤ V^{Mi} | ποίησον/ὅση σοὶ δύναμις] tr. II(o. σου δ. π. $V^{Mi}M^{M}H^{a}$) | om. ὅτι III | om. καὶ γνῶσις I | ᾅδῃ]αδου M^{M}(I)L^{a} | ὅπου]που III | om. σύ RL^{a} | πορεύσῃ]πορευη III RL^{a}

9,11 (a) Ὑπέστρεψα καὶ εἶδον ὑπὸ τὸν ἥλιον
(b) οὐ τοῖς κούφοις ὁ δρόμος
(c) καὶ οὐ τοῖς δυνατοῖς ὁ πόλεμος,
(d) καί γε οὐ τοῖς σοφοῖς ὁ ἄρτος
(e) καί γε οὐ τοῖς συνετοῖς ὁ πλοῦτος,
(f) καί γε οὐ τοῖς γινώσκουσιν χάρις·
(g) ὅτι καιρὸς καὶ ἀπάντημα συναντήσεται τοῖς πᾶσιν αὐτοῖς.

I a-g: R(M9) II b-g: C(Σ1) III b-g: K(Σ13)

οὐ 1°]pr. οτι I | χάρις]pr. η I | ἀπάντημα] συναντημα II | συναντήσεται]-τησει III

9,12 (a) καί γε οὐκ ἔγνω ἄνθρωπος τὸν καιρὸν αὐτοῦ·
(b) ὡς οἱ ἰχθύες οἱ θηρευόμενοι ἐν αμφιβλήστρῳ κακῷν
(c) καὶ ὡς ὄρνεα θηρευόμενα παγίδι,
(d) ὡς αὐτὰ παγιδεύονται οἱ υἱοὶ τῶν ἀνθρώπων
(e) ἐν καιρῷ πονηρῷ,
(f) ὅταν ἐπιπέσῃ ἐπ᾽ αὐτοὺς ἄφνω.

I a-f: R(A17)H^{c}(A15)T(A17)L^{a}(A18)L^{c}(A21) II a-f: K(N3); b-f: V(N3)M^{PM}(N3)L^{c}(N4) III a: C(Σ1) IV a-f: K(Ω1)

om. καί γε I | om. οἱ M^{M} | om. ἐν 1° L^{c}(I) | κακῶν]κακω I M^{M}; om. V^{EOVMi} | παγίδι]pr. εν T H^{c} | ὡς αὐτά]ωσαυτως II | παγιδεύονται]-σονται R; παγιδα V^{W}; παγιδαι M^{P}; παγιδους L^{c}(II) |οἱ/υἱοί]tr. L^{a}; om. οἱ IV $VM^{P}L^{c}$(I); om. υἱοί L^{c}(II) | τῶν ἀνθρώπων]του ανθρωπου $RTL^{a}L^{c}$(I) |

ἐν καιρῷ πονηρῷ]εις καιρον πονηρον I

9,13 Καί γε τοῦτο εἶδον σοφίαν ὑπὸ τὸν ἥλιον,
καὶ μεγάλη ἐστὶν πρὸς μέ.

I H^{C}(E24)T(E41) II Ant.^{Mi}(II41)

εἶδον]ιδον T

9,14 πόλις μικρὰ καὶ ἄνδρες ἐν αὐτῇ ὀλίγοι,
καὶ ἔλθῃ ἐπ᾽αὐτὴν βασιλεὺς μέγας καὶ κυκλώσει
αὐτὴν
καὶ οἰκοδομήσει ἐπ᾽αὐτὴν χάρακας μεγάλους.

I H^{C}(E24)T(E41) II Ant.^{Mi}(II41)

οἰκοδομήσει]-ση T

9,15 (a) καὶ εὕρῃ ἐπ᾽αὐτὴν ἄνδρα πένητα σοφόν,
(b) καὶ διασώσῃ αὐτὸς τὴν πόλιν ἐν τῇ σοφίᾳ
αὐτοῦ,
(c) καὶ ἄνθρωπος οὐκ ἐμνήσθη σὺν τοῦ ἀνδρὸς
τοῦ πένητος ἐκείνου.

I a-c: H^{C}(E24)T(E41) II ab: Ant.^{Mi}(II41)

εὕρῃ]ευρει I | ἐπ᾽αὐτήν]εν αυτη II | σοφόν]
pr. και II | διασώσῃ]-σει I

9,16 (aα) καὶ εἶπα ἐγώ (aβ) Ἀγαθὴ σοφία ὑπὲρ δύνα-
μιν·
(b) ἡ σοφία τοῦ πένητος ἐξουδενωμένη,
(c) καὶ οἱ λόγοι αὐτοῦ οὐκ εἰσὶν ἀκουόμενοι.

I a: H^{C}(E24)T(E41) II bc: V(Π21)R(Π43)M^{P}(Π40)
Ant.^{MiA}(I33) III aβ: A^{VA}(17)

ἐξουδενωμένη]-νομενη V^{WEOV}; -νουμενη V^{Mi}; εξ-
ουθενουμενη Ant.^{A}; εξουθενημενη Ant.^{Mi} | om.
αὐτοῦ V^{EOVMi}

9,17 (a) λόγοι σοφῶν ἐν ἀναπαύσει εἰσακούονται
(b) ὑπὲρ κραυγὴν ἐμουσιαζόντων ἐν ἀφροσύνῃ.

I ab: L^{C}(A26) II a: K(E22) III ab: K(Λ1)

εἰσακούονται]ακουονται II; ακουσθησονται I

9,18b ἁμαρτάνων εἷς ἀπολέσει ἀγαθωσύνην πολλῶν.

I Ant.^{MiM}(II42) II Ant.^{A}(apd.)

10,1a μυῖαι θανατοῦσαι σαπριοῦσιν σκευασίαν, ἐλαίου
ἡδύσματος.

I K(A20) II Ant.^{Mi}(II42)

om. θανατοῦσαι I

10,3 καί γε ἐν ὁδῷ ὅταν ἄφρων πορεύηται,
καρδία αὐτοῦ ὑστερήσῃ,
καὶ λογιεῖται πάντα ἀφροσύνης ἐστίν.

I K(P1)

10,4 (a) ἐὰν πνεῦμα τοῦ ἐξουσιάζοντος ἀναβῇ ἐπὶ σέ.
(b) τόπον σου μὴ ἀφῇς,
(c) ἴαμα καταπαύσει ἁμαρτίας μεγάλας.

I ab: R(Δ28)H^{C}(Δ22)T(Δ26) II ab: H^{C}(E5)T(E5)

III ab: H^{C}(E12)T(E13) IV c: R(M13)

ἐπί]προς R(I)

10,5b ὡς ἀκούσιον ὃ ἐξῆλθεν ἀπὸ προσώπου τοῦ ἐξουσι-
άζοντος.

I R(Δ28)H^{C}(Δ22)T(Δ26) II K(E18)H^{C}(E12)T(E13)
Ant.^{MiA}(I65)

om. ὡς Ant.^{MiA} | ἀκούσιον]-σιος Ant.^{MiA} | ὅ]
οτι R; om. H^{C}(II)T(II)Ant.^{MiA} | ἐξῆλθεν]προηλ-
θεν K | ἀπό]εκ K | om. τοῦ Ant.^{MiA}

10,6 ἐδόθη ὁ ἄφρων ἐν ὕψεσιν μεγάλοις,
καὶ πλούσιοι ἐν ταπεινώσει καθήσονται.

I C(O3) II M^{P}(Σ16)

om. ὁ II | καθήσονται]καθισονται I

10,7 ἴδον δούλους ἐφ' ἵππους
καὶ ἄρχοντας πορευομένους ὡς δούλους ἐπὶ γῆς.

I R(M9) II C(O3) III K(Σ13) IV M^{P}(Σ16)

ἴδον]ειδον I | ἵππους]ιπποις I | πορευομένους
ὡς δούλους]ως δουλους περιπατουντας III | γῆς]
pr. της III IV

10,8 (a) ὁ ὀρύσσων βόθρον εἰς αὐτὸν ἐμπεσεῖται,
(b) καὶ καθαιροῦντα φραγμόν, δήξεται αὐτὸν ὄ-
φις.

I ab: K(E8)V(E13)M^{P}(E9)H^{a}(E13)T(E10); a: M^{M}
(E9)

καθαιροῦντα]καθαιρονται V^{W}; καθαιροντα $M^{P}H^{a}$ |

δήξεται]δεξ. K; δειξ. M^{P}T | ὄφις]pr. η KV^{E}; pr. ο V^{O}

10,9a ἐξαιροῦντα λίθους διαπονηθήσεται ἐν αὐτοῖς.

I K(E8)V(E13)M^{P}(E9)H^{a}(E13)T(E10)

ἐξαιροῦντα]-ροντα K; εξαιρων V^{Mi}

10,12 (a) λόγοι στόματος σοφοῦ χάρις,
(b) χείλη ἄφρονος καταποντιοῦσιν αὐτόν.

I a: H^{c}(A21)T(A24) II b: V(A24)R(A63)M^{PM}(A52) H^{a}(A22)T(A74)$Ant.^{MiM}$(I9) III a: R(Γ2)H^{b}(Γ2) IV a: R(Λ2) V a: Iv(49)R(Φ8)A^{V}(72)$Ant.^{MiMA}$(I75) VI b: R(Φ10)M^{PM}(Φ8) VII b: $Ant.^{M}$(II72)

καταποντιοῦσιν]-ποντιζουσιν VR(II)M^{PM}(II)H^{a}T (II) | αὐτόν]αυτου V^{OV}

10,13 (a) ἀρχὴ λόγων στόματος αὐτοῦ ἀφροσύνη,
(b) καὶ ἐσχάτη στόματος αὐτοῦ περιφέρεια πονηρά-

I ab: R(A63)$Ant.^{Mi}$(I9); a: $Ant.^{M}$(I9) II ab: R (Φ10)M^{PM}(Φ8)

om. ἀφροσύνη - αὐτοῦ 2° M^{M}

10,14a-c (a) ἄφρων πληθύνει λόγους·
(b) οὐκ ἔγνω ἄνθρωπος τί τὸ γεννώμενον
(c) καὶ τί τὸ ἐσόμενον.

I bc: H^{c}(A15)L^{c}(A21)T(A17) II a: R(A63) III a: Iv(48)V(Γ15)M^{PM}(Γ15)H^{a}(Γ15)A^{A}(71)$Ant.^{MiMA}$(I74) $Ant.^{M}$(apd.) IV a: M^{PM}(Φ8)

ἄφρων]pr. και ο II; pr. ο $Ant.^{MA}$ | πληθύνει] πληθυνεῖ II $V^{W}A^{A}Ant.^{MA}Ant.^{M}$(apd.) | λόγους]λογον Iv; +αυτου IV | γεννώμενον]γενομενον L^{c} | ἐσόμενον]επομενον H^{c}

10,16 (a) οὐαί σοι, πόλις, ἧς ὁ βασιλεύς σου νεώτερος,
(b) καὶ οἱ ἄρχοντές χου πρωίᾳ ἐσθίcυσιν.

I ab: R(A9apd.)L^{a}(A9apd.)$Ant.^{Mi}$(II6); a:$Ant.^{M}$ (II6) II ab: Iv(16)V(B10)R(B3)M^{PM}(B13)H^{a}(B10) T(B3)A^{VA}(31); a: $Ant.^{Mi}$(II2) σοι]σου M^{P} | om. νεώτερος - σου 2° Iv | πρωίᾳ] πρωι V^{EOVMi}R(II)

10,17 μακαρία σύ, γῆ, ἧς ὁ βασιλεύς σου υἱὸς ἐλευθέρου,
καὶ οἱ ἄρχοντές σου πρὸς καιρὸν φάγονται ἐν δυνάμει
καὶ οὐκ αἰσχυνθήσονται.

I R(A13)H^{c}(A11)T(A13)L^{a}(A13) II R(B2)

φάγονται]φαγωνται II R(I)L^{a} | οὐκ αἰσχυνθήσονται]ουκ αισχυνθησεται II; ου καταισχυνθησονται H^{c}T

10,18 (a) ἐν ὀκνηρίαις ταπεινωθήσεται ἡ δόκωσις,
(b) καὶ ἐν ἀργίᾳ χειρῶν στάζει οἰκία.

I ab: Iv(24)V^{EOVMi}(M6)R(M18)A^{VA}(96)$Ant.^{Mi}$(II 46); b: $Ant.^{M}$(II46)

ὀκνηρίαις]-ρια $Ant.^{Mi}$ | om. ἡ $A^{A}Ant.^{Mi}$ | δόκωσις]δοκησις Iv$V^{Mi}A^{V}Ant.^{M}$ | om. καί $Ant.^{M}$ | ἀργίᾳ]αργιαις V^{EMi} | στάζει]σταξει R$Ant.^{Mi}$; στεναζει V^{EOVMi}; τηξει A^{V} | οἰκία]οικεια V^{EOV}

10,19bc (b) οἶνος εὐφραίνει ζῶντας·
(c) τοῦ ἀργυρίου ὑπακούσεται τὰ σύμπαντα.

I c: V(E9)M^{PM}(E18)H^{a}(E9)T(E20) II b: K(O9) III c: R(Π53) IV c: V^{W}(X2)R(X2)M^{PM}(X2)

ἀργυρίου]pr. αγοντος III; pr. γαρ M^{M}(IV) | om. τά M^{M}(IV)

10,20 (a) ἐν εἰδήσει σου βασιλέα μὴ καταράσῃ,
(b) καὶ ἐν ταμείοις κοιτώνων σου μὴ καταράσῃ πλούσιον·
(c) ὅτι πετεινὸν τοῦ οὐρανοῦ ἀποίσει τὴν φωνήν σου,
(d) καὶ ὁ ἔχων πτέρυγας ἀναγγελεῖ λόγον σου.

I a-d: K(A7)V^{WOVMi}(A21)M^{PM}(A50)H^{a}(A19)T(A72) II a-d: R(B2)$Ant.^{Mi}$(II1) III a.c: K(B6)V(B11) M^{PM}(B14)H^{a}(B11) IV a-d: R(K13)

ἐν εἰδήσει]εν συνειδησει II $M^{PM^{c}}$(I)T; συνειδησει M^{M}(III) | σου 1°]σοι V^{V}(III) | ταμείοις]

ταμιειοις K(I)V^{W}(I)|κοιτώνων]-νος II V^{OVMi}(I)H^{a}
(I) | καταράσῃ 1°]-σει V^{OV*}(I)| καταράσῃ 2°]
-σει V^{OV*}(I)V^{OVMi}(IV) | λόγον]λογους IV

11,1 Ἀπόστειλον τὸν ἄρτον σου ἐπὶ πρόσωπον ὕδατος,
ὅτι ἐν πλήθει τῶν ἡμερῶν εὑρήσεις αὐτόν.

I V^{W}(A11apd.)R(A5)M^{ML}(A5)H^{c}(A3)T(A5)L^{a}(A6) II
R(Δ18)H^{c}(Δ15)T(Δ19) III H^{c}(E9)T(E9)

ἐπί]εις M^{M} | πρόσωπον]-που III | ὕδατος]πενη-
τος M^{M} | om. τῶν H^{c}(I,III)T(I)

11,2 δὸς μερίδα τοῖς ἑπτὰ καί γε τοῖς ὀκτώ,
ὅτι οὐ γινώσκεις τί ἔσται πονηρὸν ἐπὶ τὴν γῆν.

I V^{W}(A11apd.)R(A5)M^{ML}(A5)H^{c}(A3)T(A5)L^{a}(A6) II
R(Δ18)H^{c}(Δ15)T(Δ19) III H^{c}(E9)T(E9)

γινώσκεις]-κης T(III); οιδας II | ἔσται]εστιν
V^{W}R(I)T(I)L^{a} | τὴν γῆν]της γης M^{M}

11,4 τηρῶν ἄνεμον οὐ σπερεῖ,
καὶ βλέπων ἐν ταῖς νεφέλαις οὐ θερίσει.

I K(Π18)V(Π27)R(Π15)L^{c}(Π4)

τηρῶν]κηρων L^{c}; pr.o R

11,5 (a) ἐν οἷς οὐκ ἔστιν γινώσκων τίς ἡ ὁδὸς τοῦ
πνεύματος
(b) ὡς ὀστᾶ ἐν γαστρὶ τῆς κυοφορούσης,
(c) οὕτως οὐ γνώσῃ τὰ ποιήματα τοῦ θεοῦ
(d) ὅσα ποιήσει τὰ σύμπαντα.

I b-d: T(A17); bc: R(A17)H^{c}(A15)L^{a}(A18)L^{c}(A21)
II a: V^{W}(Π27)R(Π15)L^{c}(Π4)

ἡ ὁδός]ειδος V^{Wmg}(vid.) | ὀστᾶ]τα H^{c}T | γνώσῃ]
γνωσει H^{c}T

11,6 (a) ἐν πρωίᾳ σπεῖρον τὸν ἄρτον σου,
(b) καὶ εἰς ἑσπέραν μὴ ἀφῇς τῶν χειρῶν σου,
(c) ὅτι οὐκ οἶδας ποῖον στοχάσθαι, ἢ τοῦτο ἢ
τοῦτο,
(d) καὶ ἐὰν τὰ δύο ἐπὶ τὸ αὐτὸ ἀγαθά.

I a-d: H^{b}(Γ1)T(Γ1); ab: K(Γ3) II a-d: H^{c}(Δ15)
T(Δ15)

σπεῖρον]σπερνε K | τὸν ἄρτον]το σπερμα KT(II)|

αφῆς τῶν χειρῶν]αφιετω η χειρ K | οἶδας]οιδες
H^{b}T(I) | στοχάσασθαι]στοχασει II | om. ἤ 1° II
| ἀγαθά]-θον H^{b}T(I)

11,9 (a) Εὐφραίνου, νεάνισκε, ἐν ἡμέραις νεότητός σου,
(b) καὶ ἀγαθυνάτω σε ἡ καρδία σου ἐν ἡμέραις νεότητός σου,
(c) καὶ περιπάτει ἐν ὁδοῖς καρδίας σου ἄμωμος
(d) καὶ ἐν ὁράσει ὀφθαλμῶν σου·
(e) καὶ γνῶθι ὅτι ἐπὶ πᾶσι τούτοις ἄξει σε ὁ θεὸς εἰς κρίσιν.

I c-e: R(K15)M^{M}(K11); c.e: V(K12)$Ant.^{Mi}$(II87); c: $Ant.^{M}$(II87) II a-e: R(N1); a-c.e: $Ant.^{Mi}$(II 19); a-c: V(N1)M^{PM}(N1)L^{C}(N1) III a-e: M^{P}(Π1) IV c.e: $Ant.^{MiMA}$(I59)

ἡμέραις νεότητος 1°]νεοτητι III | om. ἐν ἡμέραις νεότητός σου 2° V^{EOVMi}(II)R(II)$Ant.^{Mi}$(II) | om. καί 2° I IV | ἄμωμος]om. M^{P}(II)L^{C}; αμεμπτος III | γνῶθι]+σεαυτον IV | ἐπί]εν IV | om. ὁ $Ant.^{A}$ | εἰς κρίσιν]εν κρισει III

11,10 (a) καὶ ἀπόστησον θυμὸν ἀπὸ καρδίας σου,
(b) καὶ παράγαγε πονηρίαν ἀπὸ σαρκῶν σου,
(c) ἡ νεότης καὶ ἡ ἀνομία ματαιότης.

I ab: V(K12)R(K15)M^{PM}(K11)$Ant.^{Mi}$(II87) II ab: R(N1) III ab:M^{P}(Π1) IV a:V(Π15) V c:$Ant.^{Mi}$(I20)

om. καί 1° IV $Ant.^{Mi}$(I) | θυμὸν ἀπὸ καρδίας] θυμου καρδιαν V^{W} | παράγαγε]παραγε $Ant.^{Mi}$(I) | σαρκῶν]σαρκος V^{EOVMi}(I)$M^{M}$$Ant.^{Mi}$(I)

12,1 μνήσθητι τοῦ κτίσαντός σε
ἐν ἡμέραις νεότητός σου
ἕως οὗ μὴ ἔλθωσιν αἱ ἡμέραι τῆς κακίας,
καὶ φθάσωσιν ἔτη ἐν οἷς ἐρεῖς
Οὐκ ἔστιν μοι ἐν αὐτοῖς θέλημα.

I C(Δ3)H^{b}(Δ3)

12,2a ἕως οὗ μὴ σκοτασθῇ ὁ ἥλιος καὶ τὸ φῶς.

I C(Δ3)H^{b}(Δ3)

12,5ef	ὅτι ἐπορεύθη ἄνθρωπος εἰς οἶκον αἰῶνος αὐτοῦ, καὶ ἐκύκλωσαν ἐν ἀγορᾷ οἱ κοπτόμενοι. I K(Θ2;2°)V(Θ7)R(Θ11)M^{PM}(Θ8)T(11)
12,11	λόγοι σοφῶν ὡς τὰ βούκεντρα καὶ ὡς ἧλοι πεπυρωμένοι. I K(Λ1) II A^{VA}(17)
12,12bc	υἱέ, φύλασσε τοῦ ποιῆσαι βιβλία πολλά, ὅτι ἔστιν πειρασμός, καὶ μελέτη πολλὴ κόπωσις σαρκός, καὶ οὐκ ἔστιν πειρασμός. I K(B5)
12,13	(a) Τέλος λόγου τὸ πᾶν ἄκουε (b) Τὸν θεὸν φοβοῦ καὶ τὰς ἐντολὰς αὐτοῦ φύλασσε, (c) ὅτι τοῦτο πᾶς ἄνθρωπος. I a-c: Ant.^{MiA}(I66); ab: V(A4)R(A49)M(A39)T(A 61)L^{c}(A6) II a-c: Ant.^{Mi}(I3); ab: V(E1)M^{PM}(E 1)H^{a}(E1)T)E1)Ant.^{M}(I3) τοῦτο]τουτου Ant.^{Mi}(II)
12,14	σύμπαν τὸ ποίημα ἄξει ὁ θεὸς εἰς κρίσιν ἐν παντὶ παρεωραμένῳ, ἐὰν ἀγαθόν, ἐὰν πονηρόν. I C(A12)V(A15)R(A12apd.)M^{PM}(A47)H^{b}(A10)T(A68) L^{a}(A12apd.)L^{c}(A42)Ant.^{MiA}(I20) θεός]κυριος RL^{a} | ἐν]συν RH^{b}L^{a} | παρεωραμένῳ] -μενον V^{OV}H^{b}L^{a}L^{c}

N i c h t   v e r i f i z i e r t e   Z i t a t e

Salomo ʼΑφροσύνη ἑνὸς πολλοῖς κίνδυνον ἐργάζεται.
Ant.^{M}(II42)

Salomo Γῆρας λεόντων κρεῖσσον ἀκμαίων νευρῶν.
Ant.^{M}(apd.)

Salomo Δείκνυσι τὴν πηγὴν ὁ ποταμός,
καὶ ὁ καρπὸς τὴν ῥίζαν.
Ant.^{M}(apd.)

Salomo Οἱ ἔλεγχοι τῷ ἀσεβεῖ, μώλωπες αὐτῷ.
Iv(66)V(Σ6)M^{P}(Σ20)A^{VA}(19)A^{VA}(80)Ant.^{Mi}(II60)
Ant.^{M}(apd.)
Οἱ]+γαρ Ant.^{M}(apd.) | τῷ ἀσεβεῖ]των ασεβων A^{VA}(19) | αὐτῷ]om. V^{W}M^{P}; αυτων Ant.^{Mi}; αυτοις εἰσιν A^{VA}(19)

Salomo Καρδίαν ἐπιδεομένου μὴ προσταπεινώσῃς.
Ant.^{M}(I28)

Salomo Μὴ μακαρίσῃς ἄνδρα πρὸ τελευτῆς αὐτοῦ.
K(E21)

Salomo Οἰκέτης σοφὸς ἡδὺς δεσπότῃ.
Iv(65)A^{VA}(59)Ant.^{MiLM}(II23)

Salomo Οἶκος δικαίων εὐλογεῖται.
V^{OVMi}(Δ28)

Salomo Περιποίησαι χάριν καὶ ἔννοιαν ἀγαθήν,
ἐν ὀφθαλμοῖς θεοῦ καὶ ἀνθρώπων.
Ant.^{MiM}(II49)

Salomo Φθόνος οὐκ οἶδε προτιμᾶν τὸ σύμφερον.
Ant.^{MiMA}(I62)

Salomo Υἱῷ καὶ θυγατρὶ μὴ προσμειδιάσῃς,
ἵνα μὴ ὕστερον δακρύσῃς.
Ant.^{M}(apd.)

Salomo Ψυχὴν τεταπεινομένην μὴ ταράξῃς. Ant.^{M}(apd.)

BS 1464 .G7 S48 1985

Wahl, Otto.
468393

Der Proverbien- und Kohelet-
Text der Sacra Parallela